저자소개

김 진 환

건축사
㈜더바운종합건설 총괄본부장
대림대학교 실내디자인학부 겸임교수
서울호서직업전문학교 공간건축디자인계열 겸임교수

한양대학교 첨단건축도시환경공학과 건축학전공 건축학석사
명지대학교 건축학부 건축학전공 건축학사
국가평생교육진흥원 건축공학전공 공학사
서울호서직업전문학교 건축리모델링디자인과 졸업

감사의 글

처음 실내건축기사·산업기사강의를 할 때가 25살로 당시 명지대학교의 건축학과 2학년에 재학
중이었을 때였습니다. 건축의 매력에 빠져 장차 건축사를 꿈으로 마음속에 늘 가지고 다니는
학생이었어요. 때문에 25살 당시 모든 생활은 미래의 건축사 시험을 대비하는 생활을 하고 있었어요.
그 중 하나가 바로 실내건축기사·산업기사강의였어요. 강의를 건축사시험을 보는 그때까지 계속한다면
제도 실력이 보다 발전하여 장차 건축사 시험에 유리할 것이라 스스로 판단하였기 때문입니다.
강의를 하다 보니 자연스럽게 수강생들의 질문에 답을 해주기 위해 더 많은 건축공부를 하게 되었고,
수강생이 시험 합격 후 기뻐하는 모습을 지켜보며 많은 보람을 느낄 수 있었습니다.
그렇게 꿈을 향해 앞 만보고 달리던 25살의 건축학도가 이제는 39살이 되었습니다.
지금 생각하면 옛날로 돌아가고 싶지 않을 만큼 열심히 살았고, 바쁘게 살았네요.
그 덕분인지 지금은 25살 때의 꿈을 이뤄 건축사가 되었고, 대학교수이며, 건설회사의 경영을
관여하는 자리까지 오르게 되었네요.
결과적으로 보았을 때는 모든 것이 마치 짜여놓은 시나리오대로 진행된 것처럼 보이지만,
당시에는 허무맹랑한 꿈을 쫓는 돈키호테의 모습과 흡사 다르지 않았을 지도 모릅니다.
최근 수강생들의 경향을 보면 무엇을 시작하면 단기간에 어떤 결과가 나오는가에 초점이 맞춰 이에
충족되지 않으면 시작조차 하지 않으려는 수강생을 볼 수 있습니다.
물론 이점이 나쁘다는 것은 아닙니다.
저의 경우는 건축사 시험과 제도 실력이 연관이 있다고 스스로 판단하고 강의를 시작하였고, 14년이
지나 건축사를 취득을 한 후, 제도 실력은 건축사 시험에서 크게 중요하지 않았다는 것을 알게
되었습니다. 그렇지만 후회는 없습니다.
열심히 강의를 한 덕분에 대학교수가 되었기 때문입니다.
이 책을 보시는 여러분들에게는 돈키호테처럼 행동주의적이며, 능동적인 에너지를 가지고 도전하시
바랍니다.
무엇인가를 시작하지 않고 그 결과를 짐작할 수는 없습니다.
그 결과가 처음의 생각과는 다소 차이는 있을 수도 있겠지만, 그 나름 좋은 결과가 될 것입니다.
오늘 내가 노력한 것은 훗날 나를 배신하지 않을 것이라 저는 믿습니다.
자신의 멋진 미래의 모습을 꿈꾸며 여러분 도전하십시오.

마지막으로 건설회사를 한 평생 운영하시며 아들의 길잡이 역할을 해주신 아버지와 지금의 이 자리에
오기까지 많은 시련을 경험할 때 포기하지 않게끔 격려해주신 어머니, 책을 집필하며 비전문가의
입장으로 많은 의견을 준 동생에게 감사의 말씀을 전합니다.

저자 김진환

독학으로 취득하는
실내건축산업기사 실기 작업형

김진환 지음

목차

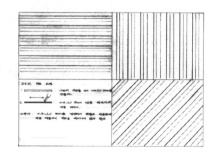
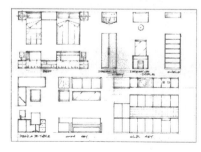
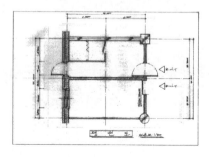

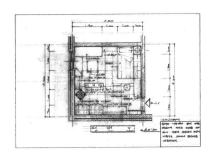
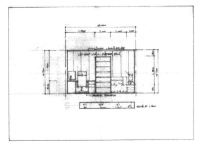
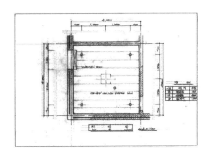

목차

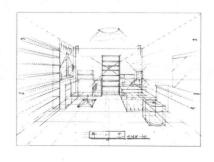
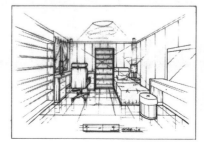

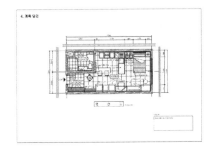
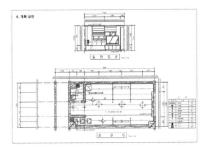
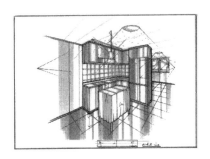

여러분은 실내건축산업기사를 취득하기 위해 「독학으로 취득하는 실내건축산업기사 실기 작업형」이라는 학교에 지금 막 입학하였습니다.

본 저자는 진심으로 여러분의 입학을 축하드립니다.

안녕하세요.

지금부터 여러분의 꿈과 목표인 실내건축산업기사의 최종합격을 위해 여러분의 담당교수가 될 김진환입니다. 잘 부탁드립니다!

앞으로 여러분과 같이 실내건축산업기사 실기수업을 매주 진행할 것입니다.

그 전에 몇 가지 우리 학교의 교칙을 알려드리고자 합니다.

1. 학교와 같은 커리큘럼

본 교재는 대학에서 진행하는 수업형식과 동일한 방식으로 진행됩니다.

그렇기에 책의 구성을 매주 3시간씩, 학습한다는 가정에 15주간의 분량으로 내용을 구성하였습니다.

(예를 들어 여러분이 1주일에 3시간이 아닌 3일에 3시간씩 학습한다면, 45일이면 모든 수업이 종료됩니다.)

각 주차의 수업은 우선 꼼꼼히 읽고, 이해하고, 제도판에 따라서 작도하기까지를 본 교재에서는 「학습」이라는 단어로 사용하고 있습니다.

학습을 꾸준히 15주차까지 따라온다면 분명히 여러분은 시험 준비의 방향을 알게 될 것입니다.

시험 준비의 방향을 알게 된다는 말은 시험을 보기 위해 내가 무엇을 준비해야하며 내가 지금 어디쯤에 있는지를 혼자서도 알 수 있게 된다는 뜻입니다.

2. 자격증 취득을 위한 최소한의 내용

본 교재는 '실내건축 대백과사전'과 같은 거창한 이론서가 아닙니다.

실내건축산업기사란 국가기술자격 취득이란 단 한 가지 목표로 제작된 자격증수험서입니다.

그렇기에 실무적이며, 인테리어의 모든 것을 알기 위한 책을 원하셨다면 아쉽게도 이 책의 목적과 맞지 않습니다.

3. 최대한 얇게 만든 교재

산업기사를 취득하려면 대표적인 취득조건 다음과 같습니다.

- 전문대 졸업예정자
- 동일 및 유사분야 산업기사 취득자
- 관련분야 2년 경력자
- 학점은행제 41학점 이상 취득자

  (※기타 경우는 큐넷 고객지원 1644-8000에 문의하시길 바랍니다.)

여러분이 취득요건과 더불어 필기시험이 합격했다는 전제로 수업이 진행됩니다.

그렇기에 필기시험과 중복되는 불필요한 이론, 어원, 역사 등은 과감히 삭제하였으며,

여러분이 최소한으로 학습해야 할 내용만으로 최대한 얇게 제작하기 위해 노력했습니다.

글은 적게, 그림은 많이 넣어 지루하지 않게 수업을 진행하기 위해 최선을 다했습니다.

4. 무조건 끝까지 독파하기

본 교재를 1회 완독까지 누군가에게는 15주가 걸릴 수가 있고, 누군가에게는 45일이 걸릴 수가 있습니다.

계획적으로 꾸준한 학습을 위한 스케줄을 준비해주세요. 1주일에 3시간 혹은 3일에 3시간도 좋습니다. 한번 시작하면 꾸준히 시험장에 가는 그날까지 계속 학습이 되어야만 합니다.

학습 중 잘 모르거나 이해가 안가더라도 일단 끝까지 따라하며 1회 완독하세요.

그 후 모르는 부분으로 다시 돌아가서 모르는 부분을 다시 읽어보세요.

처음보단 많이 쉬워져 있을 것입니다.

진행하다 뜻대로 되지 않거나 어렵다고 계속 해당부분만 붙잡고 있으면, 처음에 가졌던 자신감과 합격의 기대감이 사라지고 맙니다.

그러면 당연히 시험도 어느 순간 흐지부지 되어버립니다.

일단 무조건 15회의 이론수업을 독파합시다!

5. 실내건축은 주변이 곧 공부다.

실내건축산업기사의 시험문제는 여러분의 일상에서 흔히 볼 수 있는 공간들이 대부분입니다.

커피숍, 의류매장, 원룸, 호텔 등 우리주변 조금만 관심을 가지고 주변을 둘러보면 계획공부를 별도로 할 필요가 없습니다.

만약 커피숍이 시험문제에 나온다면 내가 주로 가는 커피숍을, 의류매장이 시험문제에 나온다면 지난주에 갔던 백화점을 떠올리면 그것이 바로 계획입니다.

제가 여러분께 전해드리고 싶은 말은 실내건축산업기사 시험을 준비하는 기간만큼은 주변에 관심을 가져주십사 하는 것입니다.

요즘시대에 정답 답안지를 암기해서 시험을 보려는 전략은 별로 좋지 않습니다.

주변에 관심을 가져주세요. 그러면 공부가 쉽게 됩니다.

6. 실기는 곧 제도작도시험이다.

작업형 실기시험은 큰 개념에서 보면 제도시험입니다.

공간에 대한 배치계획도 중요하지만 최우선으로 중요한 것은 시험시간 안에 요구도면을 작도할 수 있는 것인 가입니다. 배치계획이 아무리 좋아도 완성하지 못한다면 실격이지만, 배치계획이 좋지 않아도 완성을 해서 제출을 한다면 채점대상이 됩니다.

결론은 시험시간 안에 요구도면을 완성할 수 있도록 최대한 작도연습을 하는 것입니다.

그에 대한 노하우를 저와 같이 학습하게 될 것입니다.

이상 「독학으로 취득하는 실내건축산업기사 실기 작업형」의 교칙을 알려드렸습니다.

앞으로 매 주차 저와 같이 열심히, 여러분의 합격을 위해서 학습해 보도록 합시다.

자~이제 OT가 시작합니다. 빨리 강의실로 들어갑시다.

수업 중에는 제가 편의상 존칭을 생략하오니 양해 부탁드려요.

1주차	오리엔테이션(OT)
학습목표	실내건축산업기사에 대해서 간단히 알아보도록 하자. 가벼운 마음으로 한 번은 읽어보도록 하자.

1. 실내건축산업기사 (Industrial Engineer Interior Architecture)

1.1. 개요
실내건축은 기능적인 측면, 예술적 측면, 정서적 측면에서 사용자를 만족시키는 것이며, 실내건축계획은 환경을 이해하고 건축적, 구조적 이해를 통하여 합리적인 계획과 시공 및 유지관리등의 업무를 수행할 수 있는 안목과 지식, 기술을 가진 종합전문가를 양성하는 것을 목표로 하고 있다.

1.2. 변천과정
1991.10.31. - 의장기사 2급
1998.05.09. - 실내건축산업기사
현재 - 실내건축산업기사

1.3. 변천과정
건축공간을 기능적, 미적으로 계획하기 위하여 현장분석자료 및 기본개념을 가지고 공간의 기능에 맞게 면적을 배분하여 공간을 계획 및 구성하며, 이러한 구성개념의 표현을 위하여 개념도, 평면도, 천정도, 입면도, 상세도, 투시도 및 재료 마감표를 작성, 완료된 설계도서에 의거하여 현장의 공정 및 시공을 관리하는 등의 직무 수행

1.4. 실시기관
한국산업인력공단 (http://www.q-net.or.kr)

1.5. 진로 및 전망
건축설계사무실, 건설회사, 인테리어사업부, 인테리어전문업체, 백화점, 방송국, 모델 하우스 전문시공업체, 디스플레이전문업체 등에 취업할 수 있으며, 본인이 직접 개업하거나 프리랜서로 활동이 가능하다. 실내건축은 창의적인 능력과 경험을 토대로 하는 지식산업의 하나로 상당한 부가가치를 창출할 수 있으며, 실내공간의 용도가 전문적이고도 특별한 기능이 요구되는 상업공간, 주거공간, 전시공간, 사무공간, 의료공간, 예식공간, 교육공간, 스포츠·레저공간, 호텔, 테마파크 등 업무영역의 확대로 실내건축기사의 인력수요는 증가할 전망이다. 또한 경쟁도 심화되어 고도의 전문지식 습득 및 서비스정신, 일에 대한 정열은 필수적이다.

2. 실내건축자격제도 시험정보

2.1. 시험수수료
산업기사 : 필기 : 19,400원 / 실기 : 27,900원

2.2. 취득방법
① 시 행 처 : 한국산업인력공단
② 관련학과 : 전문대학 이상의 실내건축, 실내디자인 건축설계디자인공학,
　　　　　　건축설계학 관련학과
- 실기 : 복합형(필답형(1시간, 40점) + 작업형(5시간 정도, 60점))
③ 합격기준
- 필기 : 100점을 만점으로 하여 과목당 40점 이상, 전과목 평균 60점 이상
- 실기 : 100점을 만점으로 하여 60점 이상

3. 실내건축산업기사 실기시험
실내건축산업기사 실기시험은 시험 시행일에 필답형 시험(약 1시간)과 약간의 휴식시간 후 작업형 시험(약 5시간 30분)이 진행되며, 총 시험시간은 6시간 30분으로 별도의 점심시간은 없다.

3.1. 필답형 시험
기본적으로 10~12개의 주관식 문제로 구분되며, 문제의 형태에 따라 부분점수가 적용되는 경우가 있다. 문제의 정답의 유무는 답안의 양과는 관계가 없으며 정답에 들어가는 필수 단어가 있는가에 따라 점수를 획득하는 방식이다.

3.2. 범위
가) 시공에 관한 사항
　　① 비계공사
　　② 조적공사
　　③ 목공사
　　④ 타일, 테라코타공사
　　⑤ 미장공사
　　⑥ 금속공사
　　⑦ 유리공사
　　⑧ 플라스틱재공사
　　⑨ 도장공사
　　⑩ 내장공사
　　⑪ 석공사
나) 공정에 관한 사항
　　① 공정표 작성
　　② 공정계획
다) 적산에 관한 사항
　　① 일반사항
　　② 공사별 적산

라) 재료에 관한 사항

    ① 재료의 검수관리에 관한 사항

3.3. 작업형 시험

주어진 과제에 맞춰 디자인 컨셉 설정, 공간계획, 가구배치계획 후 지급된 A2 트레이싱 페이퍼 3장에 평면도, 입면도, 천장도, 투시도의 4종류의 도면을 수작업제도로 작도하여 완성 후 제출하면 채점대상이 된다.

3.4. 작도도면

평면도(공간계획 및 디자인 컨셉 설정), 입면도, 천장도, 투시도(컬러링)

3.5. 작도시간

총 5시간 30분, 추가 연장시간 없음

4. 수험자 필수 유의사항

1. 좌측상단에 스탬프가 찍혀있는 켄트지, 트레이싱 페이퍼만을 사용하여 시험을 응시한다.
2. 수험번호, 성명 등 수험자 인적사항은 흑색 필기구를 사용하여 도면 좌측 상단의 스탬프가 찍혀 있는 곳에 매장마다 기입한다.
3. 작업은 안전수칙에 따라 진행하며, 시험 종료 후 주변을 정리한다.
4. 다음의 사항은 실격에 해당하며 그에 따라 채점 대상에서 제외된다.
   가) 지급된 재료 이외의 재료를 사용할 경우
   나) 시험 중 시설·장비의 조작 또는 재료의 취급이 미숙, 위해를 일으킬 것이라 예상되어 시험감독관 전원이 합의한 경우
   다) 제도용구 및 기타도구를 타 수험자에게 빌려 사용할 경우
   라) 요구도면을 샤프 외의 다른 도구로 작성하는 경우
   마) 시험시간 내 완성하지 못 할 경우(투시도 컬러링을 완성하지 못해도 채점대상에는 포함됨)
   바) 구조적 또는 기능적으로 사용할 수 없는 경우
   사) 미숙하여 시공이 불가하다 판단될 경우
   아) 요구조건을 지키지 않고 임의로 작도하였을 경우
5. 도면명은 국문으로 중앙에 기입하고, 스케일은 도면명의 우측에 기입하며, 그 외 다른 표기를 금한다.
6. 도면에는 문제와 관련 없는 기록, 낙서 등을 기재해서는 안 되며, 이를 통해 특정인물임을 암시하는 경우 답안지 전체를 0점 처리한다.
7. 시험이 시작되면 지급된 용지의 교환이 불가하며 회손 시 보수하여 작도를 마무리 한다.
8. 부정행위 시 실격되며 지정된 기간 동안 동종의 시험이 불가하다.
9. 다음의 준비물을 개인이 준비하여 시험장에 들어간다.
샤프, 샤프심, 자, 스케일자, 템플릿, 플러스펜, 볼펜, 지우개, 지우개판, 종이테이프, 반투명 셀로판테이프, 지우개털이빗자루, 마카, 색연필(플리즈마 유성흰색 색연필), 휴지, 수험표, 신분증

인용	큐넷(www.Q-net.or.kr)의 종목명 '실내건축산업기사'로 검색, 시험정보, 및 기본정보 및 공개된 내용을 인용하였음을 알립니다.
과제	준비물을 구매하러가자. 샤프(펜탈0.5 제도용), 샤프심(펜탈 아인스테인 샤프심0.5HB) 삼각자(45cm, 2개 1set, 잉킹용/제도용), 템플릿(K-101, K-106), 마스킹테이프, 지우개털이빗자루, 스케일자(30cm) 제도판 : 900mm × 600mm (I자 달려있는 것으로 저렴한 것 혹은 중고물품 추천) 트레이싱 페이퍼 : A2 (420 × 594) 120g/㎡ 켄트지 : A1 (594 × 841) 180g/㎡ 15주차에 필요한 것 : 마카(신한 60개 A set, 중고물품 추천), 색연필(플리즈마 유성흰색 색연필)

2주차	선
학습목표	선의 5가지 종류의 용도를 이해하고 분명한 표현을 위한 작도연습을 꾸준히 진행하자.

1. 선의 종류

실내건축산업기사에서 사용되는 선의 종류는 총 5가지가 있다.
아래의 5가지는 필수적으로 암기해야한다.

1.1. 굵은선 (0.8mm)

절단 단면부분(벽, 기둥, 문, 문틀, 창, 창틀), 도면의 최외각 박스, 실명과 소실명의 글씨박스

1.2. 중간선 (0.5mm)

구조물의 입면(계단, 난간 등), 가구, 글씨, 치수선

1.3. 가는선 (0.3mm)

마감재료 표현(장판지, 강화마루, 타일, 벽지 등), 재료무늬 표현(나무결, 카펫무늬 등), 가구 표현(눈높이 보다 높은 가구, 눈높이 보다 낮은 가구), 유리 표현(45도 가는선)

1.4. 1점 쇄선 (0.5mm)

구조물의 중심을 표현하는 선(중심선)

1.5. 파선 (0.5mm)

바라보는 시점에서 전면물체에 가려져 보이지 않는 부분 혹은 물체를 표현할 때 사용 (책상 상판에 가려져 보이지 않는 의자표현 등)

2. 선 종류 암기방법

굵은선은 「벽, 기둥, 문, 문틀, 창, 창틀」
중간선은 「가구, 글씨」
가는선은 「무늬선」
1점쇄선은 「중심선」
파선은 「바라보는 쪽 기준으로 뒤에 숨어있는 물체 그릴 때」

3. 작도 시 주의 사항

① 선의 용도에 맞게 정확하게 구분하여 균등한 굵기로 작도한다.
② 선을 작도 시 샤프를 살짝 돌려주며 작도한다.
③ 물체를 그리기 전에는 보조선으로 미리 형태를 잡고 용도에 맞는 선을 덧씌워 작도한다.
④ 교차부가 정확하게 맞아 떨어지도록 작도한다.
⑤ 트레이싱 페이퍼에 손이 닿지 않도록 한다.
⑥ 제도판 위의 연필심 가루는 주기적으로 지우개털이빗자루를 이용하여 털어낸다.

※중요

4. 제도판과 삼각자 사용법

① 수평선은 제도판의 I자를 사용하여 왼쪽에서 오른쪽으로 작도한다. (→)

② 수직선은 제도판의 I자 위에 제도용 삼각자를 올려놓고 아래에서 위로 작도한다. (↑)

③ 삼각자의 면 또는 모서리를 만져보면 홈이 파여 있다. 그 면이 아랫면이다.

④ 오른손잡이 기준으로 사진과 같이 삼각자는 오른쪽에 두고 세로선을 작도한다.

5. 선 작도 요령

※중요

① 굵은선 : 0.5mm샤프를 힘주어 사진과 같이 여러 번(10번 정도) 왕복 덧칠을 하여 두껍게 만든다.

　※주의

　- 굵은선 작도 시 중간 혹은 끝부분이 두꺼워지거나 얇아지면 안 된다. (= 일정해야 된다.)

　- 굵은선이 작도 된 트레이싱 페이퍼를 형광등에 비추었을 때 속이 비어보여도 안 된다.

　- 연필가루가 많이 나올 수 있다. 펜탈 샤프심이 아니면 더 많이 나온다.

　- 절대 손으로 털어내지 말고 지우개털이빗자루를 사용하자. 혹은 후~후~ 바람을 세게 불자.

　- 중간에 트레이싱 페이퍼가 찢어진다면 샤프를 살짝 씩 돌려가며 굵은선을 긋자.

② 중간선 : 0.5mm샤프를 힘주어 딱 1번만 긋는다.

③ 가는선 : 0.5mm샤프를 힘을 많이 빼고 딱 1번만 긋는다.

샤프를 0.3, 0.5, 0.8mm로 바꿔가며 작도해도 무방하지만, 0.5mm샤프 하나만으로 작도하는 것이 나중에 숙달되면 작업속도가 훨씬 빠르므로 이를 추천한다.

6. 제도판에 켄트지, 트레이싱 페이퍼 붙이기

6.1. 제도판(900mm × 600mm)을 준비한다.

6.2. 제도판의 I자를 상단 끝까지 올린다.

6.3. 켄트지(A1)를 제도판의 하단부에 맞추어 붙이도록 한다.

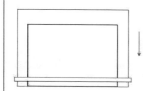

6.4. 켄트지를 붙인 후 I자를 하단 끝가지 내린다.

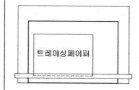

6.5. 트레이싱페이퍼는
① 켄트지의 중앙보다 왼쪽으로 치우치도록 붙인다.
② 트레이싱 페이퍼의 하부가 I자에 1cm정도 밟고 있을 정도 조절하여 붙인다.

※켄트지에 보조선을 긋고 붙일 경우 : I자의 상부는 더 이상 내려가지 않으므로 하부를 이용하여 보조선을 긋자.

Q. 이렇게 트레이싱페이퍼를 붙이는 이유?
A. 이렇게 붙이면 I자가 오르내릴 때 트레이싱 페이퍼에 걸려 찢어지는 경우를 예방할 수 있다.

7. 트레이싱페이퍼에 센터 나누기

7.1. 현재 위의 6.5.의 ②로 하여금 I자가 트레이싱페이퍼를 1cm 가량 밟고 있을 것이다.

I자를 하단 끝까지 내려진 상태에서 수평선을 긋게 된다면, 트레이싱페이퍼의 아래 면에서 1cm 떨어져 테두리의 아래선이 그어진다.

그에 맞추어 좌, 우, 상부를 적당히 긋자.

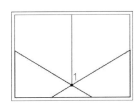

7.2. 큰 삼각자를 왼쪽, 오른쪽 모서리에 맞추어 사선을 긋자.

엑스자로 겹치는 부분(1)이 있을 것이다.

그곳이 중심이다.

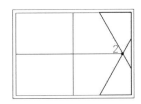

7.3. 위와 같은 요령으로 삼각자를 위쪽, 아래쪽 모서리에 맞추어 사선을 긋자. 엑스자로 겹치는 부분(2)에 I자를 대고 수평선을 긋자.

과제

이제 연습할 준비가 되었다.

앞으로는 용지 붙이는 법과 트레이싱페이퍼의 센티 나누는 방법을 틈틈이 연습해 잊지 않도록 하자.

참고자료와 같이 하루에 1장씩, 30장 이상 각도 연습을 꾸준히 진행한다.

참고자료

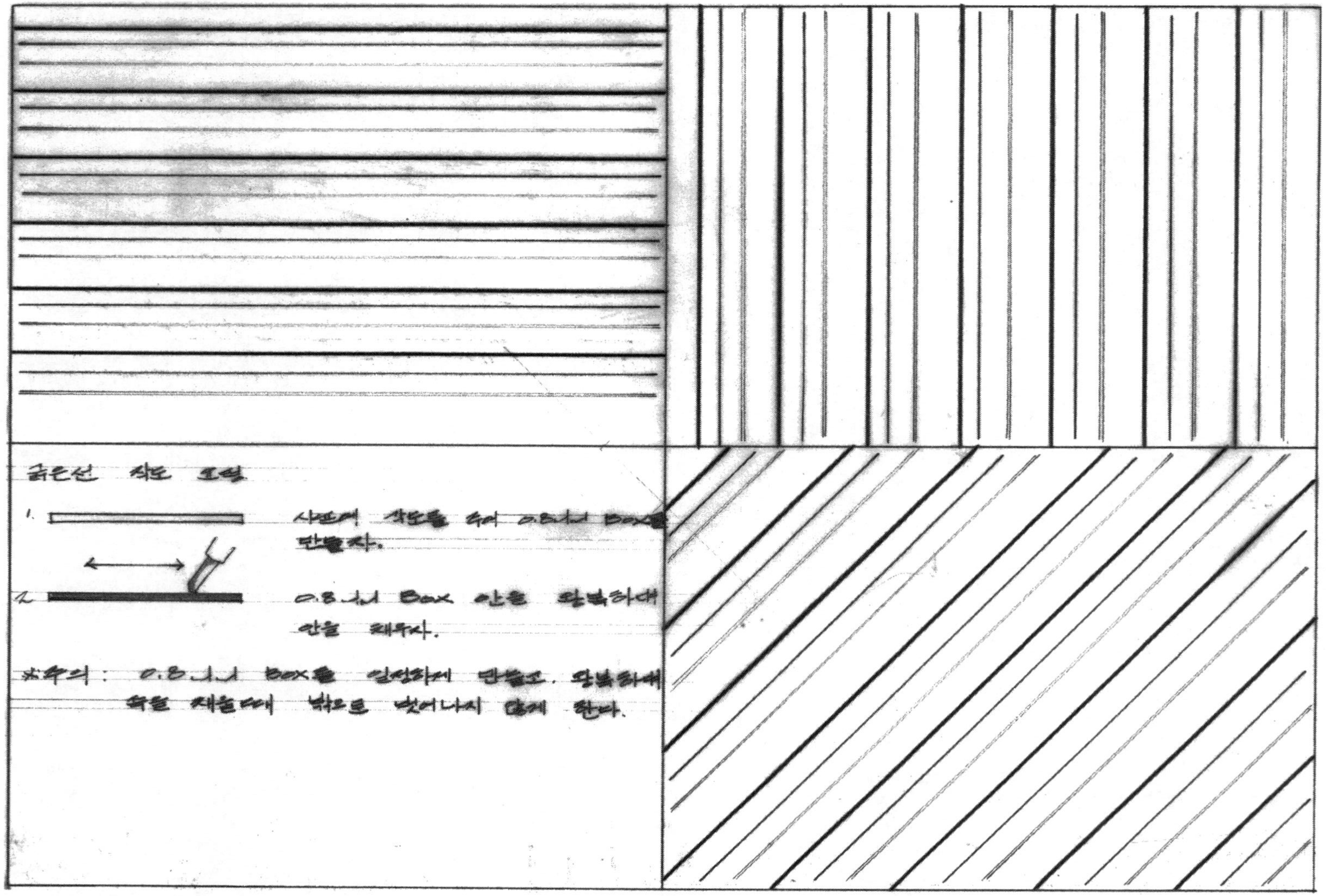

8. 선 그리기 필수 예제

선을 배웠으니 응용하여 물체를 그려보자. 스케일은 중요하지 않으니 적당히 작도하자.

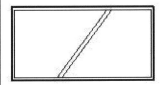

8.1. 눈높이 보다 낮은 가구

눈높이 보다 낮은 가구를 작도 시 가구 안쪽으로 가는선을 작도한다.(예제의 45도 가는선은 유리를 표현한 것이다.)

작도 시 주의 : 두꺼운 부분(중간선), 얇은 부분(가는선)

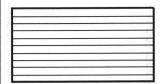

8.2. 눈높이 보다 높은 가구

눈높이 기준으로 높은 가구를 작도 시 가구 안쪽에 수평의 가는선을 일정한 간격으로 넣어준다.

작도 시 주의 : 두꺼운 부분(중간선), 얇은 부분(가는선)

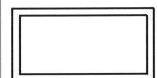

8.3. 칸막이 벽

피팅룸, 칸막이벽, 창고 등 비 내력벽

작도 시 주의 : 벽의 두께는 50mm, 굵은선으로 작도

8.4. STOOL

중간선으로 원형 템플릿을 활용하여 작도한다.

작도 시 주의 : 두꺼운 부분(중간선), 얇은 부분(가는선)

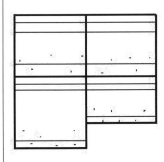

8.5. 커튼 입면

중간선을 활용해 프리핸드로 커튼을 작도한다.

시험에서는 창문을 그린 후 면적의 1/3이상은 커튼으로 가려져야 한다. 결론적으로 창문을 그릴 때는 반드시 커튼을 그린다는 것을 명심하자.

작도 시 주의 : 두꺼운 부분(중간선), 얇은 부분(가는선)

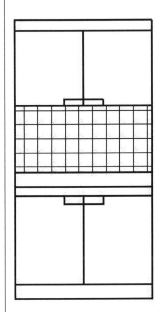

8.6. 싱크 셋 입면

중간선으로 싱크대의 상부장, 하부장을 작도한다.

중간의 타일부분은 가는선으로 작도한다. 주의할 점으로는 몰딩과 걸레받이가 반드시 있어야 한다.

작도 시 주의 : 두꺼운 부분(중간선), 얇은 부분(가는선)

과제

참고자료를 참고하며 선의 용도에 맞게 작도하자.
가구의 외곽선은 중간선이며, 내부의 표현(유리, 눈높이보다 높고 낮음 표현, 타일)은 가는선이다.

참고자료

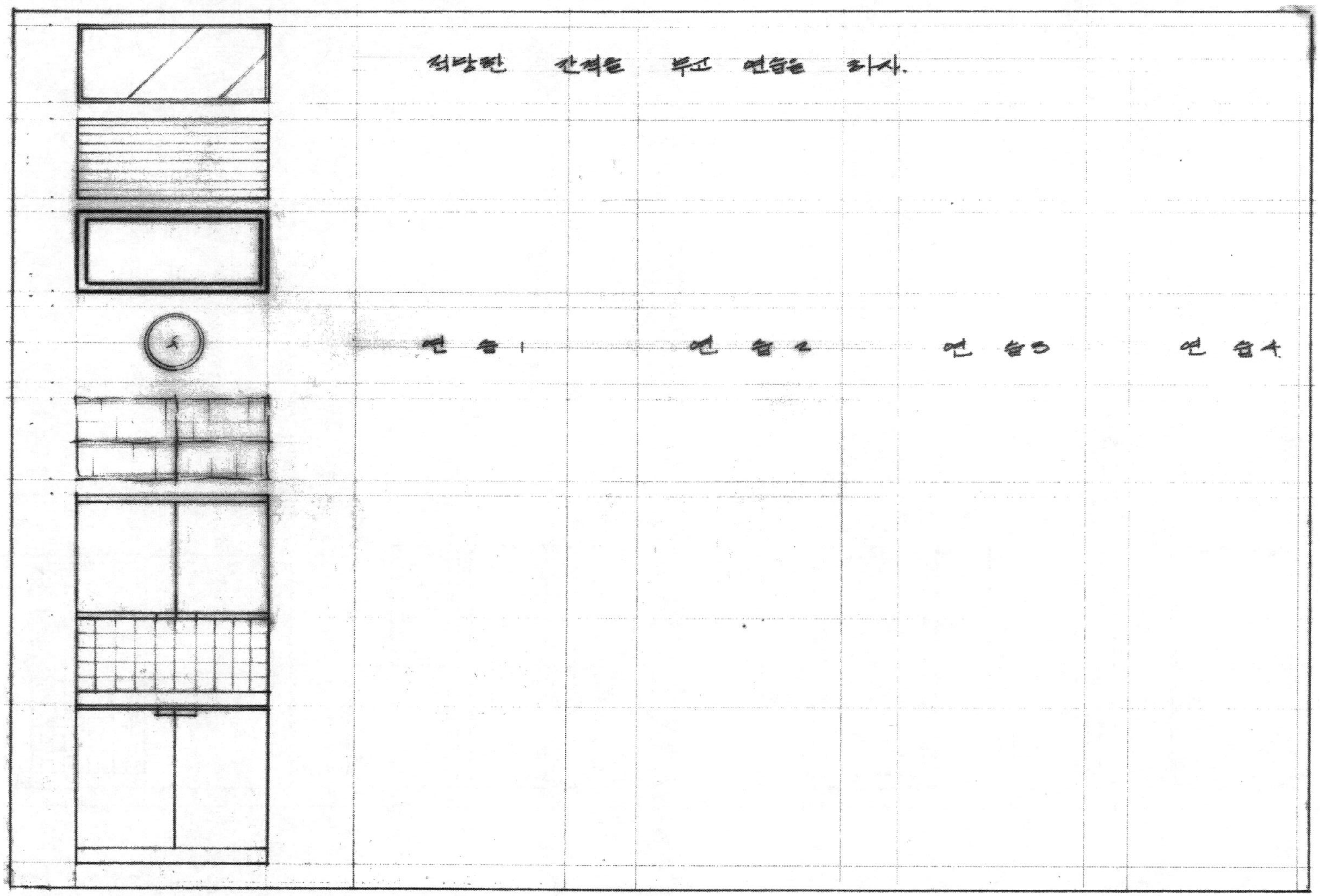

입면은 선계를 부고 연습을 하자.

3주차	글씨

학습목표	글씨의 종류를 이해하고 작도연습을 꾸준히 진행하자. 도면용어정리의 내용은 시험에 필요한 최소한의 내용으로 암기하도록 하자.

1. 도면 내 문자 종류

1.1 도면명 (1.5cm)
도면의 종류를 나타내는 글씨다. 반드시 국문으로 써야한다.
　　예) 평면도, 입면도, 천장도, 투시도

1.2 실명 (0.5cm)
실의 용도를 나타내는 글씨다. 문제에서는 과제명으로 주어지는 단어가 실명이며, 주어진 대로 쓴다.
　　예) 자녀방, 부부침실, 호텔, 아이스크림 전문점 등등

1.3 소실명 (0.4cm)
실 안에 있는 작은 실을 나타내는 글씨다, 주택을 예로 들자면 현관, 침실, 거실, 욕실, 주방, 발코니 등이 소실로 구분되며, 시험에서는 욕실, 현관, 발코니는 반드시 표기해야한다.
　　예) 현관, 욕실, 발코니, 창고, 등등

1.4 기타 (0.3cm)
도면명, 실명, 소실명을 제외한 모든 글씨의 크기라고 생각하면 된다.
가구명, 조명명, 재료명, 치수, 레벨, 마감명 등등
　　예) VINYL SHEET, THK 5 TEMPERED GLASS 등등

2. 글씨 쓸 때 주의사항
1) 영문 글씨는 대문자만으로 작도한다.
2) 용도에 맞게 글씨 크기를 조절하여 작도하되 같은 용도의 글씨는 모두 동일한 크기가 되었는지 검토한다.
3) 자를 대고 중간선으로 글씨를 작도한다.
　(서예, 타이포그래피를 배워 동일한 글씨를 반복적으로 쓸 수 있다면 통과하도록 하자.)
4) 글씨를 작도 시에는 보조선을 2줄을 긋고 그 안에 글씨를 작도하도록 한다.
　(서예와 타이포그래피 전문가이더라도 제도에서는 예외 없이 글씨 쓸 때는 필히 있어야 한다.)
5) 도면명은 국문으로만 작도한다.
6) 도면명을 제외한 모든 글씨는 국문과 영문 구분 없이 작도가 가능하다.
7) 글씨는 가로방향으로 작도한다.
8) 가구명은 가구 안에 작도하지 않고 지시선을 사용하여 가구 밖에 글씨를 작도하도록 한다.

3 도면용어정리

3.1. 기본용어

용어	뜻	용어	뜻	용어	뜻
APP	지정	FIN	마감	@	일정한 간격
THK	두께	EA	개(단위)	ENT	주출입구
F.L	바닥선	C.L	천장선	C.H	천장고
UP	업	DN	다운	ELV	엘리베이터
GL	지표면레벨	SL	슬라브레벨	EL	해발고도
F.F	바닥마감	W.F	벽마감	C.F	천장마감

3.2. 가구 및 집기명

용어	뜻	용어	뜻	용어	뜻
BED	침대	DRESSING TABLE	화장대	CHEST	수납가구
DRESSING CHEST	옷장	DESK	책상	PC TABLE	컴퓨터책상
DRAWER	서랍장	SHELF	선반	SHOES BOX	신발장
NIGHT TABLE	협탁	NIGHT LAMP	스탠드	DINING TABLE	식탁
WASHING MACHINE	세탁기	R.E.F	냉장고	EASY CHAIR	안락의자
SINK SET	싱크 세트	SOFA	소파	STOOL	스툴
TABLE	테이블	CONSOLE	콘솔	BAGGAGE RACK	수화물대
SHOW CASE	쇼케이스	COUNTER	카운터	HANGER	행거
MANNEQUIN	마네킹	DUST BOX	쓰레기통	CHAIR	의자
DISPLAY STAGE	디스플레이 스테이지	DISPLAY SHELF	디스플레이 셸프	DISPLAY TABLE	디스플레이 테이블
CURTAIN BOX	커튼박스	AUTO DOOR	자동문	LIGHTING BOX	광천장

3.3. 재료명

용어	뜻	용어	뜻	용어	뜻
BASE BOARD	걸레받이	WOOD MOULDING	우드몰딩	WOOD PANEL	우드패널
VINYL SHEET	장판지	MOSAIC TILE	모자이크타일	TILE	타일
TEMPERED GLASS	강화유리	WOOD FLOORING	강화마루	EPOXY	에폭시
CAPET	카펫	RUG	러그	MAT	매트
WALL PAPER	벽지	CEILING PAPER	천장지	WATER PAINT	수성페인트
TEX	텍스	PLASTIC BOARD	플라스틱보드	ACRYL	아크릴

과제

첫 날은 한 장, 그 후로는 하루에 반장씩 15장 이상 작도 연습을 꾸준히 진행한다.
하루에 선은 1장, 글씨는 반장 씩 연습하면 되겠다.

참고자료

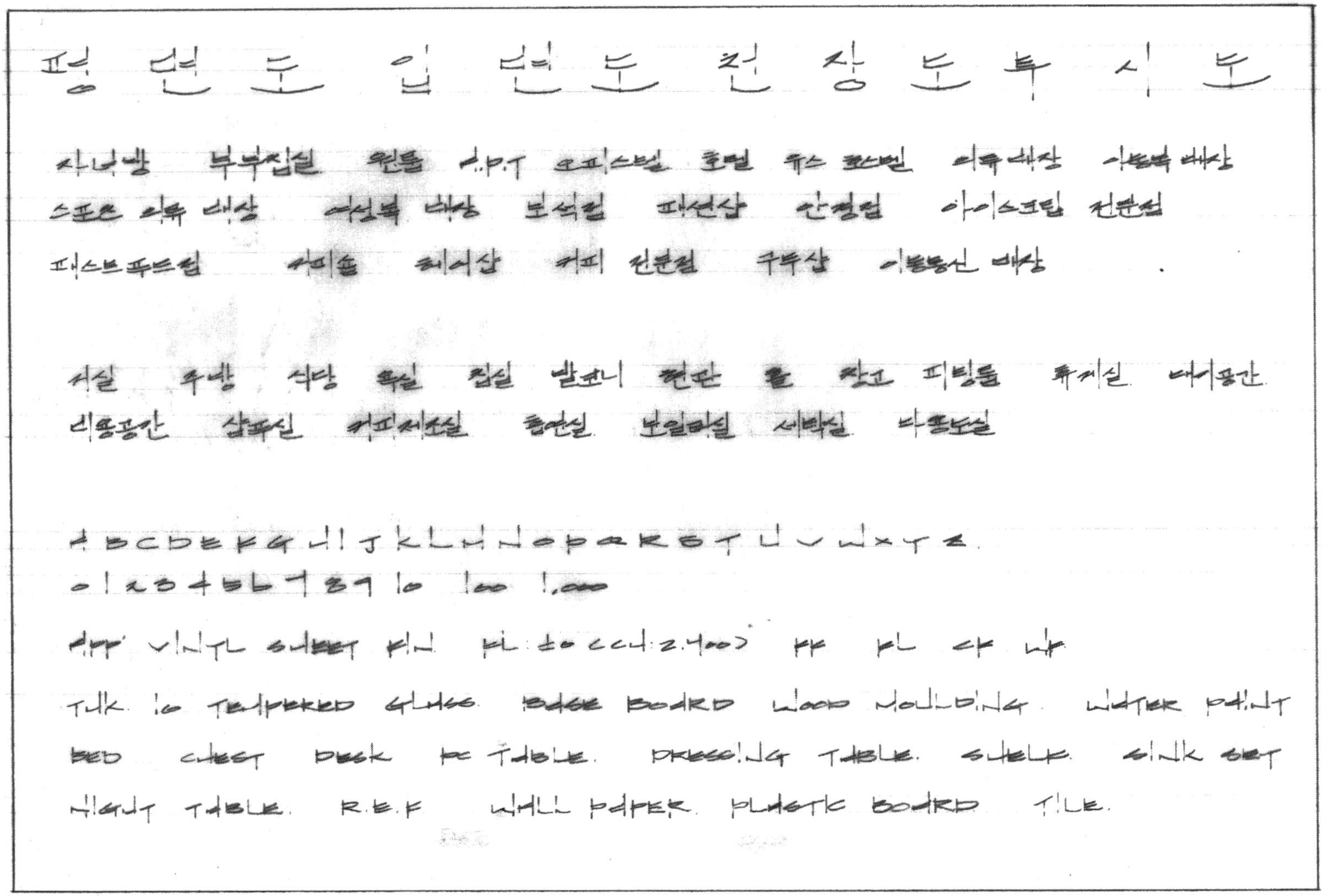

4주차	도면표시기호

학습목표	주출입구 표시기호, 입면도 방향표시, 각실 레벨표시방법을 이해하고 작도해 보자.

1. 출입구 표시방법

주 출입구 표시를 할 때 사용한다.
복잡한 표현을 피하고 크기는 문제에 표기되는 것을 보고 적당히 작도한다.
문제에 미 표기되어 있거나 문이 2개 이상의 경우, 주출입구를 지정해주지 않는 경우 수험자가 계획하여 작도한다.

2. 입면도 방향, 단면도 방향 표시방법

   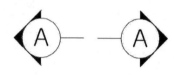

2.1. 입면도 방향표시

일반적으로 12시 방향을 A방향으로 시계방향으로 적는 것을 원칙으로 한다.
　예외1) 방향 표시가 없을 경우 : 원칙대로 입면도 방향표시를 작도한다.
　예외2) A방향이 3시에 적혀있을 경우 : B-6시, C-9시, D-12시 (시계방향으로 적는다.)

2.2. 단면도 방향표시

단면도를 작성할 경우에만 사용되며, 문제에 방향이 표시되어 있는 경우가 일반적이다.
　(기사 시험에만 출제되며, 산업기사 시험에는 출제되지 않는다.)

2.3. 작도법

평면도 스케일이 1/30일 때 템플릿의 15번(1/50일 때 템플릿의 13번)으로 원을 작도 후, 내 외부를 45도 자로 굵은 선 작도 후 색칠한다.

3. 실내 레벨차이 표시방법

F.L
(FLOOR
LEVEL)

F.F
(FLOOR
FINISH)

C.H
(CEILING
HEIGHT)

욕실
F.L : -80 (CH:2,480)
F.F : APP' TILE FIN

거실
F.L : ±0 (CH:2,400)
F.F : APP' VINYL SHEET FIN

현관
F.L : -80 (CH:2,480)
F.F : APP' TILE FIN

위의 예제를 보면 욕실, 거실, 현관이 있으며 그 중 욕실과 현관의 바닥 레벨이 거실보다 낮음을 알 수 있다. 이 경우 일반적으로 위의 예제처럼 각 소실에 ① 소실명, ② F.L(바닥레벨), ③ C.H(천장고), ④ F.F(바닥마감)을 순차적으로 적되, 소실명은 굵은선으로 글씨박스를 작도한다.주의 점으로는 F.L 계산 시 기준점은 「거실」이다.

3.1. 소실별로 레벨표기

위의 예제와 같이 각각의 실에 모두 실명과 F.L(C.H), F.F를 모두 순차적으로 쓰도록 한다.

3.2. 기타 단차이 표시기호법

F.L : +80 (CH : 2,400)   F.L : ±0 (CH : 2,480)

C.L : ±0 (CH : 2,400)   C.L : +80 (CH : 2,480)

위의 예제와 같은 단차이 표시기호법은 ① 분명하게 실로 구분할 수 없을 경우, ② 천장의 레벨차가 있을 경우로 한정하여 사용하도록 한다.
　예) ① 분명하게 실로 구분할 수 없을 경우 : 카페 홀의 특정부분이 올라가거나 내려갔을 경우
　예) ② 천장의 레벨차가 있을 경우 : 우물천장

과제	이번 주는 이해의 영역이다. 실로 정확히 나눌 수 있는 부분은 소실명/F.L/C.H/F.F(네 개는 세트)을 쓰도록 하자. 시험에서는 되도록 실로 나눌 수 없는 부분은 레벨을 올리거나 내리지 말자.
참고자료	 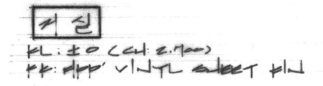

5주차	가구

학습목표	가구의 종류와 크기는 정말 다양하지만 시험이라는 테두리 안에서 최소한만을 학습한다고 생각하자. 가구 치수가 다소 억지스러울 수도 있지만 추후 투시도 작도 시 그리드를 500 × 500으로 사전작업을 하는데 그때를 대비하여 가구의 치수를 되도록 500mm의 배수를 쓰고 있다. 가구선의 형태는 중간선이며, 무늬선(이블 무늬, 나이테, 걸레받이 무늬)은 가는선이다.

1. 주거용 가구

1.1. 침대(BED)

주거공간에서 가장 사생활이 보호되어야 하는 가구로 일반적으로 가장 먼저 배치한다. 배치 시 주의 점은 ①침대헤드를 창문에 붙이지 않는다, ②침대 옆면을 벽에 붙이지 않는다.

침대의 사이즈는 다음과 같다. (가로 × 세로)(단위:mm)
  ① 싱글 베드 : 1000 × 2000
  ② 슈퍼싱글(세미더블) : 1300 × 2000
  ③ 더블 베드 : 1500 × 2000
  ④ 킹 베드 : 2000 × 2000

※주의
지금부터 다루는 모든 가구입면은 걸레받이가 필수이기에 예외 없이 작도한다.

평면	
입면	

평면/입면

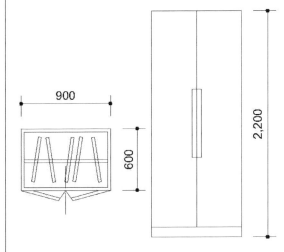

1.2. 옷장(DRESSING CHEST)

옷장의 기본단위는 1자이다.
1자는 30Cm으로 30Cm의 배수로 늘어나는
것이 일반적이다.

기본형 옷장은 3자, 6자, 9자가 있다.
시험에서는 옷장과 붙박이장이 출제되며,
옷장은 3자(900mm), 붙박이장은 자유로운
치수로 그리면 된다.

평면/입면

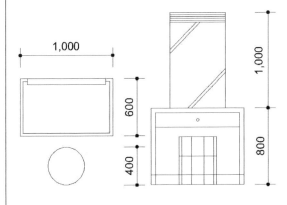

1.3. 화장대(DRESSING TABLE)

화장대는 여성공간의 필수가구이다.
시험에서는 ① 성별을 구분하지 않는 경우,
② 성별을 구분하는 경우로 분류할 수
있다.

그렇지만 결과적으로 모두 여성중심의
공간으로 컨셉(CONCEPT)을 잡고
계획한다.

그 이유로는 남성중심의 공간보다
여성중심의 공간에 들어가는 가구가
다양하기 때문이다.

평면/입면

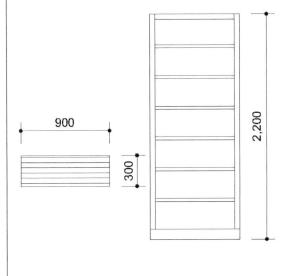

1.5. 선반(SHELF)

일반적으로 책꽂이라고 부르지만
시험에서는 선반(SHELF)이라고 한다.

① 책상 옆에 있으면 책꽂이 용도의 선반
② 부엌이나 거실에 있다면 장식장용도의
선반

※주의
900mm라는 가로크기에 너무 집착하지
말자.
평면도에 가구배치 시 100~200mm의
데드스페이스가 생긴다면 선반의
가로크기를 조절하여 데드스페이스를
정리하도록 하자.

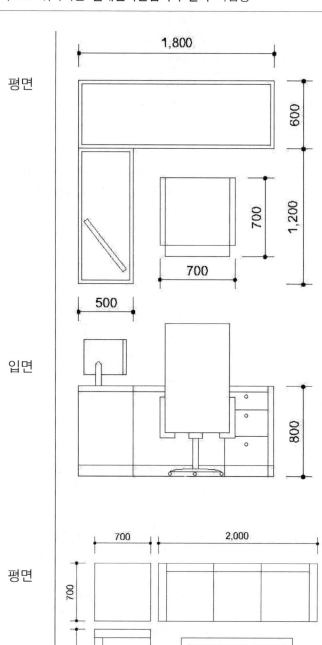

1.6. 책상(DESK) & PC 테이블(PC TABLE)

우리는 일반적으로 책상(DESK)과 컴퓨터 책상(PC TABLE)을 같은 의미로 사용하지만 시험에서는 철저하게 구분함을 알아두자.

    ① DESK : 공부, 작업만 하는 용도
    ② PC TABLE : PC만 하는 용도

Q. 책상과 PC 테이블 구분법은?
A. 모니터 유무

1.7. 의자(CHAIR)

문제에서 별도의 내용이 없어도 책상, PC 테이블을 작도 시에는 의자를 그려준다.

Q. 팔걸이 꼭 그려야하나?
A. 등받이만 필수
Q. 등받이 높이는?
A. 임의로 작도

1.8. 소파 세트(SOFA SET)

시험에서 소파는 소파 세트, 1·3인용 소파 세트, 1~3인용 소파 세트로 구분해서 나온다.

    ① 소파 세트 : n인용 소파 + 테이블
    ② 1·3인용 소파 세트 : 1인용 + 3인용 + 사이드테이블 + 테이블(최대 4명이 앉는다.)
    ③ 1~3인용 소파 세트 : 3인용 + 사이드테이블 or 테이블(최대 3명이 앉는다.)

① 의 경우 '세트'가 빠질 경우 소파만 작도한다.
②,③ 의 경우 '세트'라는 단어가 없는 경우도 있지만 그래도 사이드테이블, 테이블은 필수로 작도한다.

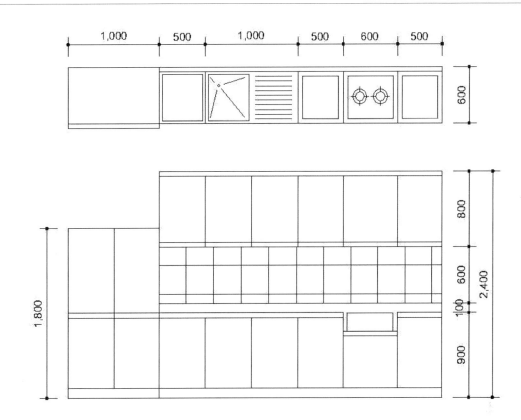

평면

입면

1.9. 싱크세트(SINK SET)

시험에서 싱크대 혹은 싱크세트를 작도 시에는 반드시 싱크세트 구성과 순서에 맞게
작도해야한다.

싱크세트의 구성과 순서는 아래와 같다.

냉장고 -> 준비대 -> 개수대 -> 조리대 -> 가열대 -> 배선대

※예외

문제에서 '최소 주방집기'라고 나온다면 준비대, 개수대, 가열대만을 작도해도 무방하다.

Q. 냉장고는? A. 최대한 주변에 그린다.
Q. 순서는? A. 개수대 -> 준비대 -> 가열대

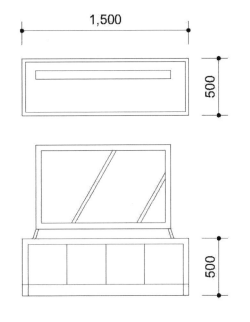

평면

입면

1.10. TV 테이블(TV TABLE)

시험에서 TV테이블이 주어지면, 반드시
TV테이블과 같이 TV도 그려야 한다.

TV크기와 형식은 자유롭게 작도하면 된다.

※디자인은 다양하게 변경가능

평면

1,200

400

500

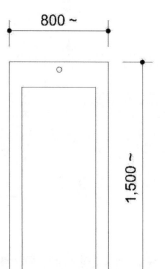

1.11. 세면대(WASHSTAND) & 변기(TOILET)
세면대와 변기의 경우 시험지에 그려져서
나오는 경우가 많다.

세면대와 변기를 따로 그릴 시에는 변기를
먼저 계획, 작도한다.
변기는 벽면과 인접하게 계획해야한다. 그래야
벽면에 휴지걸이를 설치할 수 있기 때문이다.

평면

800 ~

1,500 ~

1.12. 욕조(BATHTUB)
최근 주거환경의 세대교체로 욕조가
샤워부스로 변하는 추세이다.
하지만 시험에서 출제되었을 경우에는 그
크기와 모양을 따지지 말고 문제에서 주어진
내용대로 욕실에 계획하여야 한다.

평면

900

900

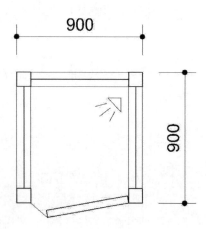

1.13. 샤워부스(SHOWER BOOTH)
욕실에 샤워를 하는 공간이다.
강화유리로 된 파티션과 강화유리문으로
구성되어 있다.

※주의
샤워부스는 소실로 생각하자.

Q. 소실에는 무엇을 표시하나?
A. 소실명, F.L(C.H), F.F

2. 호텔용 가구

평면

1,500

300

입면

1,200

2.1. 콘솔(CONSOLE)

호텔 객실 출입구에 들어서면 신발장이
놓여 있을 것만 같은 부분에 들어가 있는
가구이다.
현관문 근처에 위치한다고 생각하면 된다.
호텔의 입·퇴실정보, 배달음식정보, 청소
표지판 등을 놓아두며 고객의 편의를
도모하는 가구이다.

Q. 호텔에는 신발장이 없나?
A. 미국식 호텔처럼 신발을 신고 객실에서
활동하기 때문이다.

평면

1,000 500 1,000 600

500

입면

500 800

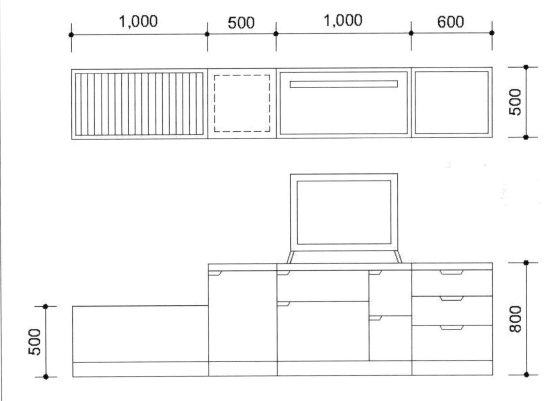

2.2. 호텔의 가구 배치 순서

가장 기본적인 호텔의 가구배치이다.
투숙객의 동선에 맞춰 배치한다.
출입문 -> 수화물대 -> 냉장고 -> TV -> 기타로 구성되어 있다.
평면에서 (좌측 첫 번째)(두 번째)(세 번째)(마지막) 순차적으로 보면 된다.

※주의
호텔이 문제로 출제되었을 경우 호텔 가구배치 순서는 매우 중요하므로 기억하길 바란다.

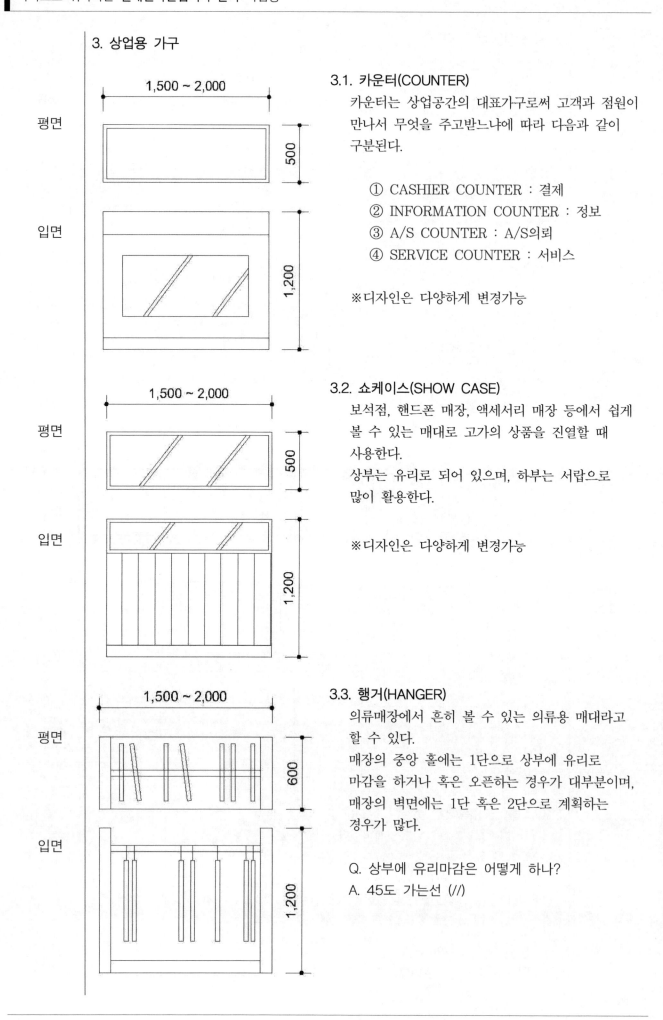

3. 상업용 가구

평면

입면

1,500 ~ 2,000

500

1,200

3.1. 카운터(COUNTER)

카운터는 상업공간의 대표가구로써 고객과 점원이
만나서 무엇을 주고받느냐에 따라 다음과 같이
구분된다.

① CASHIER COUNTER : 결제
② INFORMATION COUNTER : 정보
③ A/S COUNTER : A/S의뢰
④ SERVICE COUNTER : 서비스

※디자인은 다양하게 변경가능

평면

입면

1,500 ~ 2,000

500

1,200

3.2. 쇼케이스(SHOW CASE)

보석점, 핸드폰 매장, 액세서리 매장 등에서 쉽게
볼 수 있는 매대로 고가의 상품을 진열할 때
사용한다.
상부는 유리로 되어 있으며, 하부는 서랍으로
많이 활용한다.

※디자인은 다양하게 변경가능

평면

입면

1,500 ~ 2,000

600

1,200

3.3. 행거(HANGER)

의류매장에서 흔히 볼 수 있는 의류용 매대라고
할 수 있다.
매장의 중앙 홀에는 1단으로 상부에 유리로
마감을 하거나 혹은 오픈하는 경우가 대부분이며,
매장의 벽면에는 1단 혹은 2단으로 계획하는
경우가 많다.

Q. 상부에 유리마감은 어떻게 하나?
A. 45도 가는선 (//)

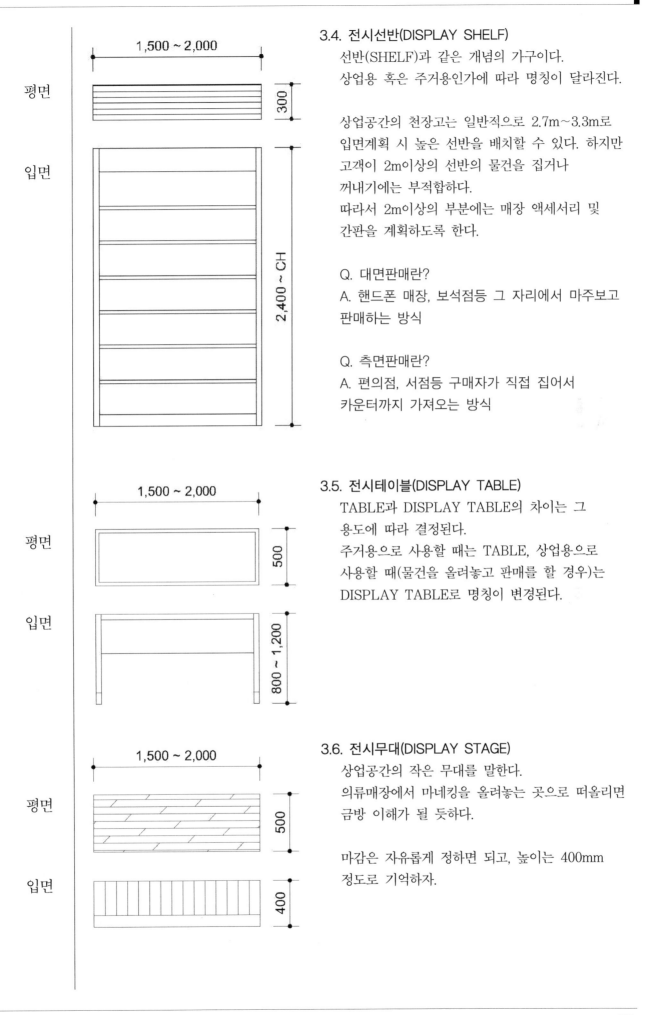

3.4. 전시선반(DISPLAY SHELF)

선반(SHELF)과 같은 개념의 가구이다.
상업용 혹은 주거용인가에 따라 명칭이 달라진다.

상업공간의 천장고는 일반적으로 2.7m~3.3m로
입면계획 시 높은 선반을 배치할 수 있다. 하지만
고객이 2m이상의 선반의 물건을 집거나
꺼내기에는 부적합하다.
따라서 2m이상의 부분에는 매장 액세서리 및
간판을 계획하도록 한다.

Q. 대면판매란?
A. 핸드폰 매장, 보석점등 그 자리에서 마주보고
판매하는 방식

Q. 측면판매란?
A. 편의점, 서점등 구매자가 직접 집어서
카운터까지 가져오는 방식

3.5. 전시테이블(DISPLAY TABLE)

TABLE과 DISPLAY TABLE의 차이는 그
용도에 따라 결정된다.
주거용으로 사용할 때는 TABLE, 상업용으로
사용할 때(물건을 올려놓고 판매를 할 경우)는
DISPLAY TABLE로 명칭이 변경된다.

3.6. 전시무대(DISPLAY STAGE)

상업공간의 작은 무대를 말한다.
의류매장에서 마네킹을 올려놓는 곳으로 떠올리면
금방 이해가 될 듯하다.

마감은 자유롭게 정하면 되고, 높이는 400mm
정도로 기억하자.

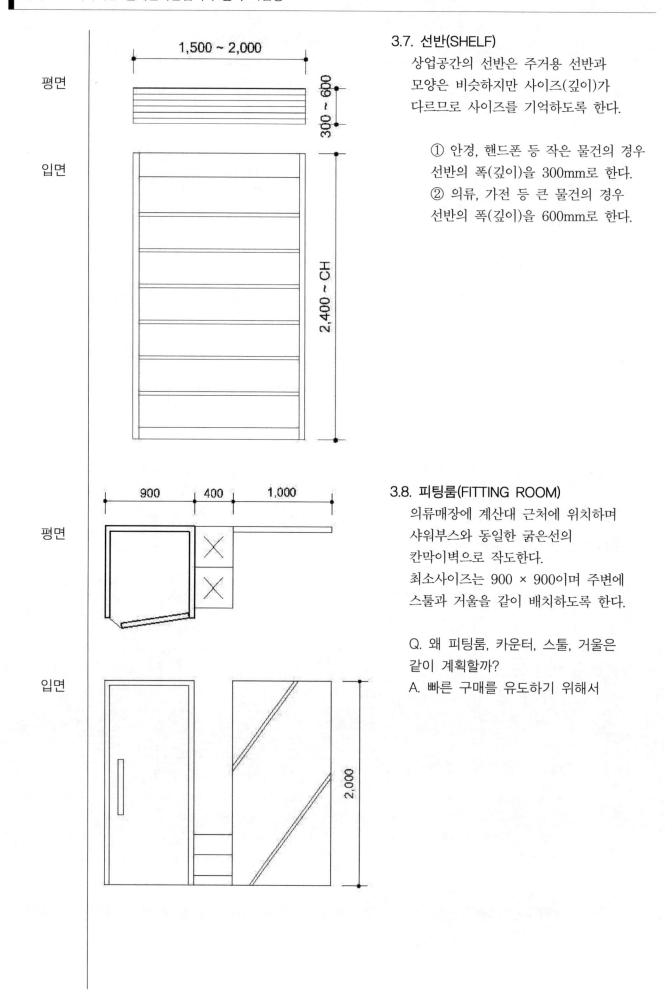

3.7. 선반(SHELF)

상업공간의 선반은 주거용 선반과
모양은 비슷하지만 사이즈(깊이)가
다르므로 사이즈를 기억하도록 한다.

    ① 안경, 핸드폰 등 작은 물건의 경우
선반의 폭(깊이)을 300mm로 한다.
    ② 의류, 가전 등 큰 물건의 경우
선반의 폭(깊이)을 600mm로 한다.

3.8. 피팅룸(FITTING ROOM)

의류매장에 계산대 근처에 위치하며
샤워부스와 동일한 굵은선의
칸막이벽으로 작도한다.
최소사이즈는 900 × 900이며 주변에
스툴과 거울을 같이 배치하도록 한다.

Q. 왜 피팅룸, 카운터, 스툴, 거울은
같이 계획할까?
A. 빠른 구매를 유도하기 위해서

평면

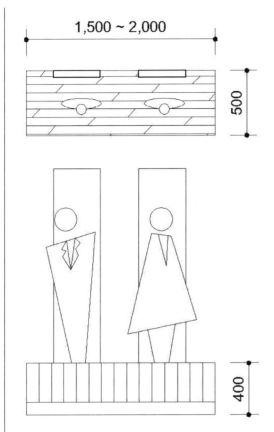

1,500 ~ 2,000

500

입면

400

3.9. 쇼윈도우(SHOW WINDOW)

의류매장의 외부에 면한 전시공간으로 전시무대에 마네킹과 이미지보드(IMAGE BOARD)를 활용하여 계획하는 경우가 일반적이다.

Q. 이미지보드란?

A. 나이키 매장가면 매시가 축구하는 배경을 생각해보자.

과제

가구의 형태를 구분하는 선은 중간선이며, 가구의 무늬를 표현하는 선은 가는선이다.
이미지보드, 칸막이벽, 칸막이벽 문틀 '□□벽'은 굵은선으로 작도한다.
별도의 말이 없다면 앉으로 모든 예제는 1/30 스케일로 작도하도록 하자.

참고자료

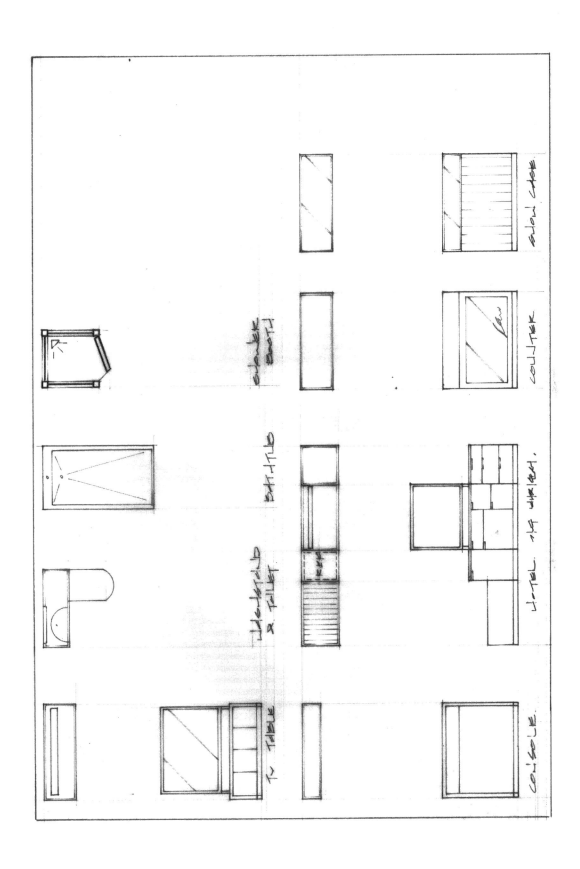

참고자료

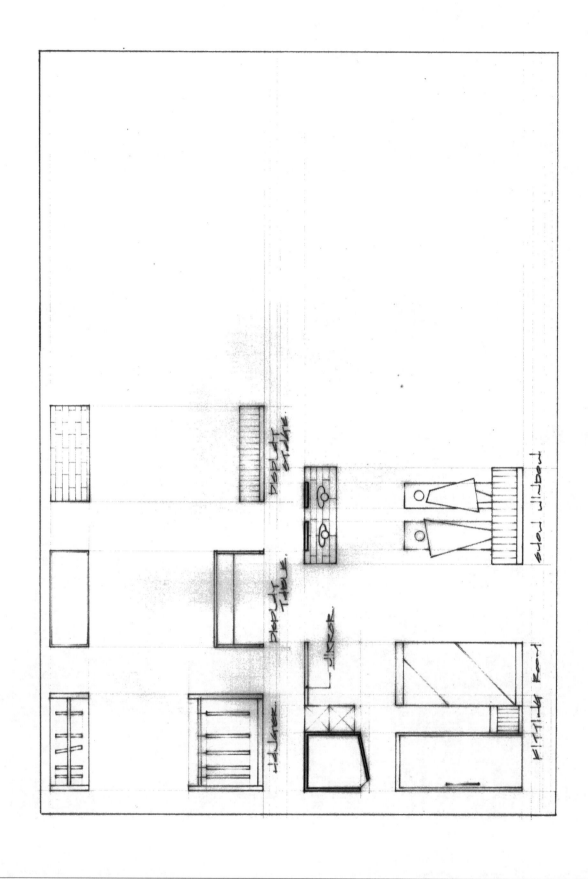

6주차	건축구조
학습목표	시험에서 자주 언급하는 철근콘크리트 구조와 조적식 구조, 내력벽과 비 내력벽을 이해하고 작도 해보자.

1. Con'C (콘크리트)

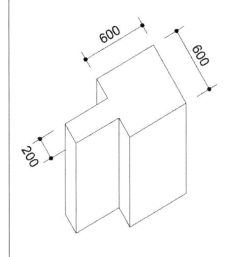

1.1. 이론

최초 시공 시 거푸집이라는 형틀을 이용해 바닥과 벽에 미리 틀을 짜고 굳지 않은 콘크리트를 타설, 2~28일 경과 후 콘크리트의 강도가 구현되면, 거푸집을 철거함의 과정을 통해 만들어진다. 그렇기 때문에 모든 부제가 이어져 있어 이를 일체식 구조라 부르는 것이다.

형틀을 어떻게 짜느냐에 따라 다양한 벽체와 바닥을 만들 수 있기 때문에 구조체의 모양에 제약이 비교적 적은 시공법이다.
콘크리트는 일반적으로 압축력을 견디며 인장력에는 약한 편이다. 이를 보안하기 위해 철근을 첨부한다. 이를 철근콘크리트라고 부른다.
일반적으로 고층 건축물에 적합하지만, 최근 지어지는 초고층 건축물(50층이상)에는 철골구조가 단위 중량에 이점이 높아 주로 사용된다.

콘크리트 구조물의 하중은 바닥에서 벽과 기둥을 통해 기초로 가며 최종적으로 지면으로 흐르게 되어있다. 그렇기 때문에 기분적으로 내력구조라 할 수 있다.

1.2. 작도 시 주의사항

벽과 기둥은 기본적으로 굵은선으로 작도한다.

기둥의 크기 : 600mm × 600mm
    (문제에서 별도로 주어질 경우, 문제를 우선 시 한다.)

벽의 두께 : 200mm
    (예외적으로 문제에서 벽의 두께가 200mm보다 두꺼울 수 있다. 이 경우 기둥을 기준, 비례적으로 작도한다.)

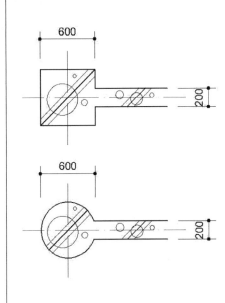

2. Brick (벽돌)

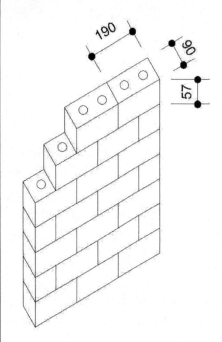

2.1. 이론

벽돌식 혹은 조적식이라 부르며, 그 재료는 벽돌이 된다.

벽돌의 치수는 190mm(가로) × 90mm(세로) × 57mm(높이)이다.

벽돌의 길이방향(190mm)을 벽의 두께로 하여 벽을 쌓을 경우 이를 1.0B(Brick)라 부른다. 이는 벽돌 1장이 벽의 두께가 되었다는 의미이다.

일반적으로 벽의 두께가 1.0B이상의 경우 내력벽이라 부르며 내력구조라 할 수 있다.

실내건축산업기사 문제 출제 시 벽에 특별한 내용이 없다면 모두 내력벽으로 봐야한다.

① 위층과 아래층이 없다고 단정할 수 없으며,
② 단층이라 하여도 지붕의 하중을 견뎌야 한다.

벽돌의 길이방향(190mm)은 작도 시 200mm으로 작도를 하는데 이는 스케일자가 20mm의 배수로 밖에 측정을 할 수 있기 때문이다.
190mm=200mm=1.0B 모두 시험에서는 같은 의미다.

2.2. 1.0B(200mm) 벽체 작도 시 주의사항

벽이기 때문에 굵은선으로 작도한다.

조적벽의 벽두께는 기본은 1.0B이지만, 무엇인가 이상하게 두껍다 생각이 든다면 공간벽(350mm)과 기둥(600mm)을 기준으로 비례적으로 작도한다.

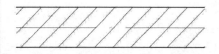

2.3. 1.5B(300mm) 벽체 작도 시 주의사항

벽체중심을 기준으로 위150mm, 아래150mm로 작도하면 된다. 실제로는 0.5B+1.0B=1.5B로 구성된다.

이로서 1.0B, 1.5B, 2.0B, 2.5B등 문제에서는 다양한 벽체가 나올 가능성이 열렸다.

이럴 때는 눈썰미가 필요하다!

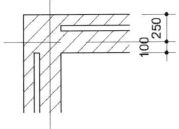

※중심선이
내측벽의
중심

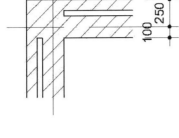

※중심선이
전체의
중심

2.4. 공간벽 쌓기

내력벽에 단열, 방습, 방한, 방서, 결로방지를 위한 방법으로 조적식에만 있는 독특한 쌓기방식이다.

내력벽 밖으로 50mm ~ 100mm 단열재를 두르고 그 다음 벽돌로 치장쌓기(0.5B)를 한다.

단열재는 작도 시 50mm로 통일한다.

치장쌓기(0.5B)는 단열재를 보호하는 역할을 한다.

※예외

시험에서 공간벽은 두 가지 형식으로 주로 나온다.
  ① 중심선이 내측벽의 중심에 있는 경우
  ② 중심선이 전체의 중심에 있는 경우

시험지를 주의 깊게 봐야 할 부분이다.

3. 비 내력벽(칸막이벽)

비 내력벽(칸막이 벽)이란 상부의 하중을 견딜 수 없는 벽을 말한다. 즉 우리의 시야 혹은 디자인의 목적으로 활용될 뿐, 건물의 자중을 견디거나 혹은 위급 시 사람을 보호해 주는 벽은 아닌 것이다.

3.1. 조적식 비 내력벽

벽돌로 비 내력벽을 만들 경우 다음과 같다.
  ① 욕실 : 1.0B 이상으로 벽을 그린다. (벽이 얇으면 내부의 습기가 외부로 나온다.)
  ② 일반 칸막이 벽 : 0.5B 이상으로 벽을 그린다.

3.2. 목재 or 스터드 비 내력벽

목재벽 혹은 스터드벽이라고 생각하면 된다. 목재 기둥 혹은 ㄷ자 형강을 세우고 양면에 석고 혹은 합판을 설치하는 벽이다.

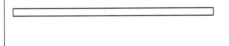

① 두께 50mm 비 내력벽(칸막이벽)
두께가 50mm인 벽을 굵은선으로 작도한다.

② 두께 100mm 비 내력벽(칸막이벽)
두께가 100mm인 벽을 굵은선으로 작도한다.
처음과 끝에는 각재로 막고 500mm 간격으로 일정하게 각재를 넣어준다.
작도양이 많고 효율적이지 않아 추천하지 않는다.

과제

구조체를 처음 그리는 사람은 참고자료의 작도순서를 보고 따라해 보길 바란다.
백문불여일견(百聞不如一見)이라 했으니 한 번쯤은 작도방법을 잘 봐주길 바란다.
보조선은 별도로 지우지 않으며 그대로 남긴다. 그렇기 때문에 최대한 내 눈에만 보일 정도로 얇게 그리도록 한다.

참고자료

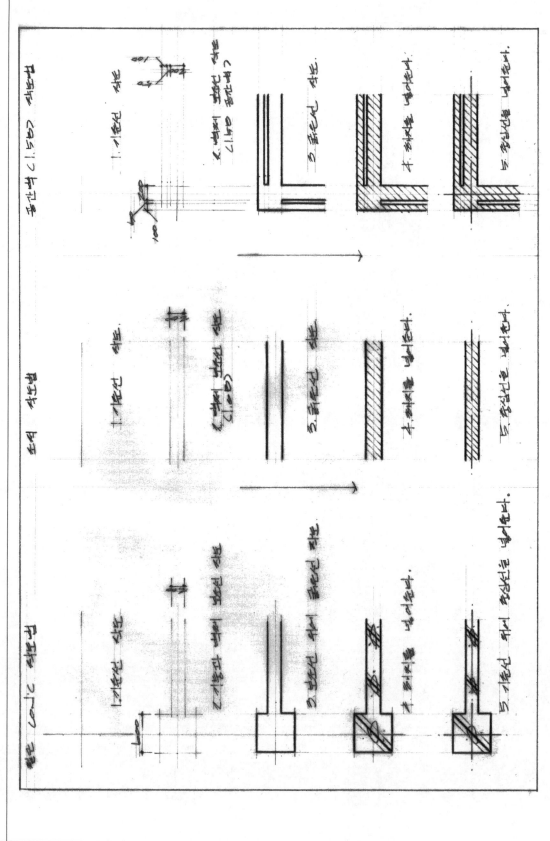

7주차	개구부
학습목표	개구부의 종류와 각 부위에 선의 종류를 이해하자. 이때 중요한 점은 각 부위의 선의 종류이다. 개구부 작도법을 참고하며 작도해 보도록 하자.

1. 여닫이문

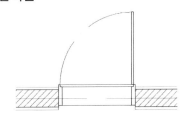

1.1. 개구부란?

벽면에 사람, 빛, 공기 등의 출입을 위하여 구멍을 내 놓은 부분을 말한다.
일반적으로 창과 문이 개구부에 해당된다.

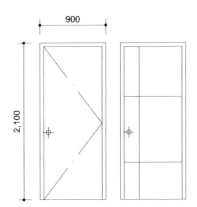

1.2. 문의 크기는?

일반적인 문의 크기는 900 × 2,100이다.
문의 디자인은 용도에 따라 변화할 수 있으며, 시험에서 별도의 조건이 없다면 문의 크기는 900 × 2,100으로 기억하자.

※주의 : 900(가로) × 2,100(세로), 단위는 mm이다.

1.3. 900 × 2,100은 정확히 어떤 치수인가?

900 × 2,100은 벽에 문을 달기 위해 구멍을 내는 치수이다.
그렇다는 것은 실제 문의 크기는 900 × 2100보다 작다는 뜻이 된다.

2. 축척에 따른 문틀 그리는 방법

2.1. 1/30(Scale) 도면의 경우

1/30의 경우 문이 부착되는 방향이 확인 가능한 디테일로서 예제와 같이 작도한다.

2.2. 문틀 그리는 방법

크기는 중요하지 않으며, 비율을 맞춰 작도한다. 굵은선으로 작도한다.

1/4
3/4

2.3. 1/50(Scale) 도면의 경우

1/50의 경우 단순히 틀이 있다는 것만 확인되도록 작도하도록 한다.

※주의

벽면 위의 가는선은 마감선으로 벽지, 모르타르, 페인트 등을 의미한다.
문틀이 벽면마감의 측면을 가릴 수 있는 크기로 작도하는 것이 포인트이다.

3. 문 작도법 (평면)

※①의
벽체
중심은
보조선으로
작도

 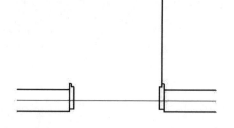

① 벽체와 문틀을 작도한다.　② 문틀에서 수직으로 보조선을 그린다.

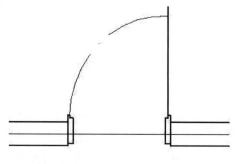 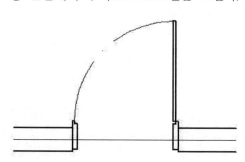

③ 템플릿을 사용하여 문의 반경을　④ 문을 작도한다.
중심선으로 작도한다.

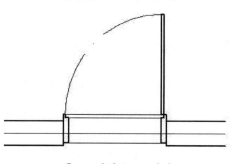 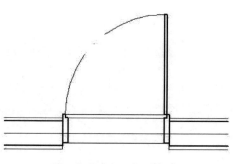

⑤ 문지방을 그린다.　⑥ 마감선을 작도한다.

※⑧의
중심선은
보조선
위에
작도한다.

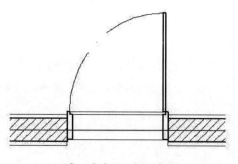 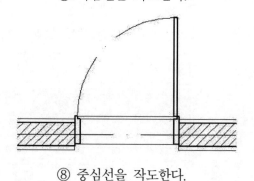

⑦ 해치를 작도한다.　⑧ 중심선을 작도한다.

※중요

Q. 각각의 선은 어떤 선으로 작도해야
할까?
① 문틀 : 굵은선
② 벽 : 굵은선
③ 보조선 : 나만 알아볼 수 있는 흐린 선
④ 중심선 : 1점 쇄선(중간선)
⑤ 문지방 : 중간선
⑥ 마감선 : 가는선
⑦ 해치선 : 중간선

Q. 문지방이 없는 경우
①방화문(현관문)
②회전문
③칸막이벽 문
④병원의 미들문(슬라이딩도어)

시험에서는 문지방이 없는 경우인
4가지를 제외하고는 모두 문지방을
그려야 한다.

4. 문 작도법 (입면)

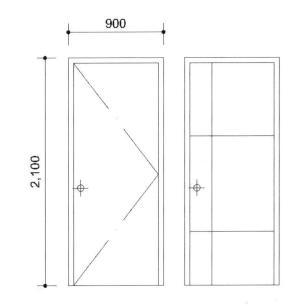

4.1. 문의 종류
① 일반문 : 900 × 2,100
② 안방문 : 1000 × 2,100
③ 현관문 : 1000 × 2,100
④ 욕실문 : 800 × 2,100
⑤ 칸막이벽문 : 700 × 2,100
⑥ 쌍여닫이 : 1800 × 2,100
모든 선은 중간선으로
작도한다.

Q. 입면 문틀의 간격은?
A. 적당히 동일한 간격으로
작도

5. 다양한 문의 평면과 입면

평면

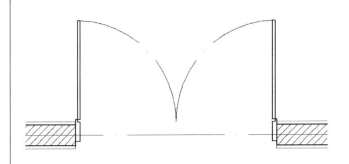

5.1. 쌍 여닫이문
문지방이 없는 문의 경우 꼭
중심선의 점을 문의 중심에
찍어줘야 한다.

평면

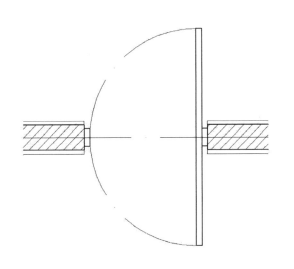

5.2. 자재문
자유경첩 혹은 플로어 힌지
등을 사용하며 문이 안팎으로
열리는 문이다.
다양한 이름으로 불리지만,
중요한 것은 문의 방향성이
없다는 점이 중요하다.

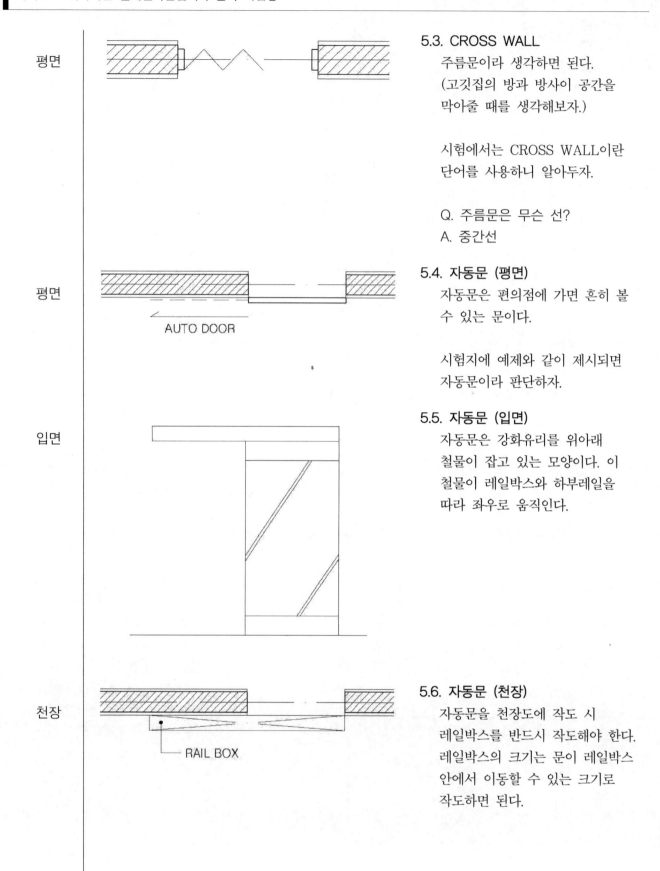

평면

평면

AUTO DOOR

입면

천장

RAIL BOX

5.3. CROSS WALL

주름문이라 생각하면 된다.
(고깃집의 방과 방사이 공간을
막아줄 때를 생각해보자.)

시험에서는 CROSS WALL이란
단어를 사용하니 알아두자.

Q. 주름문은 무슨 선?
A. 중간선

5.4. 자동문 (평면)

자동문은 편의점에 가면 흔히 볼
수 있는 문이다.

시험지에 예제와 같이 제시되면
자동문이라 판단하자.

5.5. 자동문 (입면)

자동문은 강화유리를 위아래
철물이 잡고 있는 모양이다. 이
철물이 레일박스와 하부레일을
따라 좌우로 움직인다.

5.6. 자동문 (천장)

자동문을 천장도에 작도 시
레일박스를 반드시 작도해야 한다.
레일박스의 크기는 문이 레일박스
안에서 이동할 수 있는 크기로
작도하면 된다.

평면

입면

평면

1.

2.

200

3.

45°

4.

5.7. 아치(ARCH) & 오프닝(OPENING)

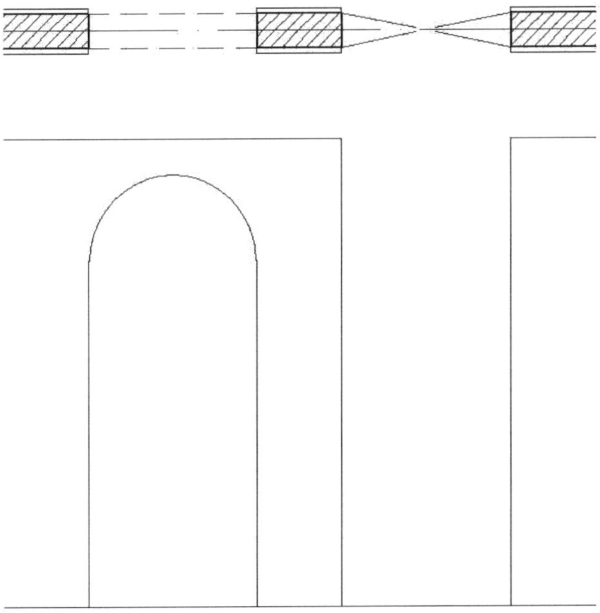

아치와 오프닝의 차이는 상인방의 유무다.
상인방을 아치모양으로 만들면 아치, 상인방이 없으면 오픈이다.

Q. 상인방이란?
A. 문 위쪽의 벽

Q. 하인방이란?
A. 창문 아래쪽의 벽

실내건축산업기사에서 현재까지는 출제된 적 없지만 앞으로도 안 나온다고 할 수 없기에 알아두도록 하자.

5.8. 칸막이벽 문

화장실의 큐비클, 창고, 피팅룸 등의 칸막이벽의 문으로 사용된다.

5.8.1. 작도법

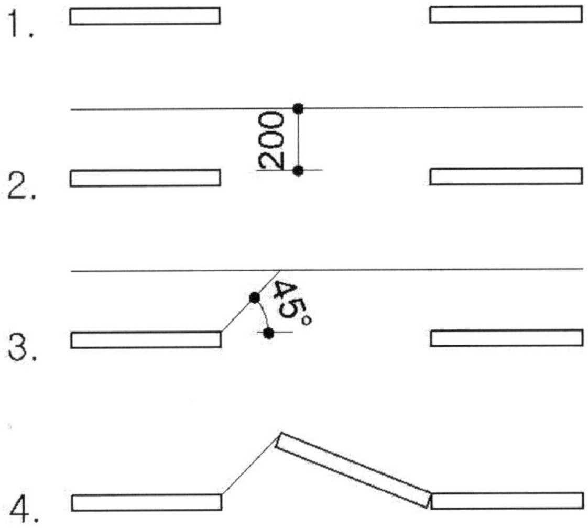

① 칸막이벽에 문이 들어갈 공간(700mm)을 비워두고 작도
② 200mm 떨어트려 보조선 작도
③ 45자를 활용하여 열리는 반경작도
⑤ 칸막이벽 문 작도

Q. 칸막이벽과 문은 무슨 선?
A. 굵은선

Q. 칸막이벽 문 반경은 무슨 선?
A. 중간선

과제

문 디자인은 최소 2가지는 기억하고 있어야 한다.

그 이유는 입면도 작도 시 같은 방향에 문이 2개가 나온다면 디자인을 달리해야 되기 때문이다. (예, 현관문과 욕실문)

참고자료를 보면 벽체는 굵은선, 해치는 중간선, 마감선은 가는선으로 그 차이가 분명하다. 보조선은 지우지 않는다. 이점을 유의하도록 하자.

참고자료

6. 미서기 창

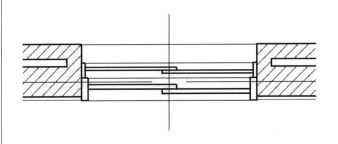

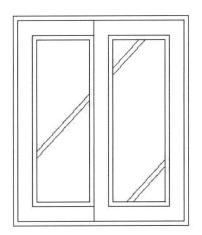

6.1. 평면에서 주의사항

시험에서는 창문은 일반적으로 2짝 미서기창의 이중창인 경우가 대부분이다.
예외적으로
　　① 4짝 미서기창,
　　② 고정창+미서기창,
　　③ 기타문
이 출제될 때가 종종 있었으나 이 경우에는 시험지에 제시되기 때문에 이를 참고하여 적당히 작도하면 되기 때문에 걱정할 필요는 없다.

6.2. 입면에서 주의사항

시험에서는 창문의 세로길이와 바닥에서 떨어진 높이는 제시되지 않는 것이 일반적이다.
창문의 가로길이는 평면도에서 확인할 수 있지만 만약 평면도에 표시되어 있지 않다면 대략적으로 어림잡아 작도한다.

※주의
창문을 작도 시 커튼 혹은 블라인드를 설치해 줘야 하며, 설치 후 1/3이상 창문이 보여야 한다.

※비례 스케일

시험에서 작도하고자 하는 벽체, 문의 치수가 주어지지 않는 경우가 종종 있다.
이 경우에는 기둥, 공간벽과 같이 자신이 치수를 알고 있는 것과 비교해서 적당히 작도한다.
시험지에 제시된 도면은 NONE SCALE로 스케일자로 재는 것은 무의미하다.

7. 미서기 창 작도법(평면)

① 보조선으로 벽체와 창문이 들어갈 부위를 표시한다.

② 벽체와 공간벽을 굵은 선으로 작도한다.

③ 문틀을 굵은 선으로 작도한다.
창틀은 외창과 내창의 재료가 다르므로 그 경계선을 막는 것이 포인트다.

④ 창문을 굵은 선으로 작도한다.

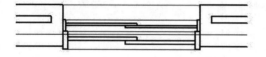

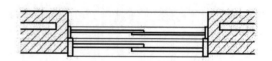

⑤ 창의 밑틀과 하인방을 중간선으로 작도한다.

⑥ 해치를 중간선으로 작도한다.

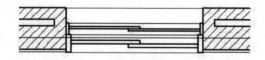

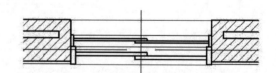

⑦ 실내 마감선을 가는선으로 작도한다.

⑧ 벽체 중심선과 창의 중심선을 작도한다.

8. 미서기 창 작도법(입면)

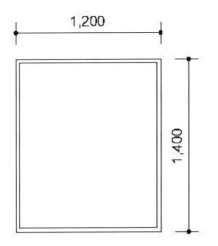

① 1200 × 1400 박스를 작도한다.
적당한 간격을 두고 안쪽으로 창틀을
중간선으로 작도한다.

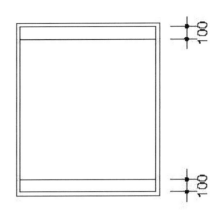

② 위아래 100mm 보조선을 작도한다.

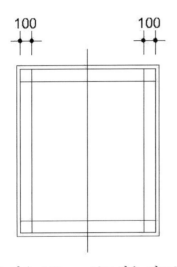

③ 좌우 100mm 보조선을 작도한다.

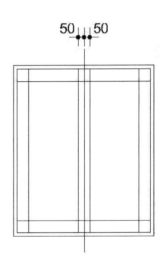

④ 중심에서 양옆으로 50mm씩 보조선을
작도한다.

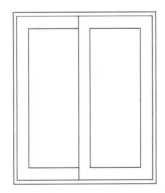

⑤ 창문의 형태에 맞게 중간선으로 작도한다.

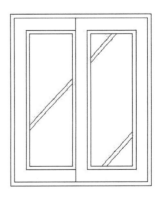

⑥ 창문의 효과를 가는선으로 넣어준다.

9. 창문의 높이

창의 높이는 시험에서 대부분 알려주지 않는다.
수험자가 직관적으로 판단하여 높이를 결정해야 하는데 다음과 같은 조전에 맞춰서
계획하도록 한다.

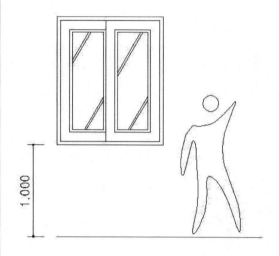 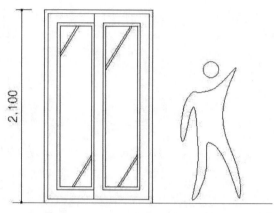

① 평면에 발코니가 없을 경우 : 창의 높이를 바닥에서 1,000mm 높여 작도한다.

② 평면에 발코니가 있을 경우 : 창의 높이를 2,100mm이상으로 계획하며, 바닥에 붙여서 작도한다.

10. 고정창

평면

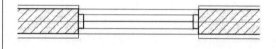

10.1. 창틀이 벽보다 얇은 고정창

벽체는 200mm, 창틀의 크기를 50mm × 100mm로 작도한다.
창틀의 세로크기가 100mm일 경우 그 안의 고정창은 굵은선 1줄로 표현한다.

평면

10.2. 창틀이 벽과 비슷한 고정창

벽체는 200mm, 창틀의 크기를 50mm × 200mm으로 작도한다.
창틀의 세로크기가 200mm일 경우 그 안의 고정창은 굵은 선 2줄로 표현한다.

10.3. 유리 한 장의 최대길이는?

※중요

유리는 열 변형 파손과 파손 시 복구를 위해 한 장의 길이는 3m를 넘을 수 없다.
문제에서 유리가 3m를 초과하게 주어졌더라도 제출도면에는 중간에 멀리온(수직 부제)을 넣어 유리 1장이 3m를 초과하지 않도록 계획해야한다.

10.4. 시험지에 고정창의 창틀만 있고 유리가 없는 경우, 유리를 넣어야 하나?

① 시험지에 유리는 없고 창틀만 있더라도 제출도면에는 유리를 넣어야 한다.
② 벽체 두께가 다른 부제(기둥, 문, 공간벽)와 비교해서 200mm인지를 파악한다.
③ 판단한 벽과 프레임을 비교해서 100mm프레임의 경우 유리 1장, 200mm프레임의 경우 2장을 넣어준다.

과제

참고자료의 4가지는 시험에서 대표적으로 나오는 창의 유형이다.
시험장에 가면 무조건 나온다고 생각해도 좋다. 눈 감았다 사이에 작도할 수 있도록 작도순서와 작도법을 반드시 익혀두어야 한다.

참고자료

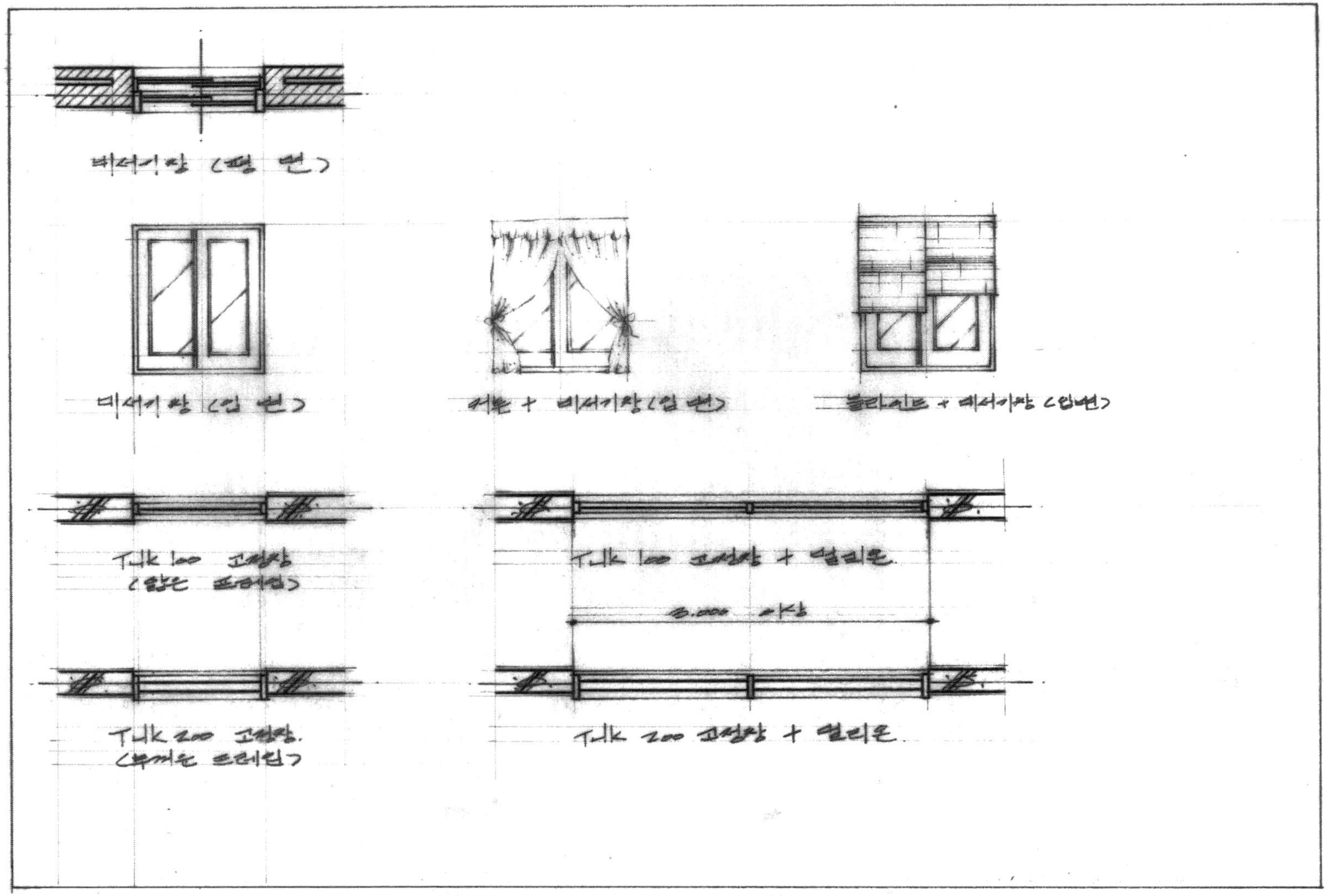

보강주차	중간점검
학습목표	여러분 7주 동안 고생이 많았어요. 한 주씩 부분적으로 배운 것을 모두 통합해서 작도할 수 있는지 중간 점검을 해볼 차례입니다.
NONE SCALE	아래의 평면도를 작도하시오. 스케일 : 1/30 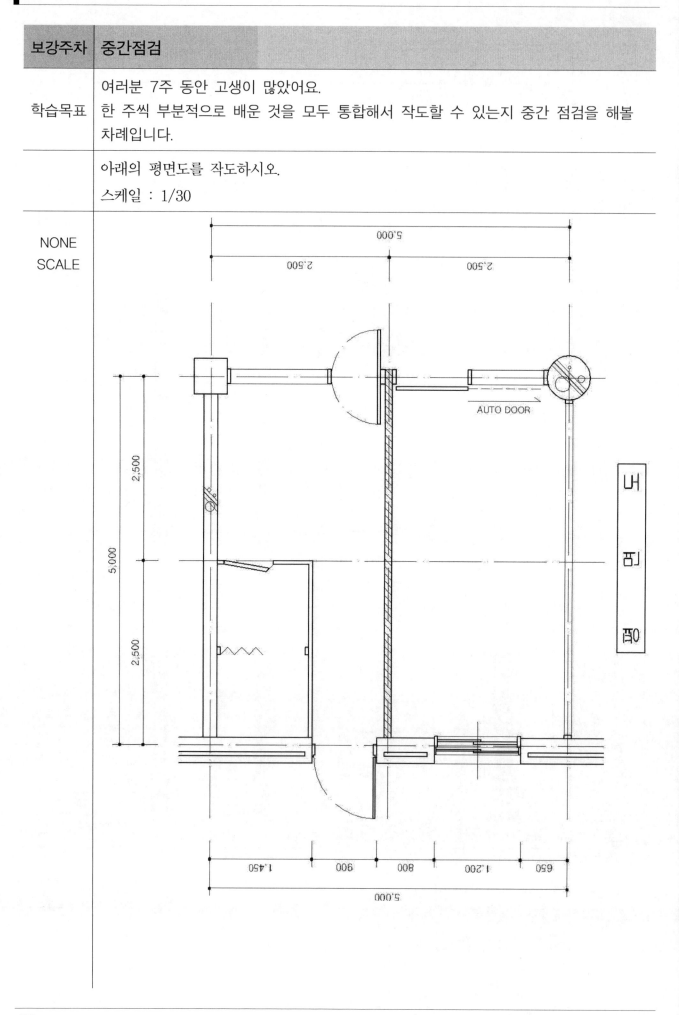

문제 해석

<table>
<tr>
<td>문제파악</td>
<td>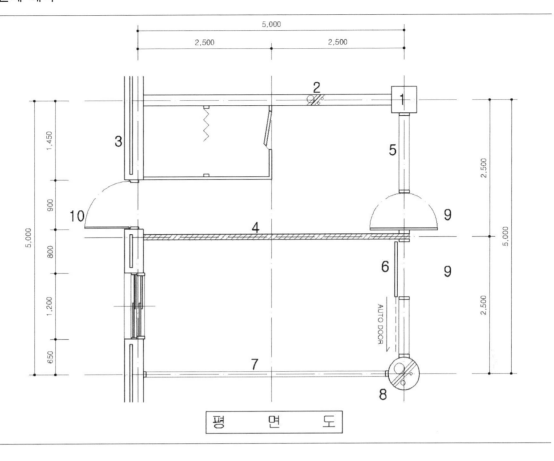</td>
</tr>
<tr>
<td>1단계</td>
<td>

시험에서는 모든 정보를 완벽하게 주지 않는다.

시험지를 받으면 차분하게 한 가지씩 확인하는 습관을 기르도록 하자.

지금처럼 문제가 90도 돌아가 있다면 예제와 같이 도면명을 기준으로 시험지를 돌려서 보자.

   ① 사각기둥에 해치가 빠져있네?

   ② 철근콘크리트 벽체구나?

   ③ 공간벽이네!

   ④ 조적 해치가 있는 것 보니 0.5B(②벽과 비교하니 절반의 두께) 칸막이 벽이구나.

   ⑤ 200mm 고정창이니 유리를 2줄 넣어야겠네.(시험에서 자주 나오는 고정창 출제표현이다.)

   ⑥ 자동문이네!

   ⑦ 100mm 고정창이니 유리는 1줄 넣어야겠다.(이 표현도 자주 나오는 고정창 출제표현이다.)

   ⑧ 원기둥에는 해치가 있네?

   ⑨ 주출입 표시기호가 빠져있네. 나중에 넣어야겠다!

   ⑩ 이곳은 주출입 동선이라 보기가 어려우니 주출입 표시기호를 넣지 말아야겠다.

   ⑪ 마감선을 넣어야겠다.

</td>
</tr>
<tr>
<td>2단계</td>
<td>

1단계의 요소들을 바탕으로 또 다른 특이점이 생기나 확인해야 한다.

   ①+② 기둥과 벽이 같은 재료이니 연결해야겠다.

   ③+④ 공간벽과 0.5B벽은 같은 재료이니 연결해야겠다.

   ⑦ 고정창이 3m를 넘으니 중간에 수직 창틀(멀리온)을 넣어야겠다.

</td>
</tr>
</table>

■ 독학으로 취득하는 실내건축산업기사 실기 작업형

과제

중간점검은 다소 까다롭게 만들어 보았다. 어떤가? 눈에 그동안 학습했던 것들이 잘 보이는가?
시험에서는 이러한 요령이 필요이 요령이 중간점검의 문제지는 복잡하고 어렵지는 않으니 너무 걱정하지 말도록 하자.
틀렸다고 실망할 필요는 없다. 이제 일었으니 앞으로 주의하면 된다. 속상해 하지 말고 다시 한 번 문제를 풀어보고 넘어가도록 하자.

참고자료

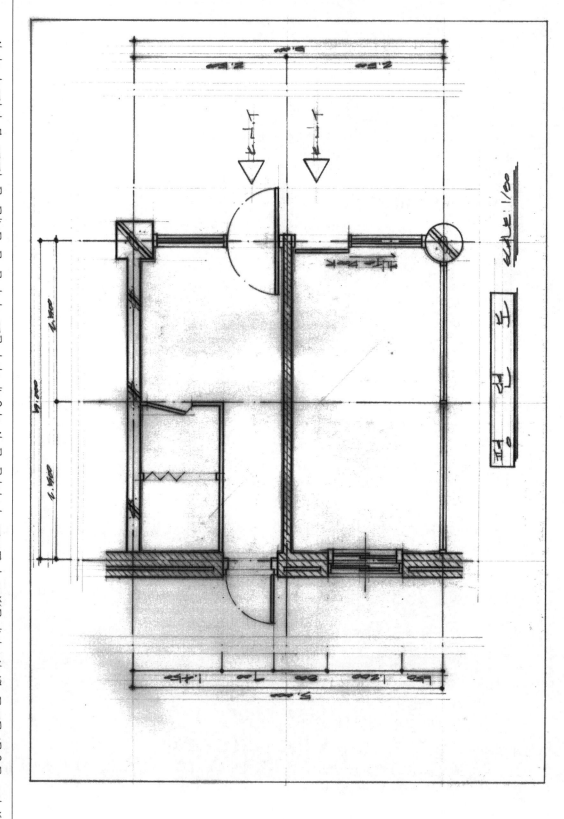

8주차	시험지 보는 방법
학습목표	평면도를 작도하기 전 시험지를 보는 방법에 대해서 알아보자. 시험지의 형태와 구성요소를 파악하자.

※참고문제
「모의고사」
과제번호 0
과제명 :
자녀방

국 가 기 술 자 격 실 기 시 험 문 제

자격종목	실내건축산업기사	과 제 명	자녀방 ①

※ 시험시간 : 5시간 30분 ②

1. 요구사항 ③
※ 문제 도면은 주택에 여중생의 방의 평면도이다. 다음 요구 조건에 맞게 요구
 도면을 작도하시오.

가. 요구조건 ④
 1) 설계면적 : 4.5m x 4.5m x 2.7m(CH)
 2) 창호 : 1.2m x 1.4m
 3) DOOR(출입문) : 0.9m x 2.1m
 4) 공간구성 및 집기
  – 싱글 침대 1개, 옷장 2개, 책상 1개, 책꽂이 2개, 컴퓨터 테이블 1개,
   학습용 테이블 1개, 학습용 TV & DVD플레이어 등
  (* 제시된 공간구성 및 집기는 필수적이며, 이외에 필요한 것이 있다면
   수험자가 임의로 추가할 수 있음)

나. 요구도면 ⑤
 1) 평면도 (가구배치 및 바닥 마감재 표기) : 1/30 (SCALE)
 – 평면도 주변의 여유공간에 설계개요(DESIGN CONCEPT)를 200자 이내로
  서술하시오.
 2) 내부입면도 2면 (벽면재료 표시) : 1/30 (SCALE)
 3) 천장도 (설비, 조명기구 배치 및 범례표 작성, 천장마감재 표기) : 1/30 (SCALE)
 4) 실내 투시도 (채색작업 필수) : N/S (SCALE)
 – 계획의 포인트가 좋은 지점에서 1소점 또는 2소점 투시법으로 작성 및 작성과정
  의 투시보조선을 남길 것

1. 시험지 확인하기

실기의 작업형 시험지는 예제와 같이 총 6가지의 주요구성으로 이루어져있다.
시험지를 받으면 우선 오탈자가 있는 지 확인 후 예제의 6가지 구성의 특징을 생각하며
2번 이상 천천히 정독하도록 한다.
본 교재의 「부록 모의고사」의 최소한의 문제를 수록하였으니 모두 풀어보도록 하자.

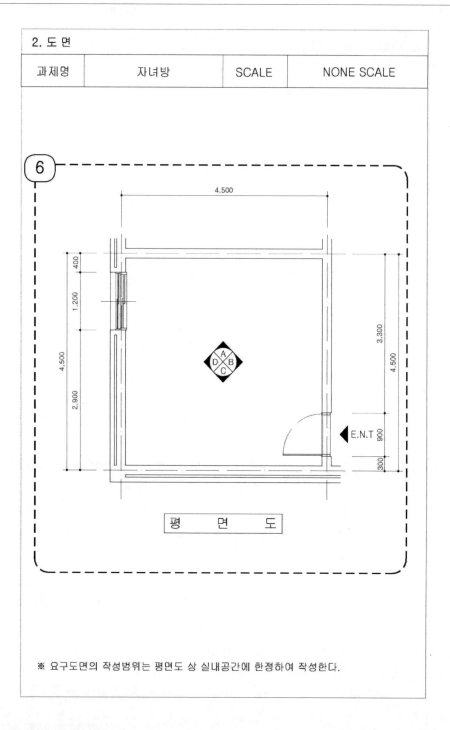

2. 6가지 주요구성의 특징

① 과제명 : 과제명은 평면의 실명이며, 금회 시험의 문제의 방향을 유추할 수 있다.

② 시험시간 : 시험시간을 초과 시 실격이기 때문에 반드시 확인한다.

③ 요구사항 : 계획방향의 변별력이 될 수 있는 조건이 있는지 확인한다.
(예제의 경우 : 「여중생의 방」이라는 조건을 확인할 수 있다.)

④ 요구조건 : 공간구성 및 집기는 반드시 들어가야 할 가구이며, 이외 수험자가 임의로
추가하는 것은 선택사항이다. (예제의 경우 : 「화장대, 거울 등」을 추가로 계획한다.)

⑤ 요구도면 : 제출도면이다. 내부입면도가 1면 혹은 2면인지, 각 도면의 스케일을
확인한다.

⑥ 도면 : 스케일이 없는 도면으로 벽의 종류, 개구부 방향 등의 기본 정보를 파악한다.

자~ 앞으로 우리가 풀어야 할 시험지를 알아봤으니 이제부터 평면도를 학습하도록 하자.

8주차	평면도
학습목표	평면도작도는 순서가 매우 중요하다. 학교 과제가 아니다. 생각날 때 하나씩 그리는 것이 아니라 프로세스에 맞춰 빠짐없이 빠르게 작도하는 것이 중요하다. 작도순서는 암기해야한다.

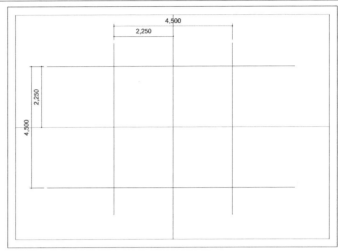

※참고문제
「모의고사」
과제번호 0
과제명 :
자녀방

1. **트레이싱페이퍼의 중심잡기와 보조선치기**
   ① 트레이싱 페이퍼의 센터를 보조선으로 그린다.
   ② 도면이 센터에 들어갈 수 있도록 시험지의 치수를 참고하여 보조선으로 길게 뽑아 놓는다.
   ③ 시험지를 통해 벽체의 중심선의 위치를 먼저 파악한 후 벽체보조선을 뽑아놓는다.
   ※주의 : ① 벽의 중앙에 중심선이 있는 경우, ② 내 측벽의 중심선이 있는 경우

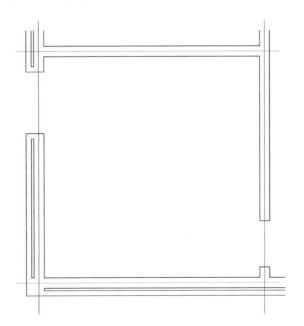

2. **벽체 작도**
   ① 창과 문의 위치를 확인 한 후 굵은 선으로 벽체를 작도한다.
   ② 주의 점은 벽의 끝 부분이 연결되어 있는지 혹은 막혀있는지 잘 파악한 후 시험지와 동일하게 작도한다.
   ※주의 : 예제의 벽 중심의 선은 중심선이 아닌 1번에서 그린 보조선이다.

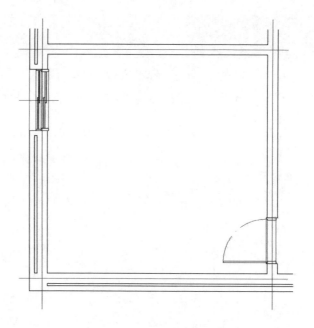

3. 창호 작도

① 창문과 창틀을 작도한다.

② 문과 문틀을 작도한다.

※주의 : 이번 문제에서는 주거용도의 방이기에 시험지에 문지방이 그려져 있다. 그렇기 때문에 문지방을 작도해야한다. 하지만 상점, 호텔객실이 출제 될 경우 주 출입구가 방화문 또는 자재문으로 되어 있기 때문에 문지방이 없다.

Q. 우리 집 방문에는 문지방 없는데 시험에서도 빼고 작도해도 되나?

A. 시험지에 표시 되어있다면 무조건 작도해야 된다.

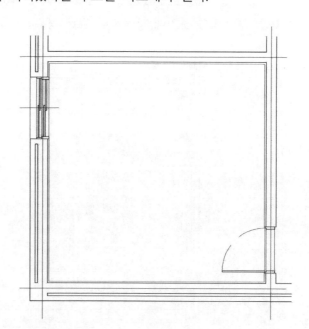

4. 마감선 작도

① 벽에 모르타르 미장과 도배 등, 마감의 의미로 마감선을 가는선으로 실내만 돌려준다.

※주의 : 시험에서 화장실, 창고, 발코니 등의 2개 이상의 실이 나올 경우 각각 마감을 해줘야한다.

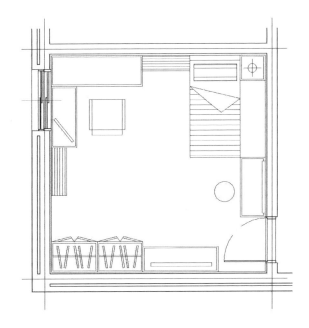

5. 가구 작도

① 문제에서 요구하는 가구를 작도한다.

② 수험자 임의로 추가할 가구를 작도한다.

③ 마감선 위에 겹쳐지는 가구부분은 중간선으로 중복 작도한다.

※주의 : 가구와 가구사이는 떨어트릴 경우 500mm이상, 그 외는 붙여서 계획한다.

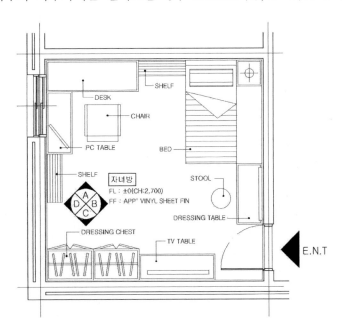

6. 글씨 작도

※순서중요

① 실명(과제명)을 중앙에 작도한다. (가구를 피해서 작도한다.)

② F.L : ±0 (C.H : (설계면적에 CH))를 ①번 아래에 작도한다.

(CH는 시험지의 「가. 요구조건 →1)설계면적」에서 확인가능하다.)

③ F.F : APP' (바닥마감재) FIN를 ②번 아래에 작도한다.

④ 입면도 방향표시, 주출입구 표시기호를 작도한다.

⑤ 남는 공간을 활용하여 문제에서 요구하는 모든 가구명을 작도한다.

(가구명은 가구 밖으로 지시선을 사용하여 작도한다.)

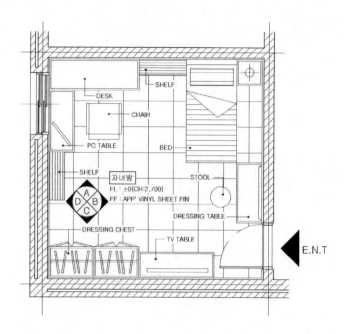

7. 해치 넣기

① 바닥해치 : 500 × 500 가는선으로 전체 해치를 넣는다.

② 벽체 해치 : 시간이 된다면 전체해치를 추천한다.

조적벽일 경우 : 해치를 넣게 될 전체부분의 최소한 1/3이상 덩어리감 있게 넣어준다.

철근콘크리트일 경우 : 적당한 간격으로 전체를 넣어준다.

　　※주의 : 욕실, 현관의 경우 300 × 300으로 거실과 마감재료가 다르다는 것을 표현한다.

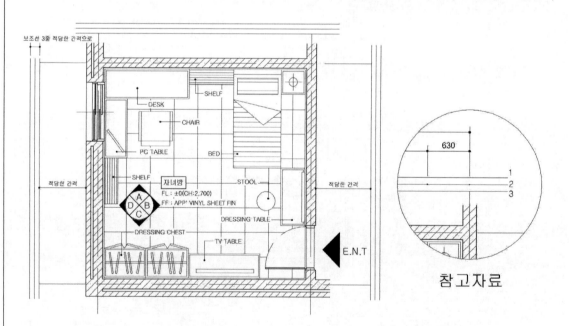

참고자료

8. 치수 보조선 치기

① 치수선의 간격을 일정하게 맞추기 위해 보조선을 예제과 같이 넣어준다.

　　※주의 : 치수보조선에 글씨(◀E.N.T)가 걸리지 않도록 적당한 간격을 둔다.

※참고자료 설명

1. 치수선의 하부를 일정하게 정렬하는 기능,

2. 중심선의 점을 일정하게 정렬하는 기능,

3. 평면에서 올라오는 중심선을 일정하게 정렬하는 기능

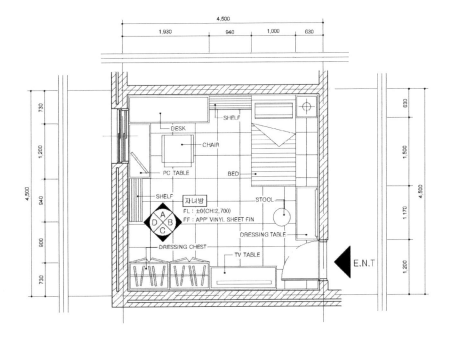

9. 치수 & 중심선 작도

※주의

① 치수선은 3면 2줄을 넣는 것을 원칙으로 하며, 치수는 가로선의 경우 위에, 세로선의 경우 왼쪽에 기입한다.

② 천 단위 마다 콤마(,)를 찍도록 하며 치수선의 교차부에는 도트(●)를 넣도록 한다.

③ 치수선을 작도할 때 중심선도 같이 작도한다.

④ 제출도면에는 9시, 12시, 3시 방향의 치수선은 필수적으로 들어가야 하며, 시험지에 제시된 치수와 무관하게 가구 치수와 개구부 치수를 넣어준다.

6시방향의 치수선은 선택사항이다. (※주의 : 중심선은 지금 작도하면 된다!!!)

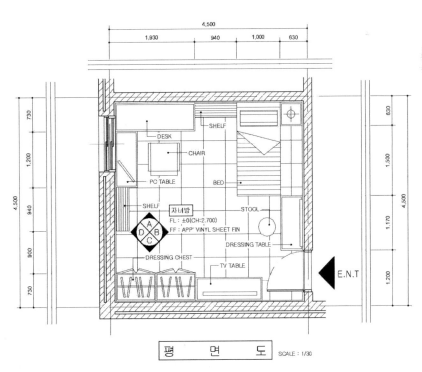

10. 도면명과 스케일 작도

① 도면명은 국문으로 중앙에 작도하고, 굵은선으로 글씨박스를 돌려준다.
② 스케일은 도면명 우측에 작도한다.

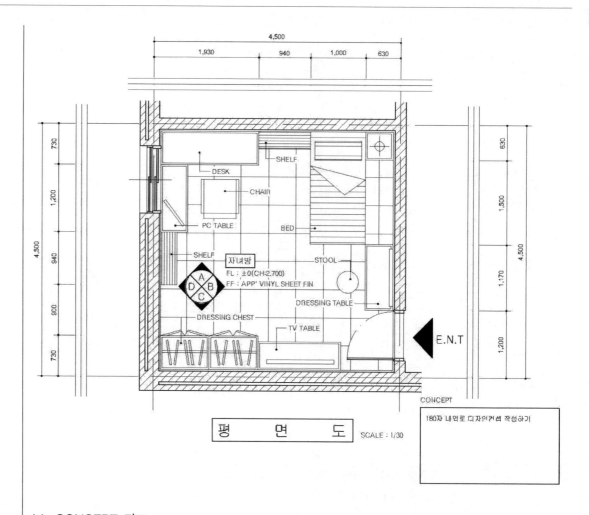

11. CONCEPT 작도

① 우측 하단에 컨셉박스를 굵은선으로 작도한다.

② 컨셉의 내용은 180자 내외로 글씨보조선을 긋고 작도한다.

12. CONCEPT은 어떻게 쓸까?

컨셉(CONCEPT)은 디자이너의 아이디어 혹은 가구배치의 계획방향을 기입한다.

조금 쉽게 말하면 침대는 왜 그곳에 배치하였는지, 책상은 왜 창문 옆에 놓았는지를 쉽게 설명한다 생각하면 된다.

「부록 모의고사 – 3.풀이 방법」을 참고하면 각 문제별 가구배치 계획방향을 알 수 있다.

13. CONCEPT은 언제 작성하나?

컨셉(CONCEPT)은 투시도가 종료되면 평면도로 돌아가서 작성한다.

평면도를 작성하는 시점은 시험초반이기 때문에 여유롭게 컨셉(CONCEPT)을 작성하다 시험시간이 모자라 투시도를 미완성으로 제출할 수 있기 때문이다.

14. 가구배치계획은 어떻게 하나?

자! 교재를 뒤로 넘겨서 「부록 모의고사」로 가보도록 하자.

문제마다 「3.풀이방향」을 보면 가구배치계획을 간략하게 적어놓았으니 참고하길 바란다.

평면도는 2시간 20분 내외로 완성하면 아주 훌륭한 편이다. 당연히 작도순서에 맞게, 선의 종류를 맞게 작도한다는 전제이다. 처음에는 시간이 너무 오래이지 말자. 시간을 당기려면 먼저 작도순서, 대략적인 배치계획방향, 가구의 치수, 선의 종류를 완벽히 암기되고, 자신만의 작도요령이 있어야만 한다. 평면도를 10개 정도 작도하는 시점에서 습습 속도가 붙을 타이너 다급해 하지말자. 다만 꾸준히만 연습하길 바란다. (조적해치의 1/30이상 덩어리감 있게라는 의미를 참고자료를 보고 확인하길 바란다.)

과제

참고자료

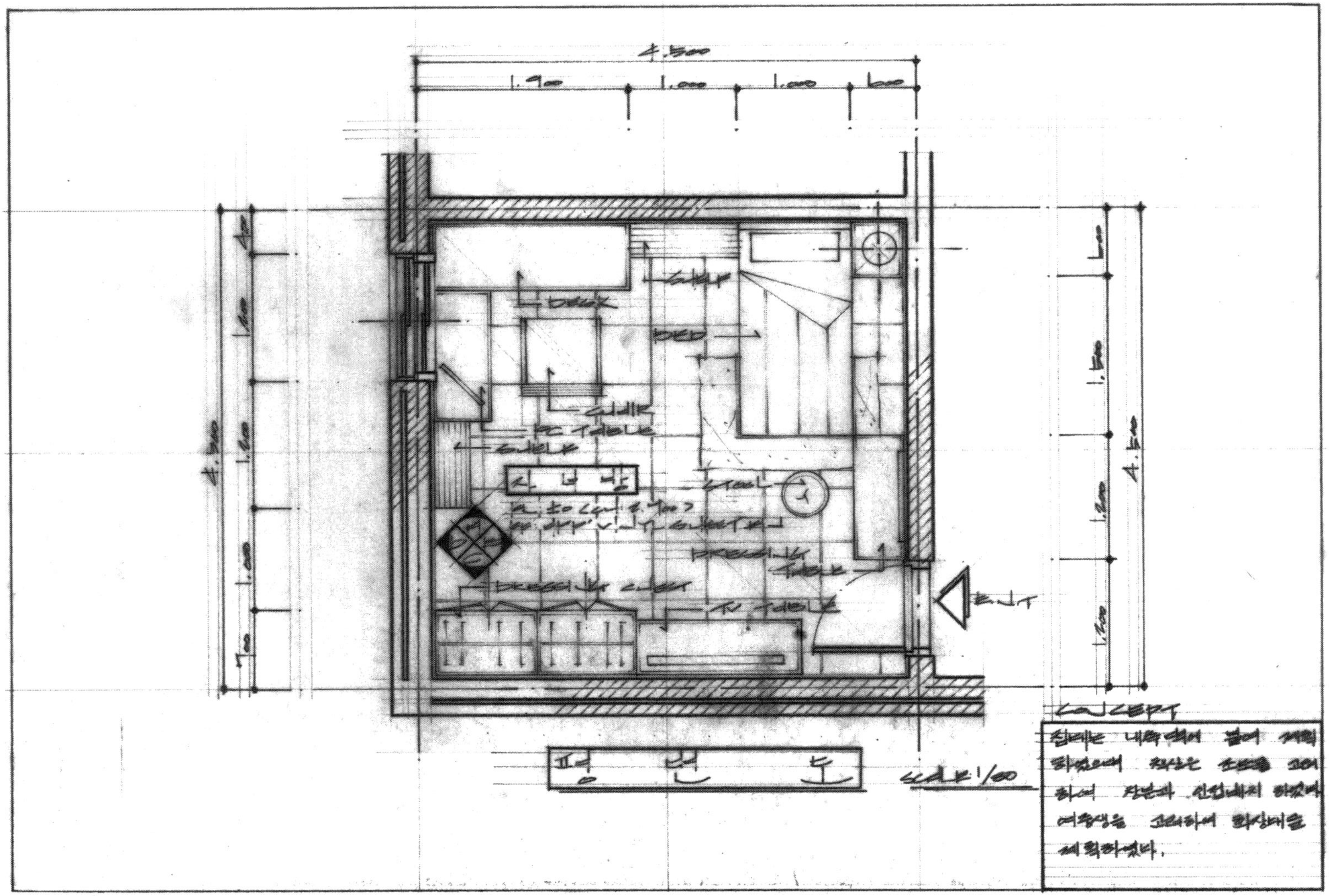

9주차	입면도
학습목표	자신의 작도한 평면도를 가지고 입면도를 작도하여보자. 입면도작도법도 순서가 중요하다. 우리는 지금 시험을 빠르고 정확하게 끝내기 위한 프로세스를 익히고 있다는 점을 잊어서는 안 된다.
※참고문제 「모의고사」 과제번호 0 과제명 : 자녀방	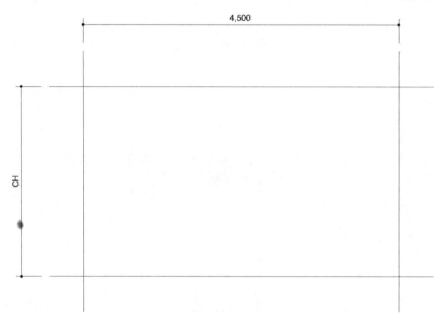

1. 입면 방향 잡기

① 앞 주에서 완성한 자녀방의 A방향을 작도한다는 가정 하에 진행하겠다.

② 입면도는 사람이 실내에서 바라보는 방향으로 작도한다.

③ 작도방향의 가로치수와 C.H에 맞추어 보조선을 그린다.

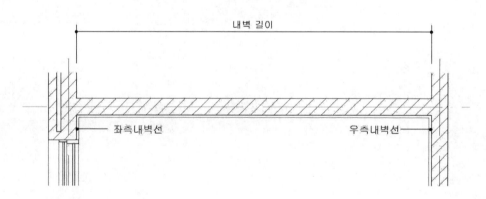

2. 내벽길이(안목치수) 확인하기

① 내벽길이(안목치수)란 작도하고자 하는 방향의 좌측 내벽선에서 우측 내벽선까지의 길이를 말한다.

② 자녀방의 A방향의 전체길이는 4,500mm이다. 여기서

③ 좌측내벽선에서 중심선까지의 거리와 우측내벽선에서 중심선까지의 거리는 100mm씩 이다.

④ 내벽길이는 4,500mm - 100mm(좌) - 100mm(우) = 4,300mm가 되겠다.

3. 벽체 작도

① 좌우내벽선, 바닥, 천장을 굵은선으로 작도한다.

② 입면도를 그리는 것이기 때문에 천장 속과 바닥 아래는 신경 쓰지 않아도 된다.

　※주의 : 단면도를 그린다면 천장 속과 바닥 아래도 다 그려야 한다.

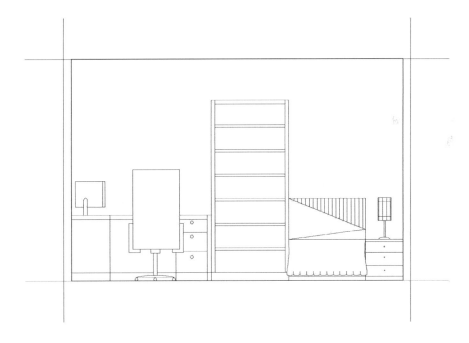

4. 가구 작도

① 입면도의 가구는 작도방향의 벽면에 붙어있는 가구만을 그리는 것을 원칙으로 한다.

② 시간적 여유가 된다면 벽면에 붙어 있지는 않지만 세트가구(책상&의자, 화장대&스툴)도 같이 작도하도록 하자.

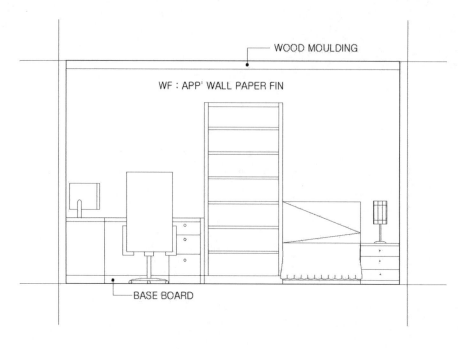

5. 글씨 작도

① 입면도의 글씨는 평면도에서 확인 불가한 몰딩, 벽 마감, 걸레받이만 작도하자.

※주의 : 상업공간의 기둥과 기둥사이에 고정창이 설치되어 있는 면을 작도 할 때에는 벽 마감이 예외적으로 2개가 될 수 있다. 이 경우는 기둥에 워터페인트, 고정창은 두께 12 강화유리로 써줘야 한다.

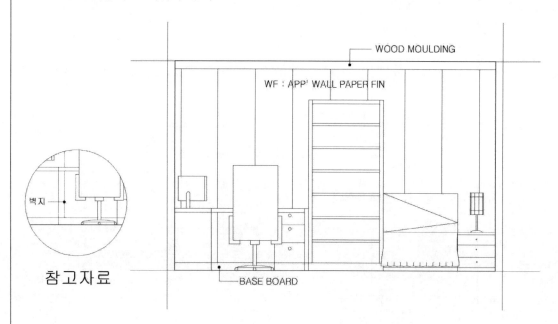

참고자료

6. 해치 넣기

① 벽면의 마감재료가 벽1 지의 경우 세로로 가는선을 500mm간격 넣으며, 페인트의 경우 해치를 생략한다.

Q. 예제의 걸레받이는 가구 걸레받이일까? 벽의 걸레받이일까?
A. 벽이다. 참고자료를 보면 책상 뒤판이 없는 디자인이다.
Q. 만약 책상 뒤판이 있는 디자인이면 벽면의 걸레받이가 안 보이는데 이때는 어떻게 하나?
A. 걸레받이 글씨를 안 써도 된다.

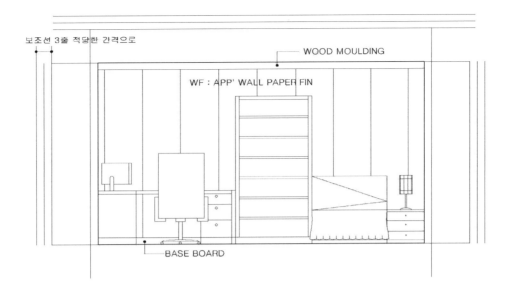

7. 치수 보조선 치기

① 평면도와 같은 방법으로 치수 보조선을 넣어준다.

※주의 : 보조선은 자신만 보일 만큼 아주 얇은 선을 말한다. 나중에 지우지 않는다.

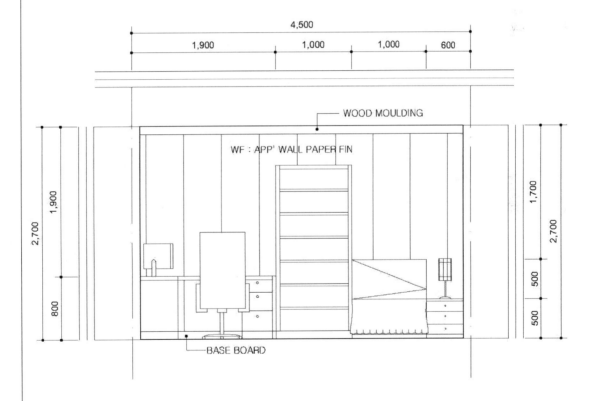

8. 치수 & 중심선 작도

① 평면도와 같은 방법으로 치수선과 중심선을 작도한다.

② 좌측 치수선은 좌측 벽에 붙은 가구, 우측 치수선은 우측 벽에 붙은 가구 치수를 기입한다.

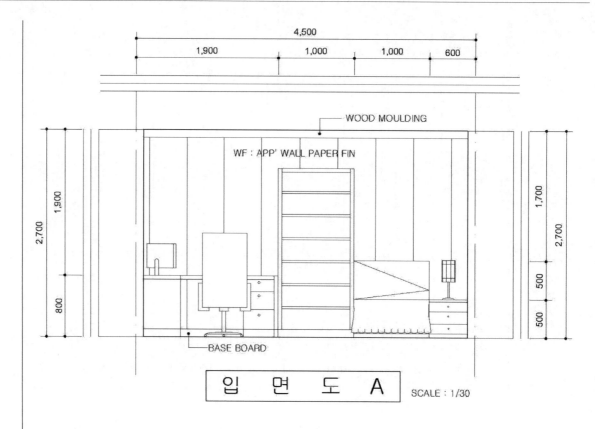

9. 도면명과 스케일 작도

　① 도면명은 국문으로 중앙에 작도하되 꼭 입면방향을 기입해야 된다.

　② 도면명은 굵은선으로 글씨박스를 돌려준다.

　③ 스케일은 도면명 우측에 작도한다.

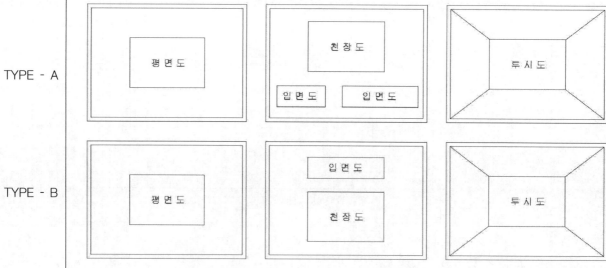

10. 입면도 작도 레이아웃

　① 시험지를 받으면 먼저 입면도의 작도 수량을 확인하자.

　② 입면도가 2개일 경우에는 TYPE-A, 입면도가 1개일 경우에는 TYPE-B로 레이아웃 계획을 잡고 도면작업을 시작한다.

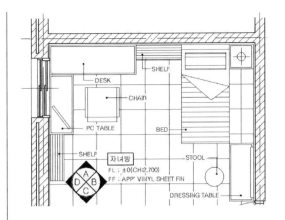
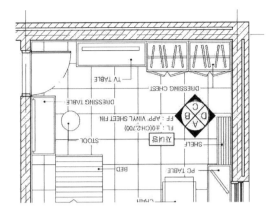

① A방향 작도 시 평면도 보는 방법　　　② C방향 작도 시 평면도 보는 방법

11. 방향별 도면 보는 방법

「입면도는 사람이 실내에서 바라보는 면을 작도하는 것이다.」

어떻게 보면 간단하지만 많은 수험생들이 실수를 하는 것 중 하나가 바로 방향을 잘못 그리는 것이다.

시험에서 A면이 나왔다면 자신의 평면도를 ①처럼 놓고 그대로 작도하면 된다.

하지만 시험에서 C면이 나왔다고 한다면 평면도를 어떻게 놓고 봐야할까?

②처럼 평면도를 180도 돌려놓고 C면을 작도해야 된다.

그 이유는 「입면도는 사람이 실내에서 바라보는 면을 작도하는 것」이기 때문이다.

머릿속으로 계산하면서 작도하면 실수가 발생할 수 있다.

C면이 시험에서 나왔다면 반드시 평면도를 예제처럼 돌려놓고 작도하도록 하자!

12. 입면도도 센터(CENTER)를 잡고 작도하나?

결론부터 말하겠다. 아니다!

입면도와 천장도는 1장의 트레이싱 페이퍼에 작도해야한다. 처음부터 센터가 될 수 없다.

입면도가 시험에서 나오는 유형을 보면 1면 혹은 2면이다.

1면일 경우에는 벽면의 길이가 긴 방향으로 지정되어 나오는 경우가 대부분이며,

2면일 경우 한 면은 긴 방향, 다른 한 면은 짧은 방향으로 선택해서 작도가 가능하다.

2면을 작도하는데 긴 방향만 2면을 작도한다면 트레이싱 페이퍼의 공간을 초과할 것이다.

때문에 2면을 작도 시에는 필연적으로 짧은 면과 긴 면이 혼합되고 비대칭해질 수밖에 없다.

요령 것 천장도와 입면도가 들어갈 수 있도록 적당히 잘 배치해야한다.

당연히 연습은 안 해본 사람은 시험장에 가서 천장도와 입면도 배치가 만만치 않을 것이다.

하지만 우리는 연습을 꾸준히 할 것이니 연습을 하며 감을 키우도록 하자.

팁을 주자면,

① 완성된 평면도를 준비한다.

② 평면도의 벽체를 보고 대략적인 천장도 위치를 잡는다. 그 후 입면도 공간을 확보한다.

③ 입면도를 2면을 그릴 때는 한 쪽은 긴 방향, 다른 한쪽은 짧은 방향을 작도한다.

※「부록 모의고사」의 4. 계획 답안을 참고하길 바란다.

과제

참고자료는 가독성을 위해 A3용지에 작도하다보니 중앙에 위치하고 있다. 여러분은 A2용지에 작도하길 바란다.

Q. 짧은 방향만 2면을 작도하면 안 되나?

A. 짧은 방향만 작도하면 작도양이 부족해 보이며, 이는 점수에 영향을 준다. 시간이 부족한 상황이 아니라면 추천하지 않는다.

참고자료

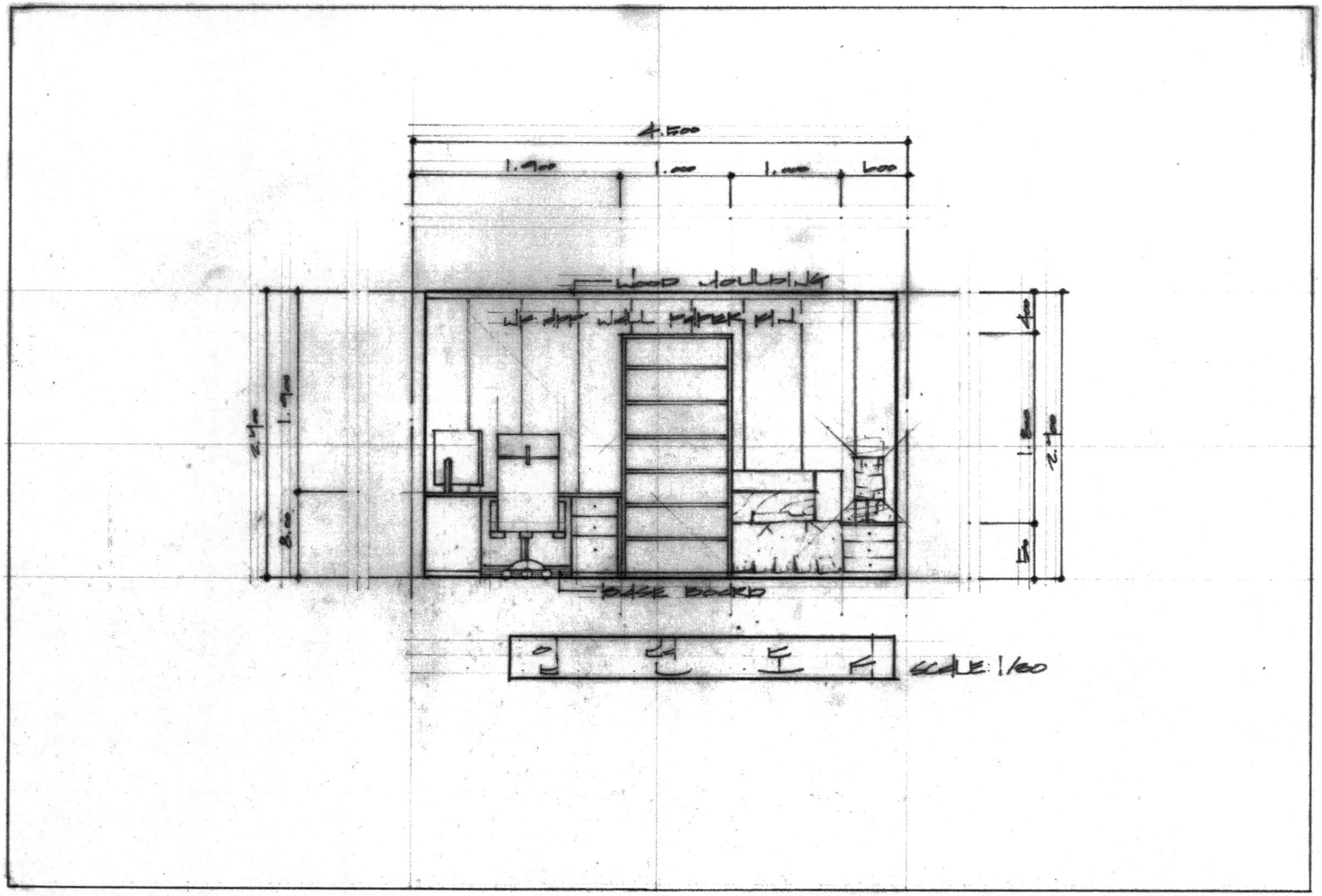

10주차	조명·설비
학습목표	천장도에 들어갈 필수요소인 조명과 설비에 대해서 이해하자. 형태와 크기를 이해하고, 반드시 사용부위는 암기해야한다.

1. 조명설비

1.1. 형광등(FLUORESCENT LAMP)
과거에는 주거공간의 직부등으로
활용되었지만 조명기술의 발전으로 현재는
부등으로 활용된다.

규격 : 1200 × 50 (40W)

사용부위 : 책상 위, 싱크대 위

1.2. 직부등(CEILING LAMP)
주거공간의 주등이며 공간의 중앙에
배치한다.

규격 : 500 × 500

사용부위 : 주거공간의 중앙

1.3. 매립등(DOWNLIGHT)
주거공간 : 부등 (서브 조명)
상업공간 : 주등 (메인 조명)
천장 속에 매립되어 아래를 비추는
조명이다.

규격 : 150 × 150

사용부위 : 주거공간의 경우 자유롭게 계획,
상업공간은 가로와 세로 간격을 1500mm
그리드로 계획, 상업공간의 화장실에 사용

1.4. 팬던트(PENDANT)
천장에서 봉으로 연결된 조명,
식탁조명이라 생각하면 된다.

규격 : 다양함

사용부위 : 주거공간의 식탁 위, 상업공간의
테이블 위

템플릿 넘버
1/30 : 16
1/50 : 9

템플릿 넘버
1/30 : 3~3.5
1/50 : 2~2.5

템플릿 넘버
1/30 : 8
1/50 : 6

템플릿 넘버 1/30 : 6 1/50 : 4.5 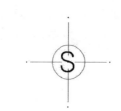	**1.5. 센서등(SENSOR LIGHT)** 현관등, 사람의 움직임으로 켜지는 조명 규격 : 200 × 200 사용부위 : 현관, 계단, 발코니
템플릿 넘버 1/30 : 6 1/50 : 4.5 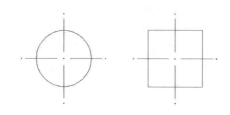	**1.6. 방습등(DAMPPROOF LIGHT)** 욕실의 직부등으로 방수기능이 들어가 있는 조명 특이사항으로는 직부등과 모양을 반대로 한다. 범례표에 겹치지 않도록 주의한다. 규격 : 200 × 200 사용부위 : 욕실
템플릿 넘버 1/30 : 8 1/50 : 6 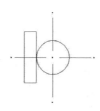	**1.7. 벽부등(BROCKET)** 아파트 복도나 고급빌라의 벽에 부착되어 있는 조명이다. 규격 : 다양함 사용부위 : 아파트 복도, 외부 혹은 내부 벽면
템플릿 넘버 1/30 : 3~3.5 1/50 : 2~2.5 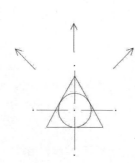	**1.8. 스포트라이트(SPOTLIGHT)** 무대, 전시장, 공연장 등에 하이라이트를 주는 목적으로 설치되는 조명이다. 규격 : 다양함 사용부위 : 전시장, 무대, 보석점 등
템플릿 넘버 1/30 : 8 1/50 : 6 	**1.9. 미러볼(ROTATE MIRROR BALL)** 노래방, 무대, 공연장 등에 사용되는 분위기 연출 조명이다. 규격 : 다양함 사용부위 : 노래방, 무대, 공연장

1.10. 싸이키(PSYCHE LIGHT)

노래방, 무대, 공연장 등에 사용되는 분위기 연출을 위해 사용되는 조명

규격 : 500 × 300

사용부위 : 노래방, 무대, 공연장

2. 소방설비

2.1 비상등(EXIT LIGHT)

상업공간의 주출입구 바로 위 천장에 설치되는 소방설비로 화재 시 대피를 유도하는 조명이다.

규격 : 템플릿 3~4번

사용부위 : 상업공간 주출입구의 천장

2.2. 화재감지기(FIRE SENSOR)

화재 시 불, 연기, 온도 등을 감지하여 경보를 울려주는 소방 설비다.

규격 : 템플릿 3~4번

사용부위 : 밀폐된 공간마다 1개씩 들어가야 하며 욕실과 화장실에는 설치하지 않는다.

2.3. 스프링클러(SPRINKLER)

화재 시 소화를 담당하는 설비이다. 스프링클러는 0.3kg의 압력으로 분당 70L까지 물을 분사하여 화재를 진압한다.

규격 : 설치간격은 3M, 도트로 표현

사용부위 : 상업공간의 모든 구역, 욕실과 화장실은 제외

2.4. 후드(HOOD)

도면에
글씨기입

주방 기구의 가열대 상단에 설치하는 배기설비이다.

규격 : 가스레인지와 동일한 크기

사용부위 : 가스레인지 위

템플릿
넘버

1/30 : 9
1/50 : 6

2.5. 환기구(VENTILATOR)

창문으로 환기가 힘든 공간은 전기모터로 공기를 흡기 혹은 배기해 주는 설비이다. 대표적인 공간으로는 욕실을 들 수 있다.

규격 : 300 x 300

사용부위 : 상업공간의 홀(2개), 음식물을 다루는 상업공간의 홀(4~6개), 욕실(1개), 화장실(1개), 호텔객실(2개), 추가되는 실마다(1개)

템플릿
넘버

1/30 : 12
1/50 : 8

2.6. 점검구(ACCESS DOOR)

천장속의 설비를 점검할 때 사용되는 개구부이다.

규격 : 450 x 450

사용부위 : 상업공간 실별(1개), 욕실, 화장실(1개), 호텔 객실(1개), 오피스텔 실내(1개), 추가되는 실마다(1개)

도면에
글씨기입

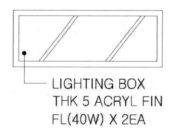

LIGHTING BOX
THK 5 ACRYL FIN
FL(40W) X 2EA

2.7. 광천장(LIGHTING BAX)

거실의 등박스라고 생각하면 된다. 다양한 모양의 등박스를 미리 짜서 안에 형광등 혹은 LED판을 설치한 조명이다.

광천장 작도 시 예제와 같이 도면에 정보를 기입해줘야 한다.

규격 : 형광등이 들어갈 수 있는 크기

사용부위 : 주거공간의 거실, 상업공간의 홀

도면에
글씨기입

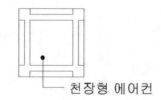

천장형 에어컨

2.8. 천장형에어컨
(CEILING AIR CONDITIONER)

천장에 부착되어있는 시스템 에어컨을 말한다.
시험에서는 별도로 천장형 에어컨이라 명시되며, 그 외는 서있는 형태의 에어컨이라 생각하자.

규격 : 900 × 900

사용부위 : 시험에서 제시 할 때

과제

1/30 스케일로 작도한 조명이다.
주의 점은 조명은 작도 시 정확한 위치(일정한 조도 계산을 위해서)를 확인 할 수 있도록 중심선을 넣어주어야 한다. 하지만 소방설비의 비상등,
감지기, 환기구, 점검구는 정확한 위치보다 공간별 필수 수량, 위치가 중요하다.(스프링쿨러는 예외적으로 정확히 간격이 맞어야 한다.)

참고자료

FLUORESCENT LAMP

CEILING LAMP

DOWNLIGHT

CEILING LAMP

DEILIGHT LAMP

BRACKET

EXIT LIGHT

SPOTLIGHT

SPOTLIGHT

THREE LIGHT SPOTLIGHT

BRACKET

FIRE SENSER

SPRINKLER

BRACKET LIGHT

EXHAUST FAN

VENTILATER

ACCESS DOOR

천장형 A/C

CEILING AIR CONDITIONER

KLAPBOX SET
비상등세트
KLAPBOX SET

배연창 BOX

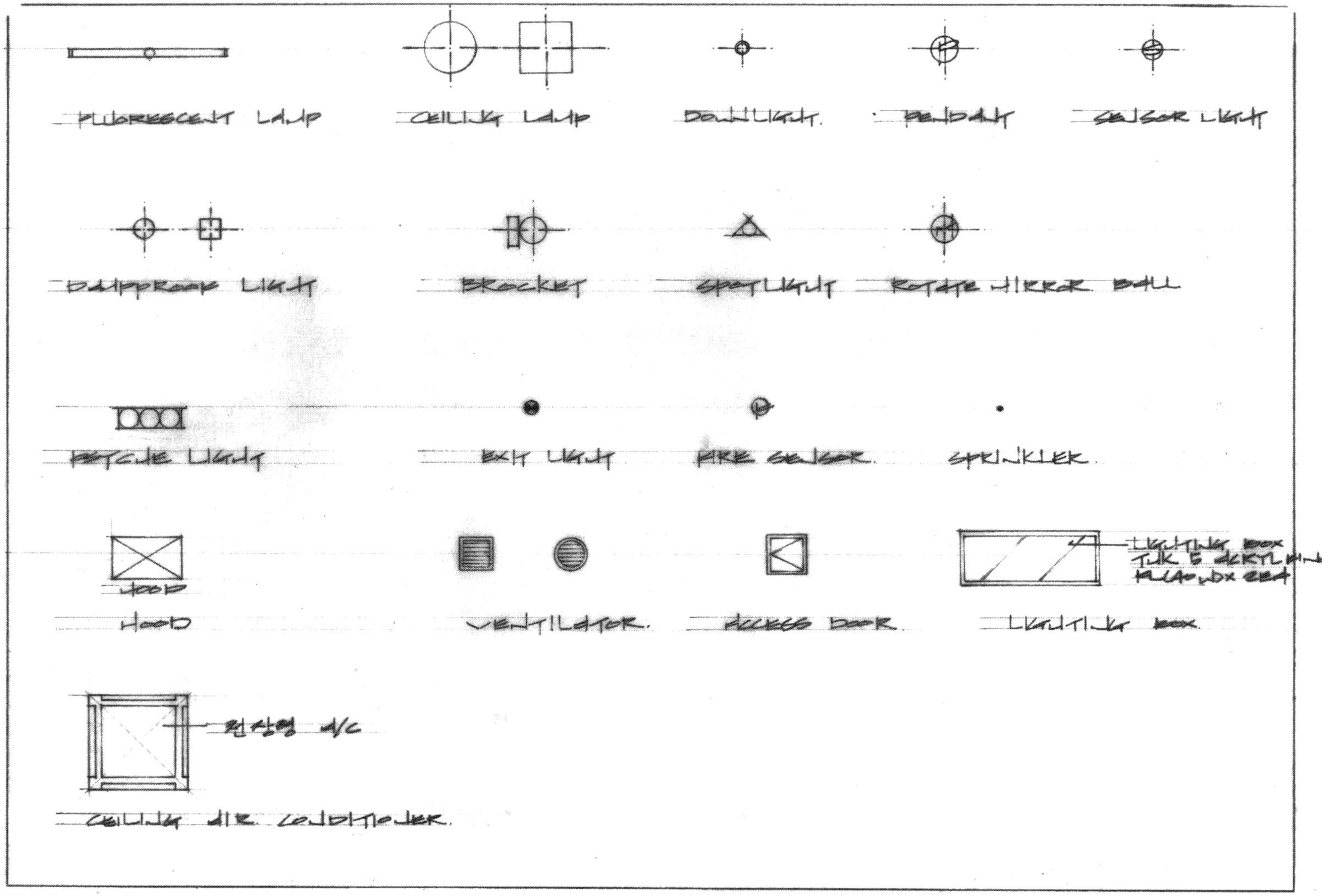

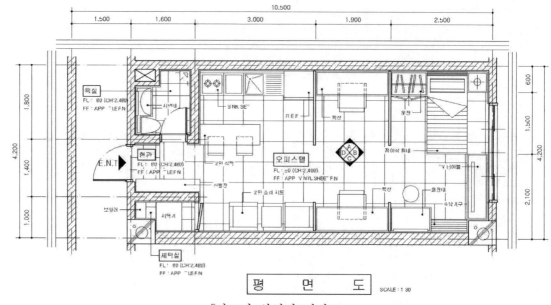

「작도가 완성된 평면도」

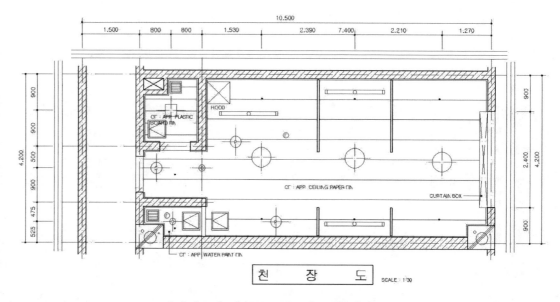

「평면도의 가구를 보고 작도한 천장도」

3. 조명 계획 방법

천장도의 조명 배치방법은 이미 작도가 완료된 평면도의 가구배치를 기준으로 조명을 계획하는 방법을 사용한다.

이는 기능적으로 공간의 적합한 조도를 찾기 합리적이며, 무엇보다 고민 없이 빨리 조명계획을 할 수 있기 때문이다.

　① 작도한 평면도를 펼친다.
　② 각 조명의 사용부위에 해당되는 가구가 평면도에 있는지 살핀다.
　③ 고민하지 말고 넣는다.

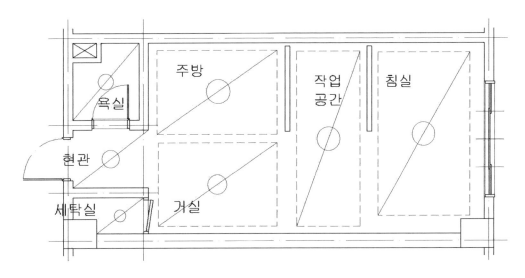

「각 공간별로 메인조명을 넣은 계획도」

3.1. 주거공간 조명 계획

① 공간별 중앙에 메인조명을 계획한다.

여기서 공간별 중앙이란? 예를 들어 원룸에 침실영역, 거실영역, 주방영역, 현관, 욕실이 있다고 가정한다면, 직부등은 침실영역에 1개, 거실영역에 1개, 주방영역에 1개 총 3개가 계획되어야 하며, 현관에는 센서등 1개, 욕실에는 방습등 1개를 넣으면 된다.
(예외적으로 세탁실의 경우 매립등을 넣어준다.)

② 조명의 사용부위에 해당되는 가구가 있을 시 서브조명을 계획한다.

예를 들어 「1.조명설비의 형광등을 보면 사용부위에 책상 위, 싱크대 위」라고 쓰여 있다. 자신의 평면도를 펼쳐서 책상과 싱크대가 있다면 넣어주면 된다. 없다면 다음 조명으로 넘어가는 식이다. 몇 번 연습해보면 속도가 붙을 것이다.

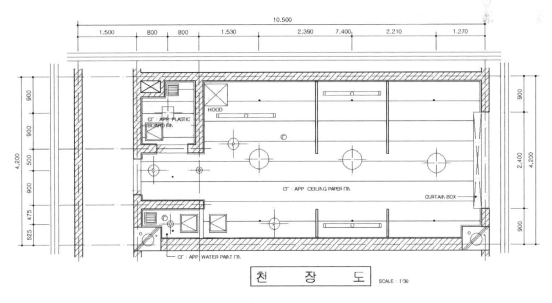

「가구별 필요한 서브조명을 작도하여 완성한 천장도」

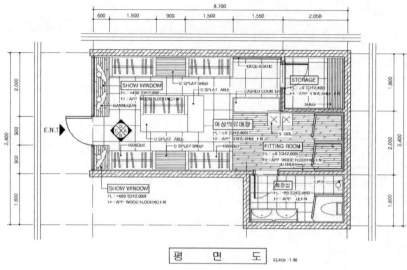

평 면 도   SCALE 1:30

「작도가 완성된 평면도」

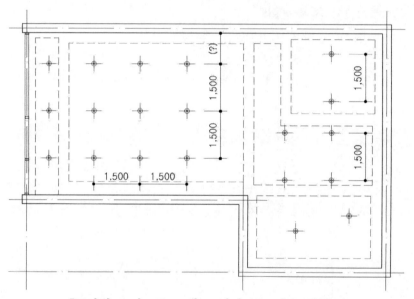

「공간별 그리드를 그리고 매립등을 넣은 계획도」

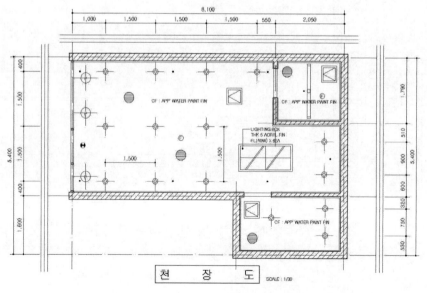

천 장 도   SCALE 1/30

「가구별 필요한 서브조명을 작도하여 완성한 천장도」

3.2. 상업공간 조명 계획

① 홀에 매립등을 우선 계획한다.

상업공간은 고민하지 말고 영역별 1,500 × 1,500 그리드를 보조선으로 그린다. 그 후 그리드의 교차점에 매립등을 전부 넣는다.

매립등이 한쪽으로 쏠리지 않게만 배치하면 된다.

(예를 들면, 왼쪽 벽면에는 매립등이 딱 붙어있고, 오른쪽 벽면에는 1,200 떨어져 있을 경우라면, 왼쪽, 오른쪽 똑같이 벽면에서 600씩 띄워 계획하자.)

② 그 밖에 실을 주거공간과 같은 방법으로 메인조명을 계획하자.

예를 들어 홀과 창고, 직원실이 있다고 생각하자.

홀의 계획이 종료되면, 창고의 중앙에 우선 메인조명을 1개 설치하자. 여기서 중요한 것은 상업공간의 메인조명은 매립등이며, 매립등은 1,500 간격이마다 하나씩 들어가야 한다.

이 조건에 맞춰 매립등을 1개 혹은 2개 경우에 따라 4개도 들어갈 수 있다.

③ 조명의 사용부위에 해당되는 가구가 있을 시 서브조명을 계획한다.

주거공간의 방법과 같은 방법으로 가구배치에 대응되는 조명이 있는지 확인 후 넣어준다.

※조금 더 자세한 매립등 계획방법은 「모의고사 과제번호 8번 여성의류매장의 3.문제 풀이」에 그림을 포함해서 다시 한 번 풀이를 해놓았으니 참고하길 바란다.

※「모의고사의 3.문제 풀이」는 해당 문제의 풀이도 있지만 전반적인 계획방법을 제시하고 있으니 모든 문제 풀이는 읽어보길 바란다.

4. 설비 계획 방법

4.1. 소방설비 요약

소방설비를 도표로 요약하면 아래와 같다.

소방법적인 것으로 이해하기보다 암기하는 방법이 빠를 듯하다.

	주거공간	상업공간	오피스텔공간	숙박공간
비상등	-	주출입구에 1개	-	-
감지기	실별 1개씩 (욕실제외)	실별 1개씩 (화장실제외)	실별 1개씩 (욕실제외)	실별 1개씩 (욕실제외)
스프링클러	-	3M마다 1개씩	고층 시 계획 3M마다 1개씩	3M마다 1개씩
환기구	욕실 1개	일반 상업 공간 : 홀 2개 이상 음식물 쓰는 공간 : 홀 4~6개 별도 추가되는 실 : 1개씩 화장실 1개	실내 1개 (환기창이 없을 경우) 욕실 1개	실내 2개 이상 욕실 1개
점검구	욕실 1개	실별 1개 별도 추가되는 실 : 1개씩 화장실 1개	실내 1개 욕실 1개	실내 1개 욕실 1개

4.2. 소방설비 계획

소방설비 계획은 위 표를 참고하여 공간별로 구분하여 들어갈 설비를 넣어준다.

※주거공간의 경우

① 비상등 : 주거공간에는 필요 없다.

② 감지기 : 방마다 1개씩 기본적으로 들어가고, 욕실에는 필요 없다.

③ 스프링클러 : 고층, 초고층 시에는 계획한다.

④ 환기구 : 욕실과 환기가 안 되는 별도 실(창이 없는 보일러실)에는 1개씩 들어간다.

⑤ 점검구 : 욕실에 1개 계획한다.

※상업공간의 경우

① 비상등 : 화재 시 사람들이 창고를 출입구로 오인할 수 있으니 주출입구에 1개만 계획한다. (출입구가 2개의 경우 E.N.T가 표시된 곳을 주출입구로 생각하자.)

② 감지기 : 홀에 1개 계획 후 별도의 실마다 1개씩 추가한다. (화장실은 제외)

③ 스프링클러 : 화재 진압을 위해 계획

④ 환기구 : 기본적으로 홀에 2개 계획, 실의 용도가 아이스크림, 커피숍처럼 음식물을 취급한다면 4~6개 계획한다. 별도의 실마다 1개씩 추가한다.(화장실에 1개)

⑤ 점검구 : 공간별 1개씩 계획한다.(화장실에 1개)

이렇듯 소방 설비는 사용승인 시 요건에 맞추지 않으면 승인이 반려되기 때문에 법적인 조건을 충족해야 한다. 때문에 이해하기 보단 암기하는 편이 쉬울 듯하다.

11주차	천장도
학습목표	천장도의 작도순서를 이해하고 프로세스대로 작도하는 연습을 하자. 천장도의 조명계획은 평면도의 가구배치에 대응하여 계획하도록 하자.

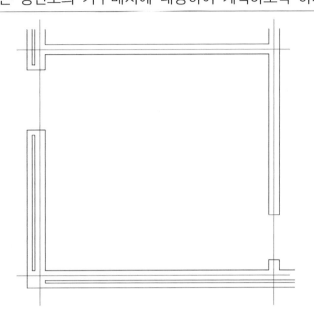

1. 벽체 작도

　① 평면도와 같은 방법으로 벽체를 굵은선으로 작도한다.

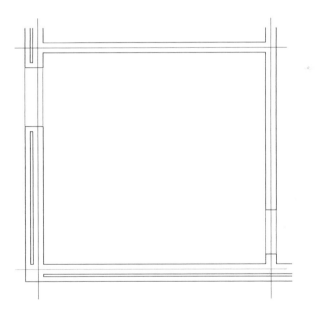

2. 창호 작도

※주의

　① 창문틀의 윗면과 문틀의 윗면을 중간선으로 작도한다.

　　(※주의 : 일반창과 문의 경우는 창틀과 문틀의 윗면만 작도하면 된다. 하지만 고정창일
　　경우 창틀의 윗면과 처음, 중간, 끝에 수직부제(아래 참고)를 굵은선으로 작도해 줘야한다.

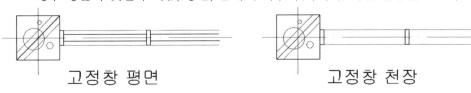

고정창 평면　　　　　　　　　　고정창 천장

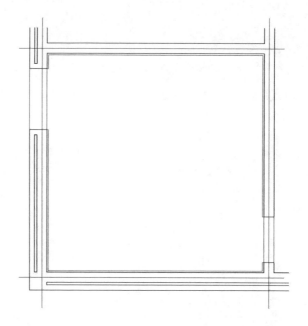

3. 마감선 작도

① 평면도와 같은 방법으로 마감선을 가는선으로 넣어준다.

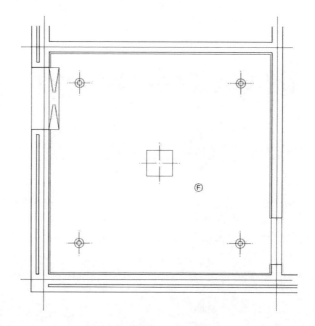

4. 조명 작도

① 실의 용도에 맞는 조명·설비계획을 한다.
② 커튼박스 작도한다.

주거공간의 조명계획은 「3.1. 주거공간 조명 계획」을 참고하자.
상업공간의 조명계획은 「3.2. 상업공간 조명 계획」을 참고하자.

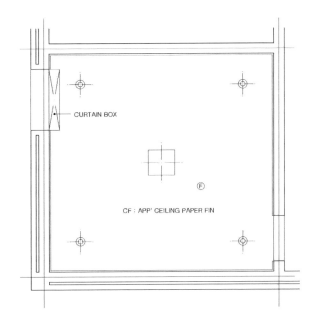

5. 글씨 작도

① 천장의 마감 재료명을 작도한다.

② 커튼박스가 있을 경우 명칭을 작도한다.

③ 광천장, 메뉴박스, 단차이 표시기호, 천장형 에어컨, 후드가 있을 경우 반드시 도면에 그 명칭을 기입한다.

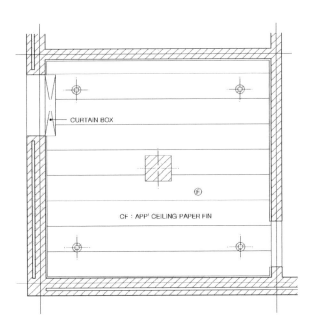

6. 해치 넣기

① 바닥해치 : 500mm 가는선을 수평으로 전체 해치를 넣는다.

② 벽체 해치 : 시간이 된다면 전체해치를 추천한다.

조적벽일 경우 : 최소 해치를 넣어야 될 전체부분의 1/3이상 덩어리감 있게 넣는다.

철근콘크리트일 경우 : 부분적으로 적당한 간격으로 전체를 넣어준다.

※주의

욕실의 경우 마감재(플라스틱보드)를 300mm로 거실, 방과 달리 해치를 넣어 마감재료가 다르다는 것을 표현한다. 화장실(상업공간)의 경우 페인트마감으로 해치를 생략한다.

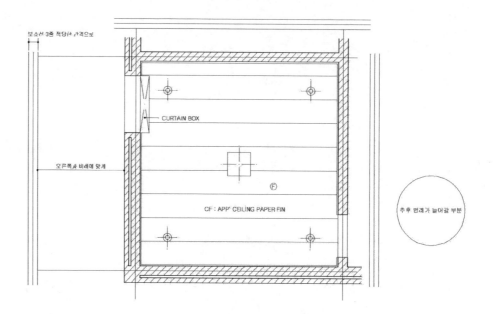

7. 치수 보조선 치기

① 평면도와 같은 방법으로 치수 보조선을 넣어준다.
② 우측에는 추후 범례가 들어가기 때문에 우측 치수보조선은 벽체 쪽으로 붙여준다.
③ 좌측 치수선은 우측치수선과 범례를 고려해서 적당한 간격을 두고 그려준다.

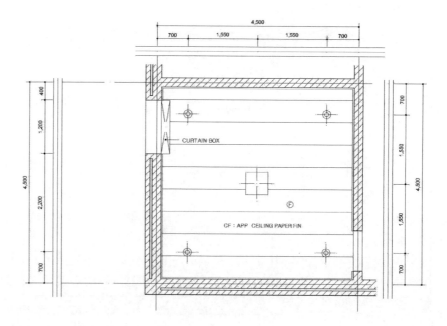

8. 치수 & 중심선 작도

① 평면도와 같은 방법으로 치수선과 중심선을 작도한다.

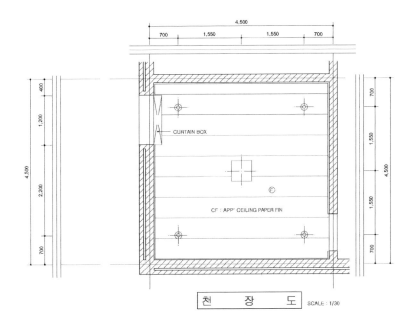

천   장   도   SCALE : 1/30

9. 도면명과 스케일 작도
① 평면도와 같은 방법으로 도면명과 스케일을 작도한다.

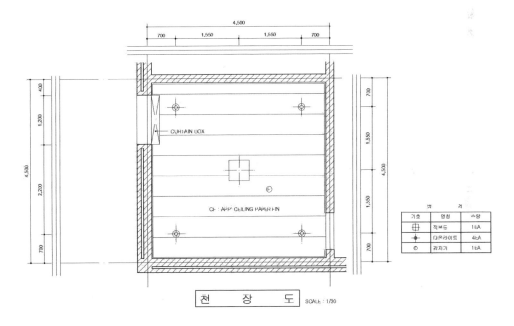

천   장   도   SCALE : 1/30

10. 범례 작도.
① 천장도의 우측하단에 범례를 작도한다.
② 범례는 10주차의 조명·설비의 순서대로 들어간 조명과 설비를 기입한다.
③ 범례의 기호는 크기는 중요하지 않지만 동일한 기호가 중복되지 않도록 하며, 수량은 단위(EA)를 반드시 넣도록 하자.
④ 범례박스는 굵은선으로 작도한다.
　※주의 : 도면에 기입한 것(광천장, 메뉴박스, 단차이 표시기호, 천장형 에어컨, 후드, 커튼박스)은 범례에 별도로 기입하지 않는다.

해설   작도법에서는 가독성을 위한 A3용지에 중앙에 작도한 점을 참고 하길 바란다.
         시험에서 천장도와 입면도는 한 장에 작도해야 한다. 모의고사를 진행하며 천장도와 입면도 배치에 대한 연습을 꾸준히 하자.
         추후 모의고사를 작도 시 작도 퀄리티(Quality)는 각 작도별 파트의 참고자료를 기준으로 삼으면 좋을 것 같다.

참고자료

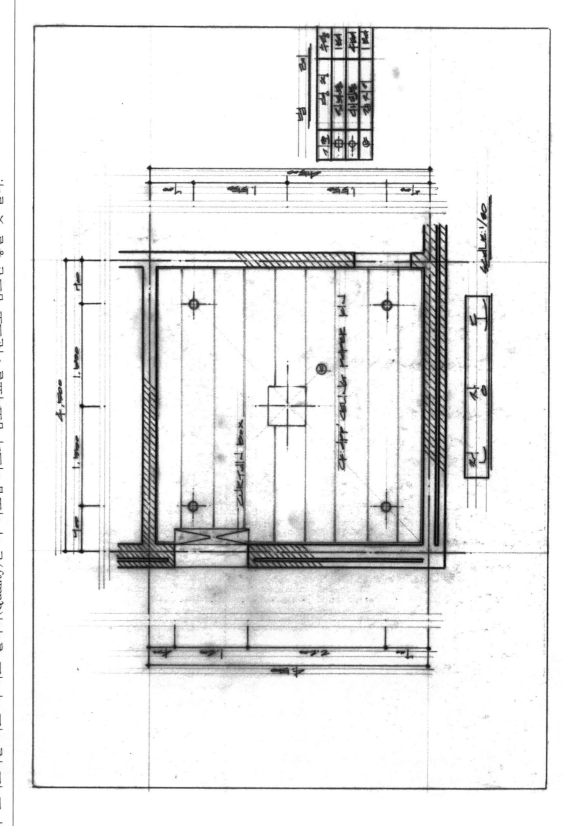

12주차	1소점 투시도
학습목표	1소점 투시도 작도법을 1단계는 그리드 작도, 2단계는 박스 작도로 나누어져 있다. 1단계는 암기의 영역이며, 2단계는 이해의 영역에 속한다는 점을 유의하자.

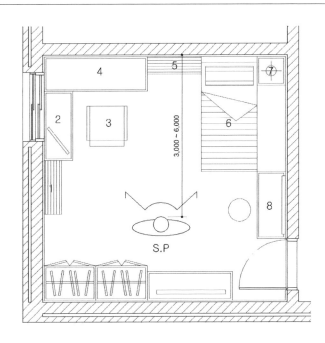

1. 작도방향과 S.P(STANDING POINT) 정하기
투시도를 작도하기 전 평면도를 펼쳐놓고 투시도 작도방향과 S.P를 먼저 결정해야 한다.

① 투시도 작도방향 결정을 결정할 때에는 내가 계획한 공간을 가장 잘 보여줄 수 있는 방향을 선택하도록 하자.
　　주거공간의 경우 : 침대가 나오는 방향을 선택한다.
　　상업공간의 경우 : 카운터가 나오는 방향을 선택한다.
② SP의 개념을 쉽게 설명하면 인테리어사진을 촬영하기 위해 촬영자가 서 있는 위치라고 생각하면 된다. 촬영물(투시도)는 촬영자 앞의 풍경만이 나올 것이고, 우리는 촬영물을 손으로 작도한다 생각하면 된다.
S.P는 3m ~ 6m 사이로 자유롭게 정하되, 평면도를 펼쳐놓고 가구가 최소한 3~5개가 나올 수 있는 벽과의 거리를 스케일자를 이용하여 측정 후 결정한다.
③ 주의 점은 경우에 따라서 투시도 작도에 사용되는 스케일이 바뀔 수 있다. 그 이유는 투시도가 트레이싱페이퍼를 초과할 수 있기 때문이다.
　　S.P가 3~6m 경우 : 1/30 스케일로 투시도 작도.
　　S.P가 6m 이상인 경우 : 1/40 스케일로 투시도 작도. (작도시간이 오래 걸려 추천하지 않는다.)
④ 투시도는 NONE SCALE인데 스케일을 맞춰야 하나?
스케일을 맞추지 않아도 된다. 하지만 물체 간의 비례는 맞아야 한다. 그렇기 때문에 스케일자를 사용해서 큰 비례는 맞추되 작은 치수는 맞추지 않는 것이 방법이다.
⑤ 투시도는 지급받은 켄트지에 밑그림을 그린 후에 트레이싱 페이퍼에 잉킹하는 방식으로 진행되며, 켄트지는 제출하지 않는다. 트레이싱페이퍼만 최종적으로 제출한다.

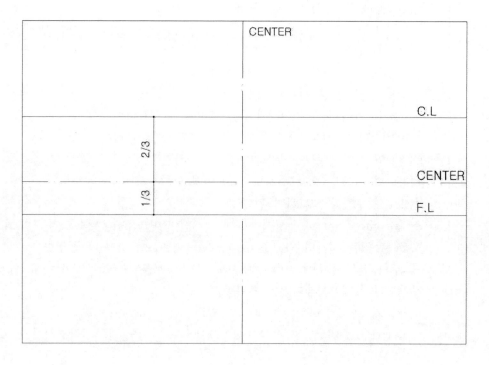

2. CENTER 그리기

① 지급 받은 켄트지를 이용하며, 도면 작도가 끝나면 트레이싱 페이퍼를 때어내고 시작한다.

② 켄트지의 중심을 잡는다.

3. C.L, F.L 그리기

① C.H의 2/3은 수평 CENTER의 위쪽으로 띄워 C.L을 보조선으로 그린다.

② C.H의 1/3은 수평 CENTER의 아래쪽으로 띄워 F.L을 보조선으로 그린다.

③ 스케일은 1/30로 치수를 측정해서 그리도록 한다.

(예제는 S.P를 3m로 하였으며, 그렇기 때문에 스케일을 1/30로 진행하였다.)

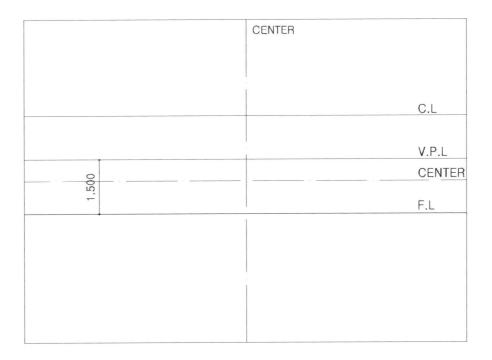

4. V.P.L(VANISHING POINT LINE) 그리기
① F.L에서 위쪽으로 1.5m을 띄워 V.P.L을 보조선으로 그린다.

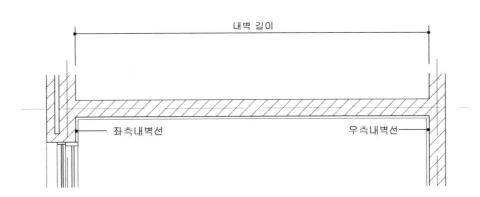

5. 내벽길이(안목치수) 확인하기
① 평면을 펼쳐 작도방향의 내벽길이를 측정한다.

	좌측 내벽선	CENTER	우측 내벽선	
				C.L
				V.P.L
				CENTER
				F.L
	내벽길이 X 1/2	내벽길이 X 1/2		
		내벽길이		

6. 좌,우 내벽선 그리기

① 내벽길이의 1/2를 수직 CENTER에서 좌측으로 띄워 좌측 내벽선을 보조선으로
그린다.

② 내벽길이의 1/2를 수직 CENTER에서 우측으로 띄워 우측 내벽선을 보조선으로
그린다.

	좌측 내벽선	CENTER	우측 내벽선	
1			2	C.L
				V.P.L
				CENTER
				F.L
4			3	

7. 벽면 그리기

① 좌측내벽선, 우측내벽선, C.L, F.L의 교차점에 맞추어 박스를 중간선으로 그린다.
(1 → 2 → 3 → 4)

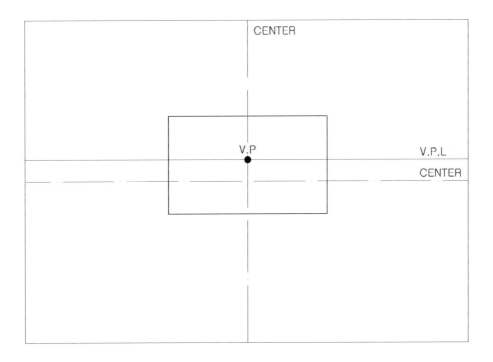

8. V.P(VANISHING POINT) 찍기

① 수직 CENTER와 V.P.L이 만나는 곳에 도트(●)를 찍고 그 위에 V.P라고 적는다.

※주의 : 불필요한 선은 지우는 것이 아니며, 시간 관계상 그대로 둘 것이다. 다음부터는 이점을 유의하며, 흐리게 그리도록 하자.

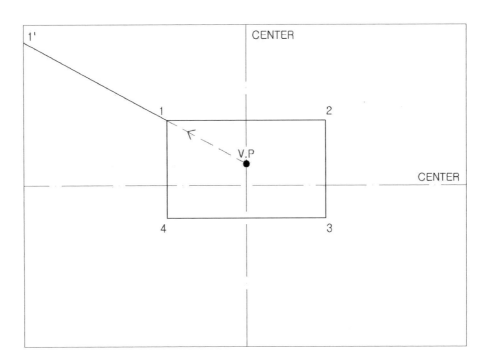

9. 공간 만들기

① 삼각자로 V.P에서 1을 연결 할 수 있도록 맞춘다.

② 1에서 1′의 선을 중간선으로 작도한다.

③ 같은 방법으로 2, 3, 4를 진행한다.

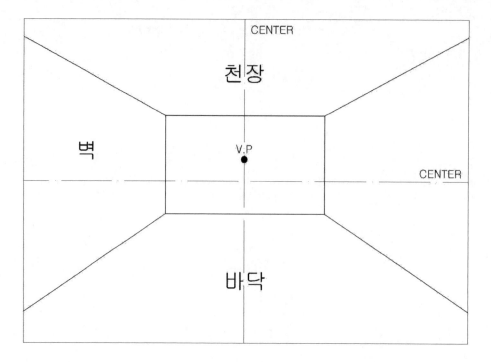

10. 공간완성

① 예제와 같은 공간이 완성되었다.

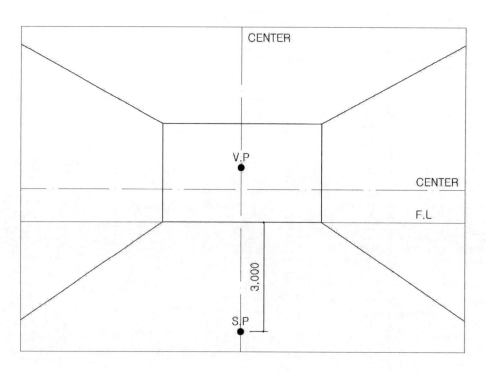

11. S.P(STANDING POINT) 찍기

① F.L과 수직 CENTER선의 교차점에서 수직 CENTER선을 따라 3m(여러분이 정한 S.P로 변경가능)를 내려 도트(●)를 찍고 그 위에 S.P라고 적는다.

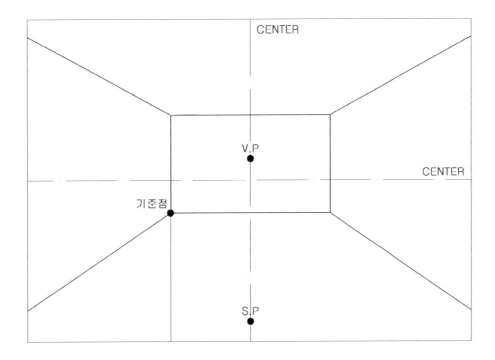

12. 기준점 정하기

① 기준점을 정한다. (기준점은 바닥의 왼쪽, 오른쪽 모서리 중 한 곳으로 정하도록 하자.)
② 기준점에서 바닥방향으로 수직선을 보조선으로 그린다.

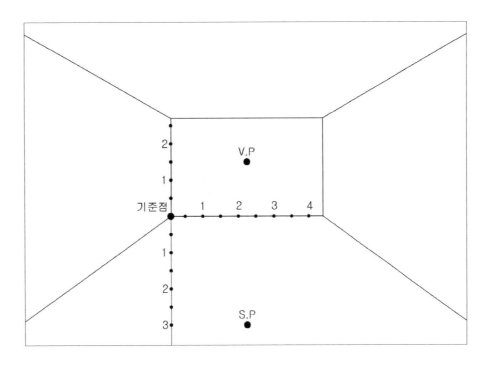

13. 스케일 찍기

① 예제와 같이 기준점을 기준으로 위쪽, 아래쪽, 오른쪽에 500mm 간격을 스케일자를 이용하여 도트(●)를 찍고 1m마다 도트(●)위에 1, 2, 3을 써주도록 하자.

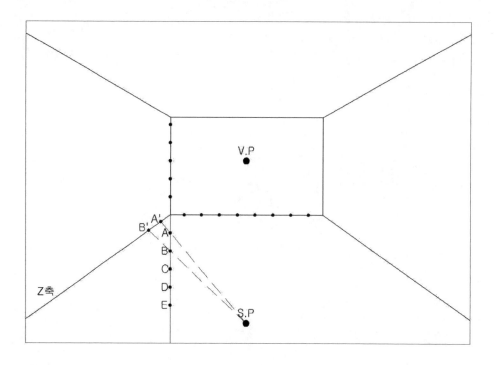

14. Z축 방향 스케일 찍기

① 삼각자로 S.P에서 A를 연결 할 수 있도록 맞춘 후 Z축에 A′을 도트(●)로 찍는다.
② 같은 방법으로 B, C, D, E도 진행한다.

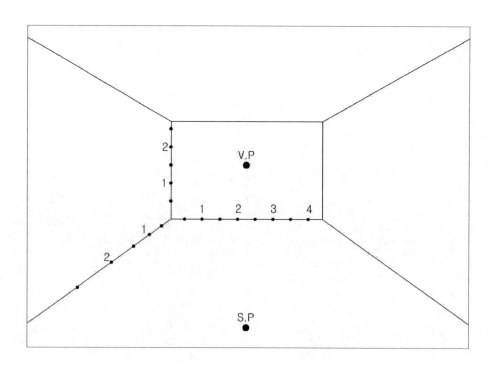

15. 스케일 찍기 완성

① X축, Y축, Z축의 스케일 찍기가 완성되었다.

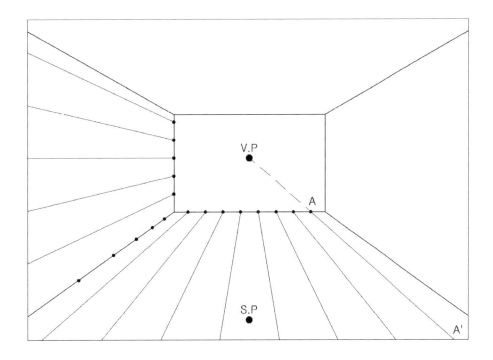

16. 그리드 그리기 - 1

① 삼각자로 V.P에서 A를 연결 할 수 있도록 맞춘다.
② A에서 A′의 선을 중간선으로 작도한다.
③ 같은 방법으로 예제와 같이 진행한다.

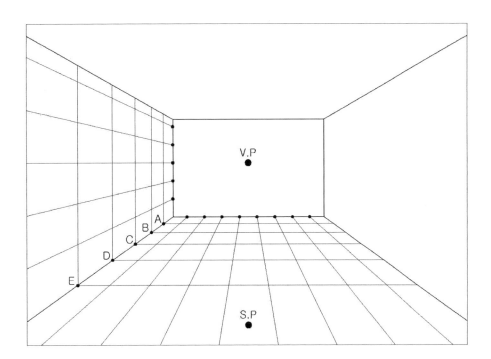

17. 그리드 그리기 - 2

① Z축의 A, B, C, D, E를 기준으로 수평선(바닥)과 수직선(벽)을 중간선으로 작도한다.

과제

투시도를 그리기 위한 1단계인 사전작업이 완성되었다.
시험장에 가면 임·천장도를 떼어내고 난 후 5분 안에 완성을 해야 한다!
반복연습을 통하여 작도방법을 암기하도록 하자.

참고자료

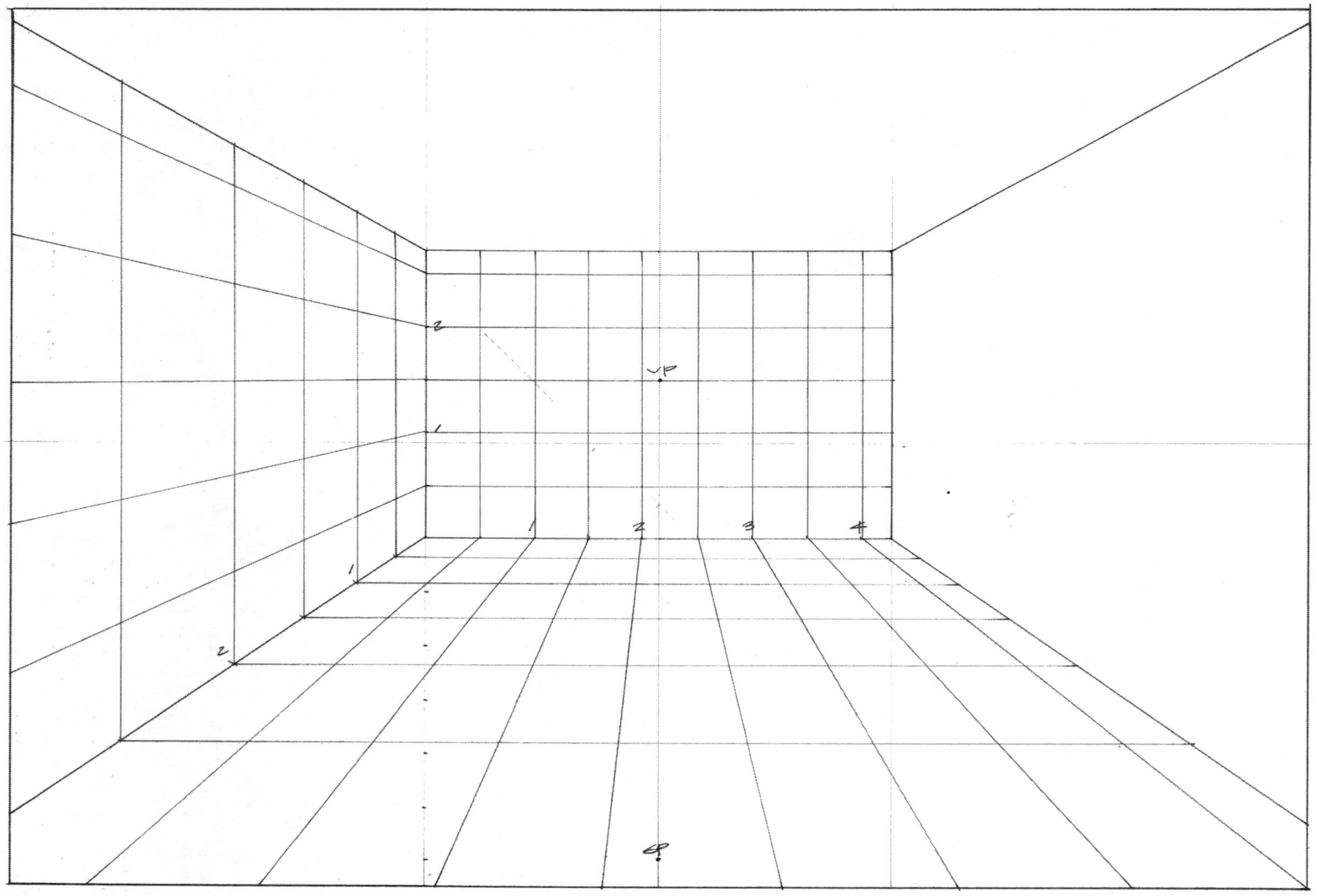

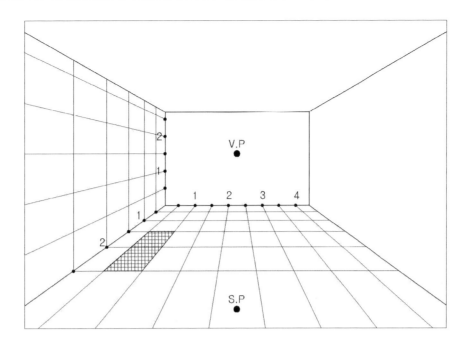

18. 가구 위치 표시하기

① 바닥 그리드 위에 예제와 같이 가구위치를 표시하자.

② 시험에서는 투시도의 바닥 그리드(500 x 500)를 활용해 대략적으로 평면도의 가구 위치를 표시한다.

　※주의

① 시험에서는 예제처럼 내부를 색칠하지 말고 본인만 알아볼 수 있도록 빠르게 표시하자.

② 투시도는 None Scale이다. 그러다 보니 100~200mm 안 맞아도 상관없다.

Q. 가구의
높이가
1,200이면?

A. 1,000과
1,500사이
어딘가로
정한다.
(스케일로
찍지 말자)

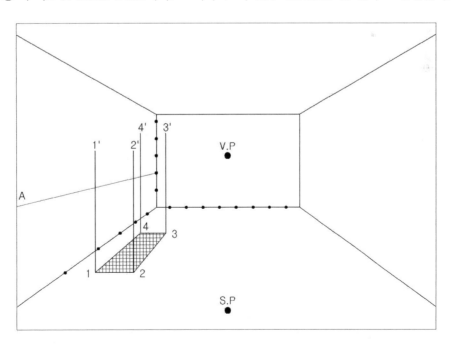

19. 가구 보조선 그리기

① 가구의 높이를 A(1m)이라 가정하겠다.

(여러분의 이해를 돕고자 불필요한 그리드를 지운 것으로 그리드를 지우지 말자.)

② 바닥에 표시한 가구의 모서리(1, 2, 3, 4)에서 수직선(1′, 2′, 3′, 4′)을 적당한 높이로 보조선으로 그린다.

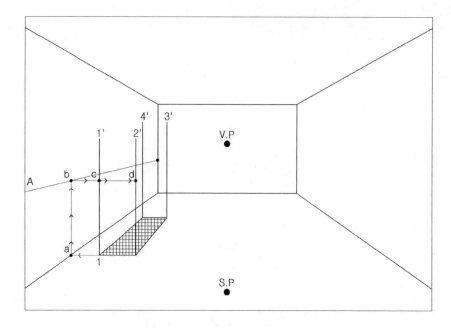

20. 벽에 붙어 있지 않는 가구 앞면높이 찾기

※중요

높이가 A(1m)인 벽에 붙어있지 않을 가구의 높이 찾는 방법은 다음과 같다.

① 1에서 수평으로 보조선을 그어 점 a를 찾는다.
② 점 a에서 수직으로 보조선을 그어 벽에 표시된 가구 높이A와 만나는 점 b를 찾는다.
③ 점 b에서 수평으로 보조선을 그어 수직선(1′)과 만나는 점 c를 찾는다.
④ 점 c가 바닥에 표시한 가구의 높이가 된다.
⑤ 점 c에서 수평으로 보조선을 그어 점 d를 찾는다.
⑥ 점 c에서 점 d로 보조선을 그으면 가구의 높이가 된다.

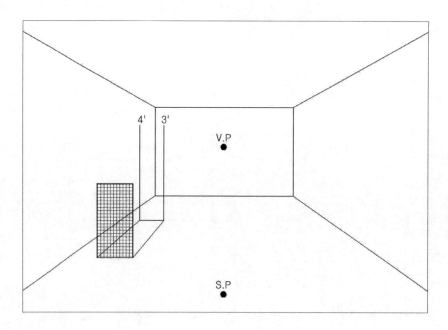

21. 가구 앞면높이 찾기 완성

① 테두리를 중간선으로 작도한다.

여러분이 그린 것에도 예제와 같이 되었는가?
그렇다면 완벽하게 가구 높이 찾는 것을 이해하고 있다는 것이다.
축하한다. 투시도의 가장 어려운 부분이 방금 지나갔다.

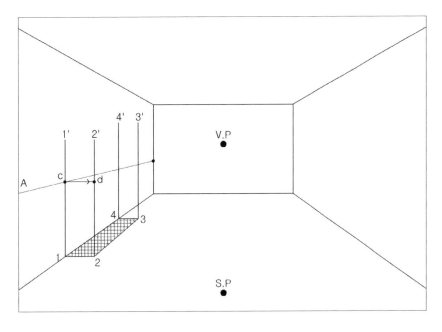

22. 벽에 붙어 있는 가구 앞면높이 찾기(번외)

높이가 A(1m)인 벽에 붙어있는 가구의 높이 찾는 방법은 다음과 같다.

　① 가구가 벽에 붙어있다면 1에서 수직선(1')을 올려보자
　② 가구 높이A와 만나는 점 c를 찾는다.
　③ 점 c에서 수평선을 그어 점 d를 찾는다.
　④ 점 c와 점 d를 보조선을 그으면 가구의 높이가 된다.

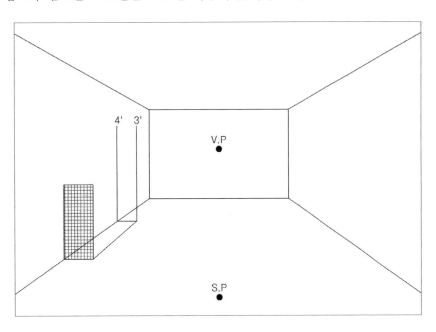

23. 가구 앞면높이 찾기 완성(번외)

　① 테두리를 중간선으로 작도한다.

어떤가? 점 a와 점 b를 찾는 과정이 줄어들어 쉽지 아니한가?
벽과 떨어진 가구 높이만 찾을 수 있다면 이미 투시도는 끝난 것과 다름없다.
나중에 연습해 보길 바란다.

자~번외는 여기까지이며, 다시 벽에서 떨어진 가구를 마무리 하자.

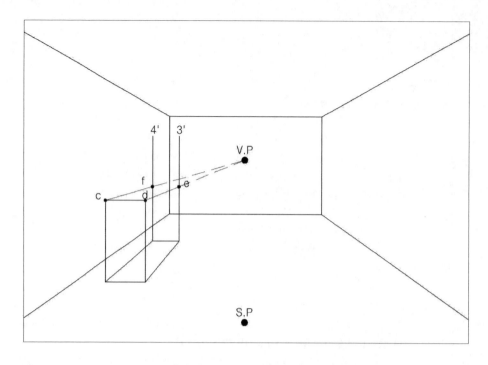

24. 가구 윗면 그리기 - 1

① 삼각자로 점 c에서 V.P를 연결할 수 있도록 맞춘다.

② 점 c에서 점 f(수직선4′와의 교차부분)까지 보조선을 그린다.

③ 같은 방법으로 점 d에서 점 e(수직선3′와의 교차부분)까지 보조선을 그린다.

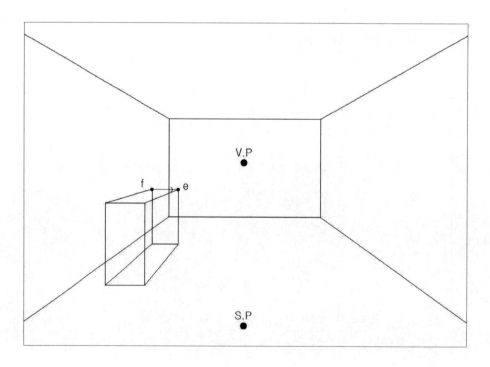

25. 가구 윗면 그리기 - 2

① 점 f에서 점 e로 수평의 보조선으로 그린다.

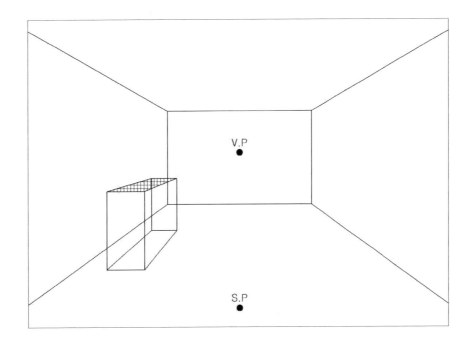

26. 가구 윗면 그리기 완성

① 테두리를 중간선으로 작도한다.

가구가 완성되었다. 투시도를 그리는 부분은 이해를 해야 하는 부분이다.
다양한 위치, 높이, 모양의 가구를 그려야하기 때문에 암기보단 이해를 해야 응용이
가능하다.

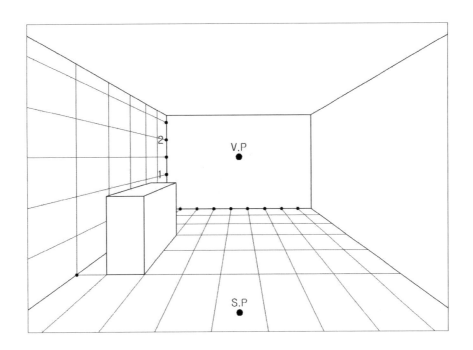

27. 1소점 투시도 종료

여러분의 제도판에도 예제와 같이 되었는가?
그렇다면 여러분은 1소점 투시도 작도법을 완벽히 이해하고 있는 것이다.
이제부터는 반복연습만이 남아있다.
시험 중 작도법이 생각이 나지 않는 경우가 생기지 않도록 또 연습하고 또 연습하자.
자다 일어나도 작도할 수 있을 정도로 말이다.

독학으로 취득하는 **실내건축산업기사** 실기 작업형

과제

자! 1소점 투시도를 연습해 보도록 하자.
벽에 떨어진 가구, 벽에 붙어있는 가구 모두 연습해 보도록 하자.
그리드 그리는 방법과 가구 그리는 방법에 익숙해지도록 하자!

참고자료

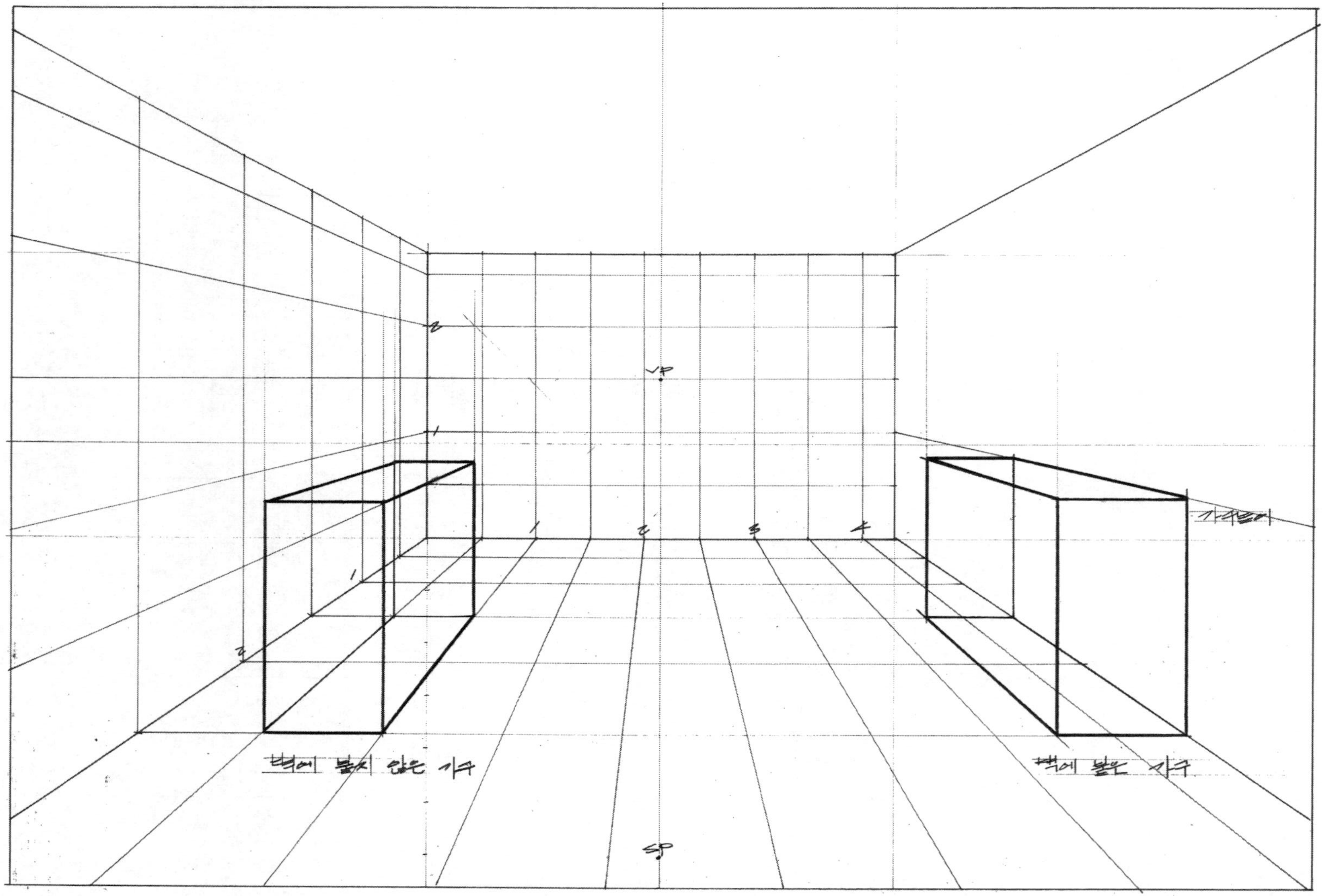

13주차	2소점 투시도
학습목표	2소점 투시도는 소점이 2개이기 때문에 다소 어려울 수 있다. 1소점 투시도의 차이점을 알아보고, 2소점 투시도의 장·단점을 이해하자.

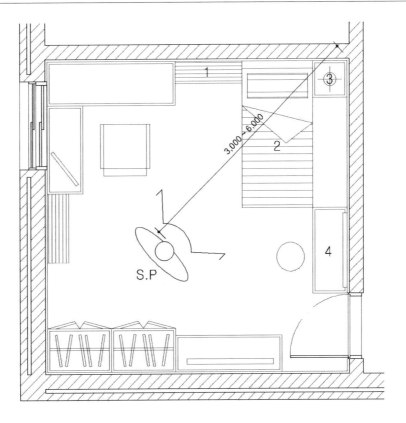

1 작도방향과 S.P(STANDING POINT) 정하기

투시도를 작도하기 전 평면도를 펼쳐놓고 투시도 작도방향과 S.P를 먼저 결정해야 한다.

① 2소점이 1소점의 경우보다 작도양이 적기 때문에 상대적으로 시간을 단축할 수 있는 장점이 있다. 만약 여러분이 평면도, 입면도, 천장의 작도시간이 많이 걸린다 생각되면 투시도는 무조건 2소점으로 작도하길 추천한다.

② 2소점의 작도방향 결정은 아래 예제와 같이 ㄷ모양의 배치가 있는 곳을 작도 방향으로 결정하는 것이 좋다. 그 이유는 자칫 잘못하면 중앙이 비어 투시도 전체가 비어보일 가능성이 있기 때문이다.

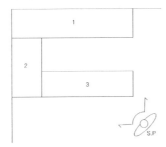

주거공간의 경우 : 주방과 식탁이 나오도록 계획하자.
상업공간의 경우 : 카운터가 나오도록 계획하자.

S.P는 1소점 그릴 때와 동일하기에 별도의 설명을 생략하도록 하겠다.

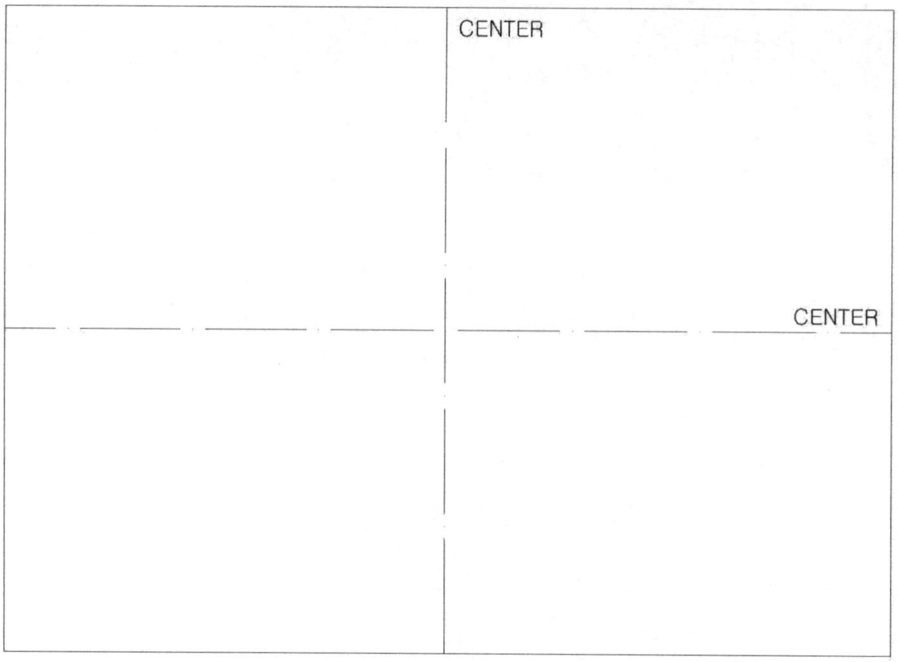

CENTER

CENTER

2. CENTER 그리기

① 지급 받은 켄트지를 이용하며, 도면 작도가 끝나면 트레이싱 페이퍼를 때어내고 시작한다.

② 켄트지의 중심을 잡는다.

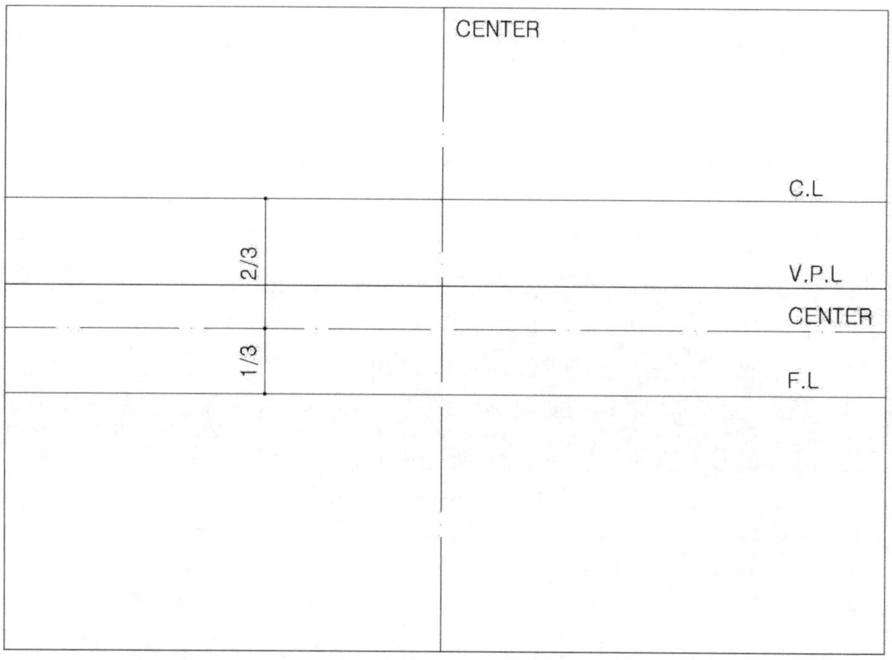

CENTER

C.L

2/3

V.P.L

CENTER

1/3

F.L

3. C.L, F.L 그리기

① C.H의 2/3은 수평 CENTER의 위쪽으로 띄워 C.L을 보조선으로 그린다.

② C.H의 1/3은 수평 CENTER의 아래쪽으로 띄워 F.L을 보조선으로 그린다.

③ 스케일은 1/30로 치수를 측정해서 그리도록 한다.

(예제는 S.P를 3m로 하였으며, 그렇기 때문에 스케일을 1/30로 진행하였다.)

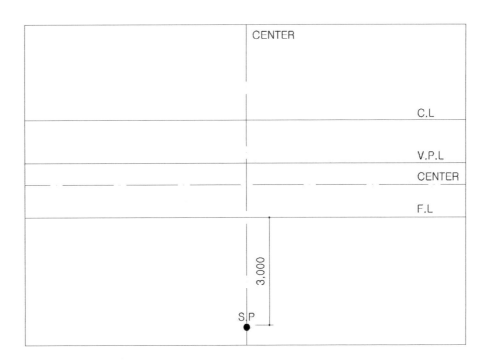

4. V.P.L(VANISHING POINT LINE) 그리기

① F.L에서 위쪽으로 1.5m을 띄워 V.P.L을 보조선으로 그린다.

5. S.P(STANDING POINT) 찍기

① F.L과 수직 CENTER선의 교차점에서 수직 CENTER선을 따라 3m(여러분이 정한 S.P로 변경가능)를 내려 도트(●)를 찍고 그 위에 S.P라고 적는다.

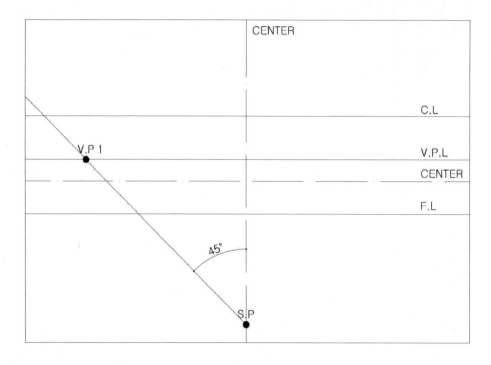

6. V.P(VANISHING POINT) 1 찍기

① S.P에서 45도 삼각자를 이용하여 V.P.L과 교차점에 도트(●)를 찍고 V.P 1이라고 쓴다.

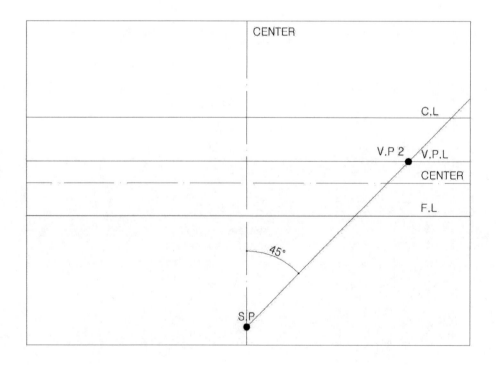

7. V.P(VANISHING POINT) 2 찍기

① V.P 1과 같은 방법으로 반대쪽에 도트(●)를 찍고 V.P 2라고 쓴다.

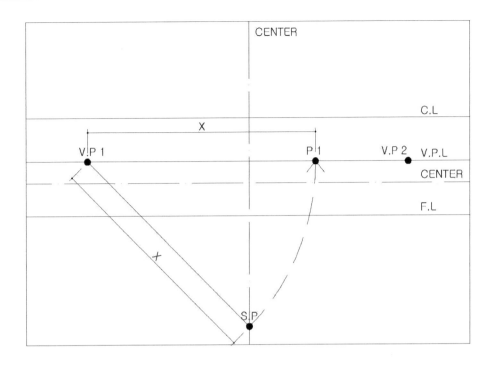

8. P(POINT) 1 찍기

① 예제와 같이 S.P에서 V.P 1의 길이(X)와 같게끔 V.P 1에서 길이(X)만큼 띄워 V.P.L에 도트(●)를 찍고 P 1이라고 쓴다.

※쉽게 생각하면 큰 콤파스를 이용해서 V.P 1을 기준으로 S.P에서 P 1로 돌린다고 생각하자.

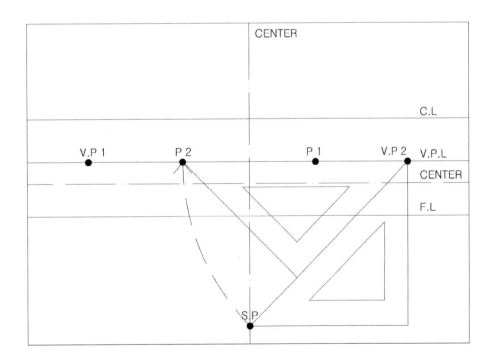

9. P(POINT) 2 찍기

① P 1과 같은 방법으로 반대쪽에 도트(●)를 찍고 P 2라고 쓴다.

※V.P 2을 45도 삼각자로 찾을 때 삼각자에 V.P 2위치를 표시하고 삼각자를 돌려보자.

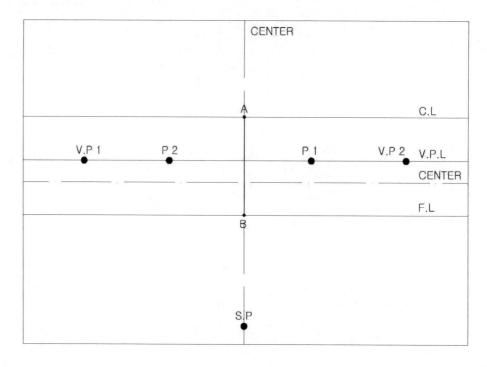

10. 벽 모서리 그리기

① 수직 CENTER선 상에 C.L과 교차하는 곳(A)과 F.L과 교차하는 곳(B)를 중간선으로 연결한다.

이곳이 2소점의 투시도의 벽 모서리가 된다.

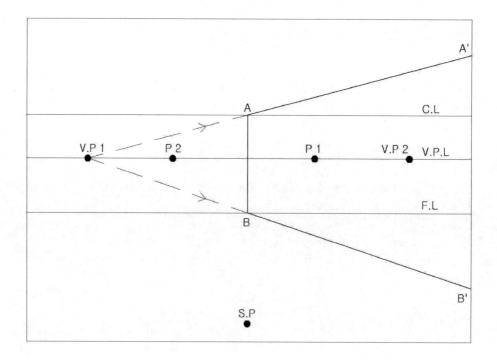

11. 벽체 그리기 - 1

① 삼각자로 V.P 1에서 A를 연결 할 수 있도록 맞춘다.
② A에서 A′의 선을 중간선으로 그린다.
③ 같은 방법으로 B에서 B′의 선을 중간선으로 그린다.

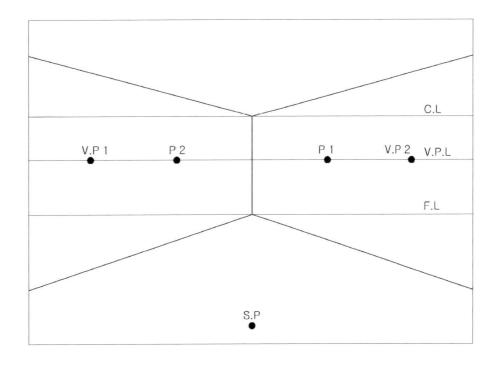

12. 벽체 그리기 - 2

① 반대쪽 벽체도 같은 방법으로 완성시킨다.

V.P 1로 오른쪽 벽면, V.P 2로 왼쪽 벽면을 그렸다는 것을 이해해야한다.
그래야만 오른쪽 벽면에 평행하는 가구는 V.P 1, 왼쪽 벽면에 평행하는 가구는 V.P 2로
그려야 한다는 것을 이해할 수 있기 때문이다.

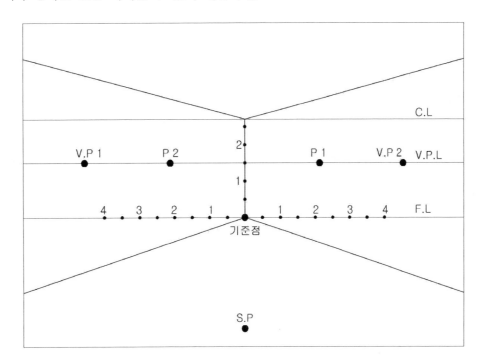

13. 스케일 찍기 - 1

① 예제와 같이 기준점을 기준으로 위쪽, 왼쪽, 오른쪽에 500mm 간격을 스케일자를
이용하여 도트(●)를 찍고 1m마다 도트(●)위에 1, 2, 3을 써주도록 하자.

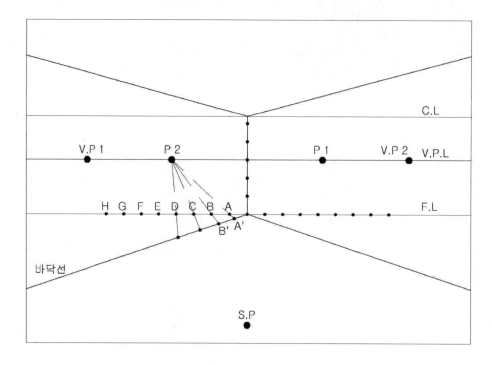

14. 스케일 찍기 - 2

① 삼각자로 P 2에서 A를 연결 할 수 있도록 맞춘 후 바닥선에 A′을 도트(●)로 찍는다.
② 같은 방법으로 B, C, D, E, F, G, H도 진행한다.

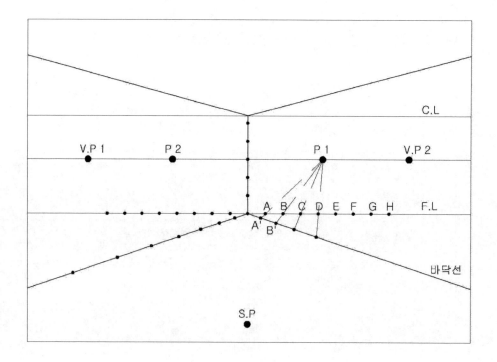

15. 스케일 찍기 - 3

① 오른쪽 벽면도 왼쪽 벽면과 같은 방법으로 진행한다.

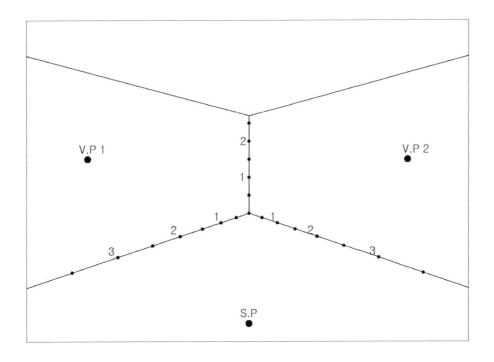

16. 스케일 찍기 완성

① 지금부터는 P 1과 P 2는 작업에 방해가 된다. 지우개로 지우도록 하자.

② 이것으로 스케일 찍기가 완성되었다.

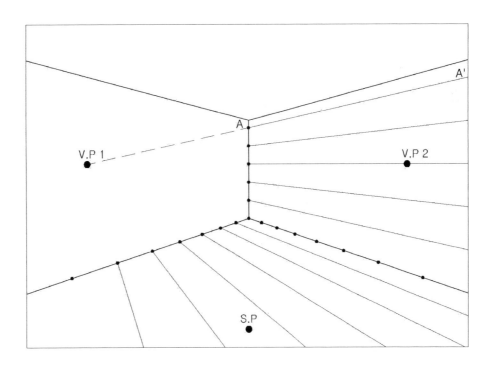

17. 그리드 그리기 - 1

① 삼각자로 V.P 1에서 A를 연결 할 수 있도록 맞춘다.

② A에서 A′의 선을 중간선으로 작도한다.

③ 같은 방법으로 예제와 같이 진행한다.

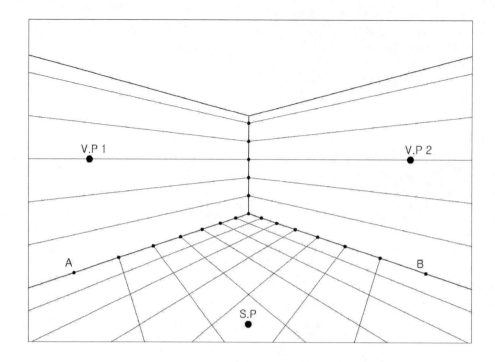

18. 그리드 그리기 - 2

① 반대편도 같은 방법으로 진행한다.

② 바닥 그리드를 그릴 때 V.P 1과 V.P 2를 넘어가는 점(A, B)은 사용할 수 없다.
(V.P를 넘어가면 그 시점부터 투시도의 외곡이 심하게 생기기 때문이다.)

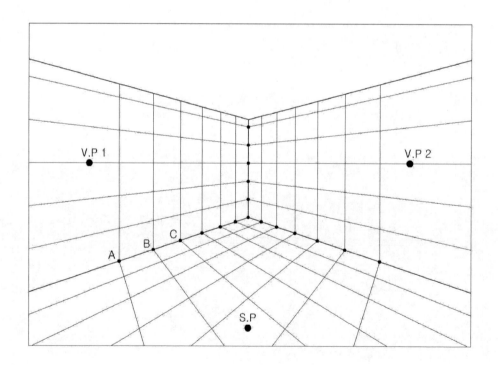

19. 그리드 그리기 - 3

① 예제와 같이 A, B, C...를 기준으로 수직선을 중간선으로 작도한다.

과제   투시도를 그리기 위한 1단계인 사전작업이 완성되었다.
이번에도 역시 시험장에 가면 5분 안에 완성을 해야 한다!
반복연습을 통하여 암기하도록 하자.

참고자료

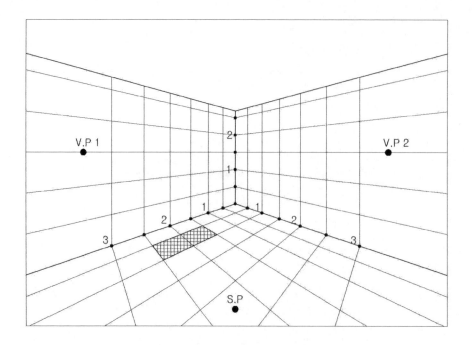

20. 가구 위치 표시하기

① 바닥 그리드 위에 예제와 같이 가구위치를 표시하자.

② 시험에서는 투시도의 바닥 그리드(500 x 500)를 활용해 대략적으로 평면도의 가구 위치를 표시한다.

　※주의

　① 시험에서는 예제처럼 내부를 색칠하지 말고 본인만 알아볼 수 있도록 **빠르게** 표시하자.

　② 투시도는 None Scale이다. 그러다 보니 100~200mm 안 맞아도 상관없다.

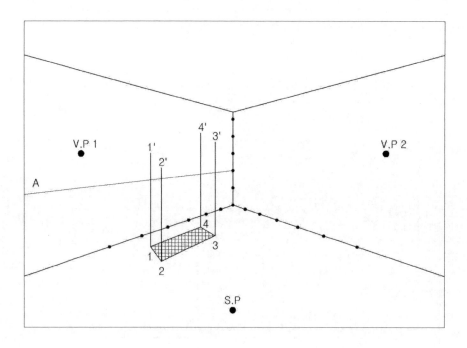

21. 가구 보조선 그리기

① 가구의 높이를 A(1m)이라 가정하겠다.

(여러분의 이해를 돕고자 불필요한 그리드를 지운 것으로 그리드를 지우지 말자.)

② 바닥에 표시한 가구의 모서리(1, 2, 3, 4)에서 수직선(1′, 2′, 3′, 4′)을 적당한 높이로 보조선을 그린다.

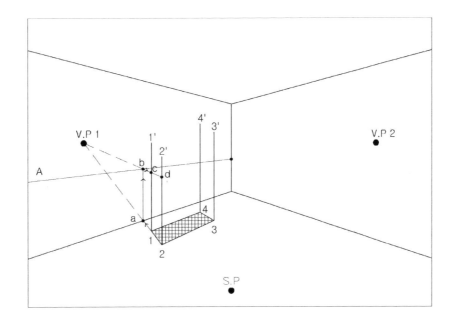

22. 벽에 붙어 있지 않는 가구 앞면높이 찾기

높이가 A(1m)인 벽에 붙어있지 않을 가구의 높이 찾는 방법은 다음과 같다.

    ① 1에서 V.P 1을 향해 보조선을 그어 점 a를 찾는다.

    ② 점 a에서 수직으로 보조선을 그어 벽에 표시된 가구 높이A와 만나는 점 b를 찾는다.

    ③ 점 b에서 V.P 1과 맞추어 보조선을 그어 수직선(1')과 만나는 점 c를 찾는다.

    ④ 점 c가 바닥에 표시한 가구의 높이가 된다.

    ⑤ 점 c에서 V.P 1과 맞추어 보조선을 그어 점 d를 찾는다.

    ⑥ 점 c에서 점 d로 보조선을 그으면 가구의 높이가 된다.

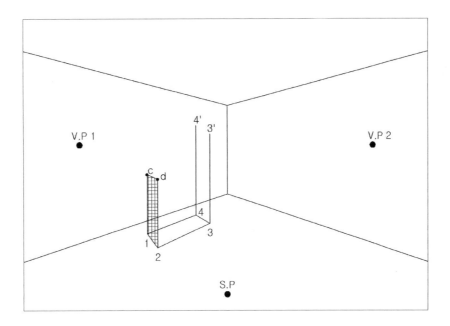

23. 가구 앞면높이 찾기 완성

    ① 테두리를 중간선으로 작도한다.

여러분들은 어떤가? 1소점 보다 조금 더 쉽게 느껴지지 않는가?

1소점에 많이 익숙해져 있는 사람일수록 2소점이 보다 쉽게 느껴질 것이다.

축하한다. 그만큼 실력이 늘었다는 것이다!

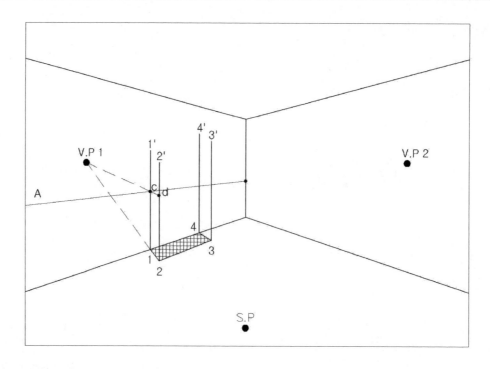

24. 벽에 붙어 있는 가구 앞면높이 찾기(번외)

높이가 A(1m)인 벽에 붙어있는 가구의 높이 찾는 방법은 다음과 같다.

① 가구가 벽에 붙어있다면 1에서 수직선(1′)을 올려보자
② 가구 높이A와 만나는 점 c를 찾는다.
③ 점 c에서 V.P 1과 맞추어 보조선을 그어 점 d를 찾는다.
④ 점 c에서 점 d로 보조선을 그으면 가구의 높이가 된다.

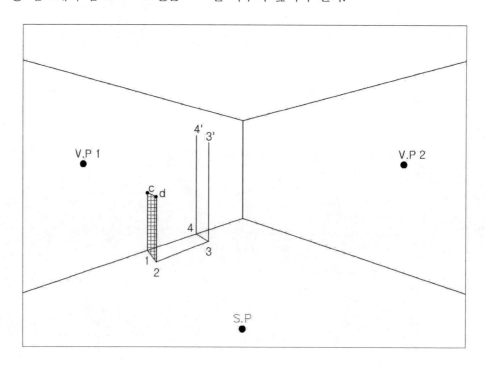

25. 가구 앞면높이 찾기 완성(번외)

① 테두리를 중간선으로 작도한다.

가구가 벽에 붙어 있고 없고 상관없이 모두 쉽게 그릴 수 있도록 연습하도록 하자.
자~번외는 여기까지이며, 다시 벽에서 떨어진 가구를 마무리하자.

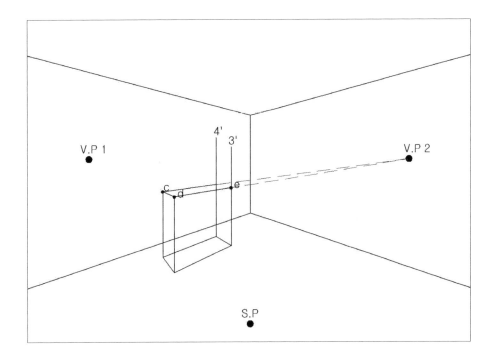

26. 가구 윗면 그리기 - 1

① 삼각자로 점 c에서 V.P 2를 연결할 수 있도록 맞춘다.
② 점 c에서 V.P 2를 향해 보조선을 그린다.
③ 같은 방법으로 점 d에서 V.P 2를 향해 보조선을 그린다.
④ 수직선 3′와의 교차부분에서 점 e가 생긴다.

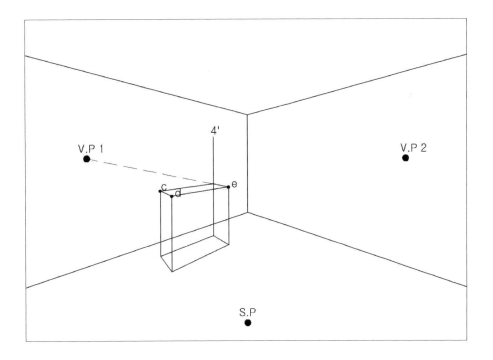

27. 가구 윗면 그리기 - 2

① 점 e(수직선3′와의 교차부분)에서 V.P 1을 향해 보조선을 그린다.
② 자연스럽게 수직선 4′와의 교차부분이 생기고 이로서 가구 윗면의 나오게 된다.

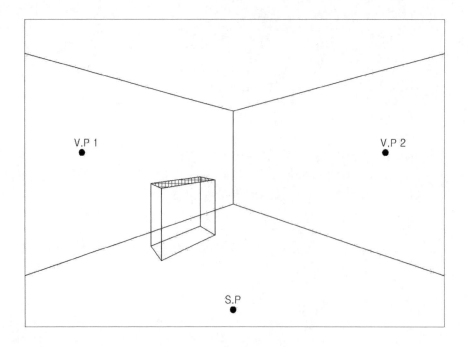

28. 가구 윗면 그리기 완성

① 테두리를 중간선으로 작도한다.

가구가 완성되었다. 2소점은 1소점에 비해 소점이 1개 더 추가되어 보다 어렵다.
하지만 어려운 만큼 그리는 작도양이 적어 작도시간을 많이 절약할 수 있다.
평면도, 입면도, 천장도가 오래 걸린다면 투시도는 반드시 2소점으로 학습해서
작도해야한다.

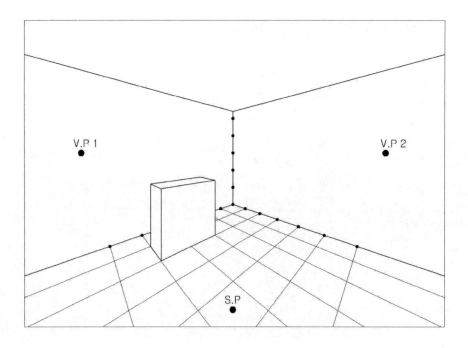

29. 2소점 투시도 종료

여러분의 제도판에도 예제와 같이 그려져 있는가?
그렇다면 여러분은 2소점 투시도 작도법을 완벽히 이해하고 있는 것이다.
이제부터는 반복연습만이 남아있다.
꿈속에서도 작도하는 꿈을 꿀 수 있도록 평소에 열심히 연습하도록 하자.

과제

차! 2소점 투시도를 연습해 보도록 하지.
벽에 떨어진 가구, 벽에 붙어있는 가구 모두 연습해 보도록 하지.
그리드 그리는 방법과 가구 그리는 방법에 익숙해지도록 하자!

참고자료

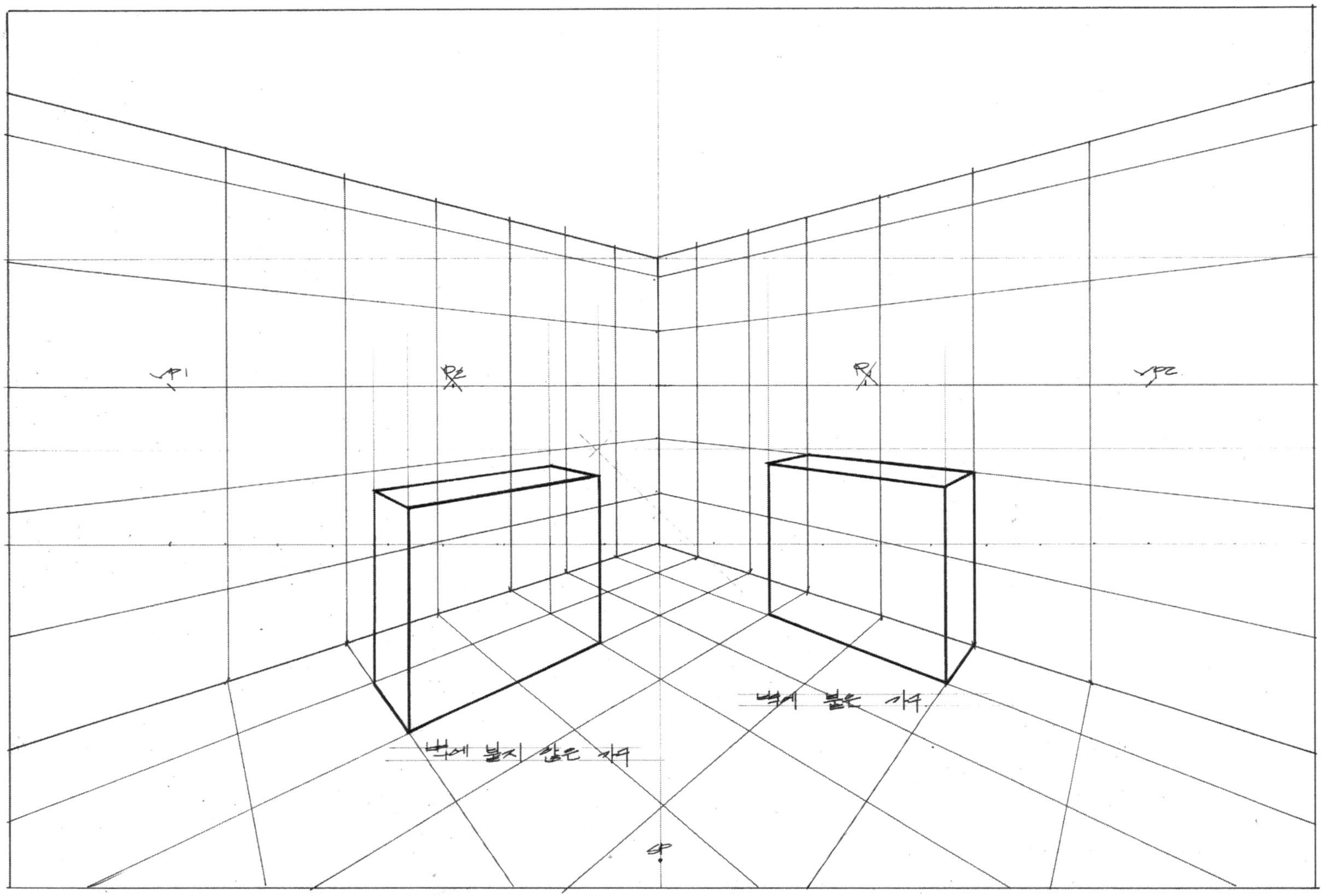

벽에 붙은 가구

벽에 떨어진 가구

실전연습	투시도 작도하기
학습목표	작도한 평면도를 실전과 같이 투시도를 작도해보도록 하자. (예제는 A3 용지에 작도 된 것으로 A2 용지에 작도 시 여백의 차이가 생김을 주의하자.)

자~ 이제부터 투시도를 작도해 보도록 하자.

앞에서 학습한 것을 1소점 및 2소점 투시도의 작도하는 방법론에 대해 이야기 했다고 할 수 있다. 이제부터는 제출도면을 작도하기 위한 방법론에 대해 이야기 해보도록 하겠다.

1단계 : 작도방향 정하기

작도 방향을 정할 때는 두 가지만 생각하도록 하자.

첫째, 과제의 주제를 뚜렷하게 보여줄 수 있는 방향인가?

둘째, 과제의 대표하는 가구가 들어가 있는 방향인가?

위의 두 가지를 우선적으로 생각하며 방향을 정하자. 효율적으로 투시도를 작도하는 것은 적은 가구를 그려 시간을 적게 들이며, 계획의 방향(POINT)이 한 눈에 들어오는 투시도를 그리는 것임을 기억하도록 하자.

여러분이 오랫동안 연습을 했다면 슬슬 보이게 될 것이다.

평면도 작도 시 이번 과제는 여기로 투시도를 그려야겠다! 그렇다면 여기에 어느 가구를 어떻게 배치해야 투시도의 가구의 양은 적으며 멋진 투시도가 되겠구나! 하는 안목이 말이다.

2단계 : 가구 BOX그리기

앞장에서 벽에 붙은 가구와 붙지 않은 가구 1개씩 학습했다. 1개씩 있을 때는 보조선의 양도 적고 삼각자와 손으로 찾아가면 어떻게든 해결이 된다.

하지만 앞으로의 학습은 최소 5개 이상이 가구가 동시에 바닥에 표시되어 있으며 그 중 3개는 벽에 붙어 있을 것이고, 나머지는 붙어 있지 않게 된다.

이 모든 것이 한 그리드 위에서 동시에 이루어진다. 그렇기에 삼각자와 손으로 찾아가며 그리기 것은 힘들어진다. 앞장의 내용을 확실히 이해하여 바닥의 밑그림을 보면 BOX가 떠오를 정도가 되어야 투시도 작도시간을 줄일 수 있게 된다.

3단계 : 가구 디자인 넣기

이제부터는 가구 디자인을 넣을 것이다.

가구디자인에 대해 너무 걱정할 필요는 없다.

우리는 「5주차 가구」를 통해 대략적인 가구 디자인을 알고 있다. 화려한 디자인을 구상할 필요는 없다. 누구나 봤을 때 침대는 침대로 책상은 책상으로 보일 정도면 된다.

투시도를 작도하기 위한 기본적인 안목을 키웠다.

이제 여러분이 작도한 평면도를 참고하여 투시도를 작도해 보도록 하자.

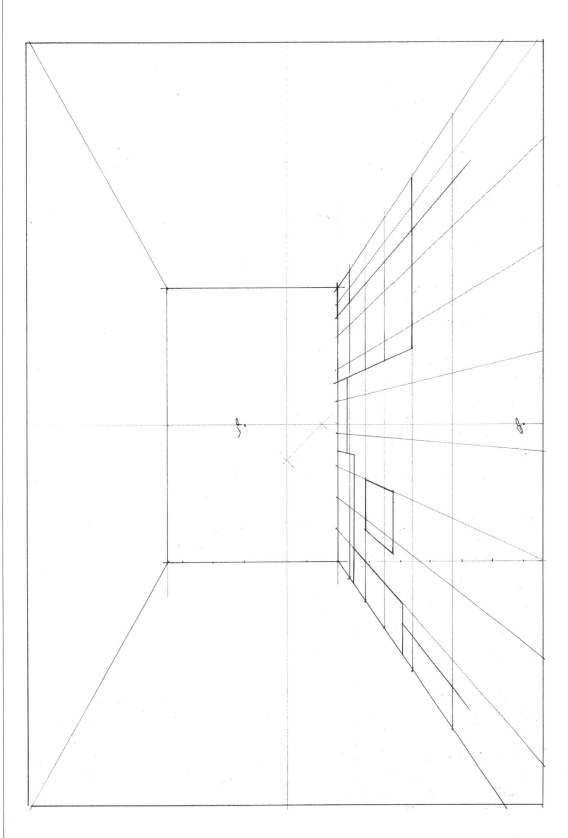

① 각도 방향과 S.P를 정한다.

② 공간과 그리드를 그린다. (작도시간을 줄이기 위해 바닥그리드만 그렸으며, 벽 그리드는 그리지 않았다.)

③ 가구를 그리드 위에 대략적으로 배치한다.(100mm~200mm는 중요하지 않다. 투시도에서는 틀려도 된다는 소리다.)

1단계

2단계

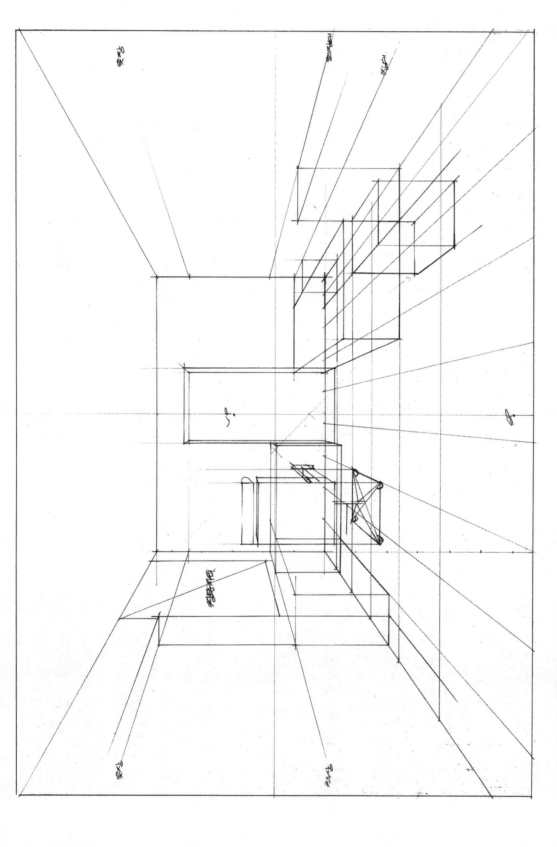

① 왼쪽과 오른쪽 벽면에 붙을 가구의 높이를 표시한다.

② 가구의 높이를 올려서 BOX를 만든다. (시험에서는 의자를 그리는 것을 추천하지 않는다. 그림에 자신이 있는 사람에 한해서 그리도록 한다.)

③ 개구부 위치를 표시한다.

① BOX 위에 가구 디자인을 넣는다.
② V.P와 임의의 가구와 연결하는 투시보조선을 3~4개정도 그린다.
③ 도면명과 스케일을 넣는다.

3단계

14주차	잉킹(INKING)

학습목표	잉킹(INKING) 하는 방법과 고득점을 받기 위한 5단계의 특징을 알아보자.

12주차와 13주차의 학습은 투시도 제출도면을 작도하기 위한 사전작업이었다.
그렇기에 지금까지는 지급받은 켄트지 위에 진행을 했으며, 틀리거나 지저분하게 그려도
무방했다. 그 이유는 제출하지 않기 때문이다.

이번주차에 학습할 잉킹(INKING)은 지급받은 트레이싱 페이퍼 3장 중 마지막장에 작도하는
작업으로 추후 시험이 종료 후 제출해야한다.
잉킹은 투시도의 사전작업을 진행한 켄트지 위에 트레이싱 페이퍼를 올리고 플러스펜으로
따라 그리는 방식으로 작업한다.
때문에 잉킹작업을 하는 중 실수로 다른 선을 작도하는 경우에는 수정이 불가능하며, 트레이싱
페이퍼의 교환 또한 불가능하기 때문에 신중하게 작업을 해야 한다.

1. 가구디자인은 언제 넣는 것이 좋은가?

켄트지에 가구디자인을 하는 경우와 잉킹할 때 가구 디자인을 하는 경우로 나누어 볼 수
있다.

	켄트지에 가구디자인을 하는 경우	잉킹할 때 가구디자인을 하는 경우
장점	잉킹을 안전하게 할 수 있다.	잉킹할 때 실수를 범할 수 있다.
단점	시간이 오래 걸린다. (가구디자인을 두 번 하는 것과 같음)	시간을 절약할 수 있다.

작도시간이 부족한 사람이라면 켄트지에 사전작업을 할 때는 2단계까지만 진행 한 후
잉킹할 때 가구 디자인을 하는 연습을 하도록 하자.

2. 잉킹의 등급은 남을 시간을 고려해서 결정하자!

앞으로의 학습에는 잉킹을 5단계로 나눠서 진행할 것이다. 당연히 5단계까지 모두
진행한다면 보다 높은 점수를 받을 수 있겠지만 처음부터 너무 욕심을 내지 말고, 본인의
작도시간을 고려해서 한 단계씩 올리는 방향으로 진행하도록 하자.
　　1단계 : 기본적인 공간과 가구디자인만 넣은 것
　　(투시보조선, 도면명, 스케일은 필수사항이다.)
　　2단계 : 가구에 포인트를 주기 위해 가구의 테두리에 굵은선을 추가한 것
　　3단계 : 투시도의 비어보이는 것을 줄이기 위해 가구의 한쪽 면에 동일한 효과를 추가한
　　것
　　4단계 : 화려함을 주기 위해 조명효과를 추가한 것
　　5단계 : 화려함을 보다 더 주기 위해 바닥에 반사효과를 추가한 것

이렇게 5가지로 분류할 수 있다.
개인적으로는 2단계까지는 필수적으로 들어가야 한다 생각한다. 그 후로는 각자의 미술적
소질과 남은시간을 고려하여 고민해보도록 하자.

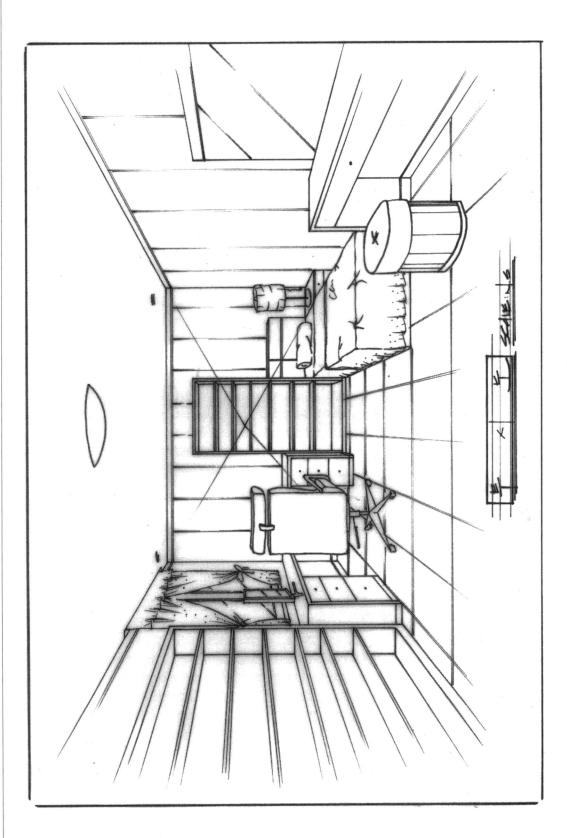

① 기본적인 공간디자인과 가구디자인을 넣고 그 후 투시도(원조선, 도면명, 스케일, 테두리 BOX를 넣는다.
(예제는 A3용지에 제작되어 여백이 없이 꽉 차있는 느낌이다. 여러분은 A2용지에 적도할 것이다. 적도 시 투시도의 크기는 예제와 같이 A3크기정도로 중앙배치로 적도하면 된다. 그렇기에 여러분은 여백이 많이 남을 것이다. 정상이다!)

1단계

2단계

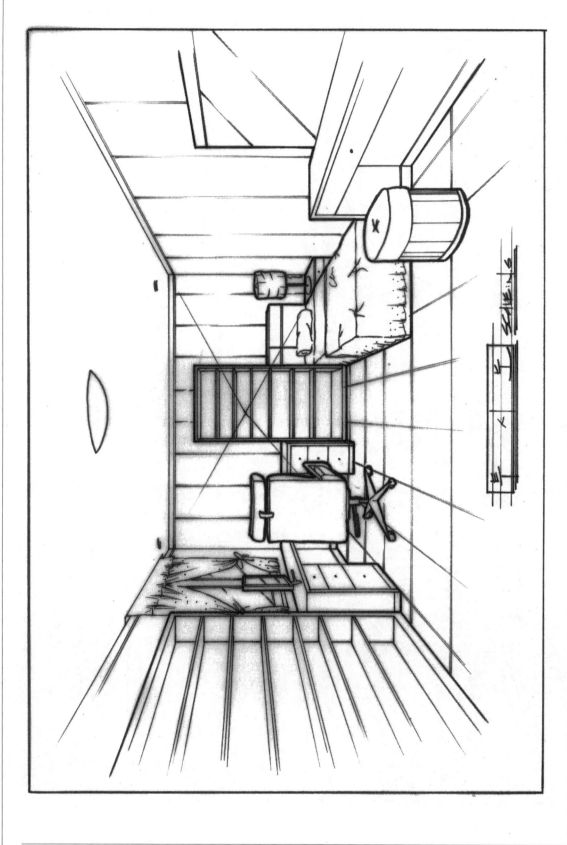

① 가구마다 테두리를 둘러준다. (포켓X빵의 스티커와 같이 가구에 검은 테두리를 둘러주어 눈에 확 띄는 것이 목표이다.)

② 공간이라는 배경에 가구스티커를 붙인 것과 같은 효과를 주고자 한다.

③ 나중에 컬러링을 할 때 가구의 외각선이 두꺼워 실수로 색이 경계를 벗어나더라도 종처럼 티가 나지 않는 이점이 있다.

① 가구의 정면은 디자인이 들어가서 가득 찬 느낌을 주지만, 측면은 그렇지 않다. 그렇지 때문에 가구의 측면에 가득 찬 느낌을 주고자 별도의 의미는 없지만 수직선을 조금씩 넣어 좌도양을 늘여 측면에도 가득 찬 느낌을 주도록 하자.

4단계

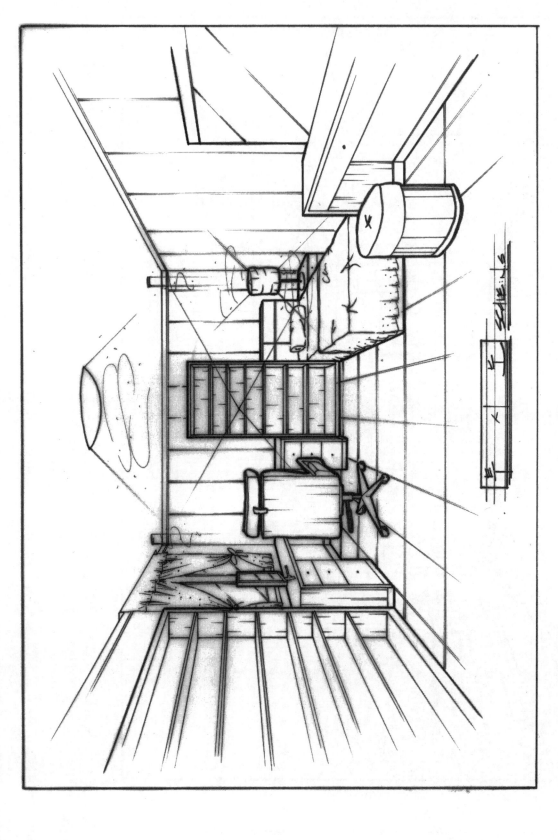

① 여렸을 때 이솝우화의 삽화를 기억하는가? 모티브는 바로 그것이다. 이솝우화의 삽화가 떠오르도록 조명을 과장해서 표현하도록 한다. (조명효과가 너무 과하면 부담스러울 수 있으므로 예제의 정도만 표현하도록 하자)

5단계

① 바닥에 포세린 타일이 깔려있다고 생각해 보자. 바닥에 가구가 반사되지 않겠는가? 모티브가 바로 그것이다. 인테리어 카탈로그가 연상되도록 표현해 보자.

15주차	컬러링

학습목표	컬러링(COLORING)을 위해 마카의 사용법과 채색 시 주의사항을 이해하자.

실기시험의 마지막 단계이며, 여러분의 마지막 학습과정은 바로 컬러링(COLORING)작업이다. 실내건축산업기사 실기시험지에 「나. 요구도면의 4) 실내투시도」 부분에 채색작업은 필수라고 기재되어 있다.

시험에서 사용할 수 있는 채색도구의 제안은 특별히 없다. 하지만 시간적 효율의 이점이 가장 큰 채색도구는 단연 마카(MARKER)라 할 수 있으며, 때문에 많은 수험자들이 마카로 채색작업을 진행한다.

1. 마카란?

마카가 생소한 사람을 위해 쉽게 소개하자면 펜촉이 네모난 사인펜이라고 생각하면 된다. 트윈마카라고 불리는 제품은 펜의 한쪽은 네모난 펜촉, 다른 한쪽에는 일반 사인펜 펜촉이 달려있다.

시중에는 브랜드별, 세트별, 사용자별 다양하게 출시되고 있다.

(※예제에 사용되는 마카는 신한 터치 트윈마카 60개 A세트를 기준으로 작업되었다.)

2. 마카 채색 시 주의사항

마카 채색 시 주의사항은 다음 3가지로 구분할 수 있다.

① 채색은 잉킹이 되어 있는 트레이싱 페이퍼면의 반대 면에 진행한다. 잉킹이 되어 있는 면에 채색 시 잉킹이 번지기 때문이다.

② 색을 칠할 때에는 마카펜촉이 두꺼운 쪽을 이용해 한 번에 넣도록 한다. 여러 번 덧칠하거나 얇은 쪽으로 색을 넣을 경우 덧칠한 면이 비춰 매우 지저분하게 보인다.

③ 다음의 2가지는 마카를 처음 접하면 발생할 수 있는 문제이니 본격적으로 채색작업을 진행하기 전에 마카를 다뤄보고 익숙해지길 바란다.

사례	원인	대처법
	마카를 칠하며 가다 서다를 반복하면 나타난다.	칠하고자 하는 부위를 멈춤 없이 한 번에 칠한다.
	마카를 칠하며 펜촉의 한쪽 면이 들리면 그 부위가 비는 것이다.	마카의 펜촉이 평행하게 용지에 맞닿고 있는지 손끝으로 느끼며 칠한다.

3. 마카사용법

마카는 삼각자를 이용해서 두꺼운 펜촉으로 되도록 한 번에 칠하고 끝내는 방식으로 진행된다.

덧칠하면 덧칠할수록 지저분해지기 때문에 한 번에 끝내는 연습을 해야 한다.

4. 원톤과 투톤이란?

① 원톤 : 색상 하나만 칠하는 것을 말한다.

② 투톤 : 색상 두 개는 포개서 칠하는 것을 말한다. 예를 들어 A & B 색상을 투톤으로 칠한다고 한다면, 우선 A색상을 먼저 칠하고 그 위에 B색상을 칠하는 방식이다.

5. 마카채색 순서

마가를 채색하는 순서와 단계별 필요한 색상은 다음과 같다.

트레이싱 페이퍼와 재질이 다른 A4용지와 같은 용지에 마카를 칠하면 같은 색상도 달리 보일 수 있다. 때문에 색상을 확인하고 싶다면 트레이싱 페이퍼에 칠해보길 권한다.

순서	종류	세부사항	마카색상번호	기타
1단계	바닥	주거	WG3 & WG5	투톤
		상업	BG3 & BG5 CG3 & CG5	투톤 (택 1세트)
2단계	가구	브라운계열 1	BR94, BR91, BR92, BR99	원톤 (택 1색상)
		브라운계열 2	WG5 & WG7 WG7 & WG9	투톤 (택 1세트)
		포인트 컬러	GY48 & G43 P83 & P81 Y41 B67 & B63 RP7 & RP89	투톤 투톤 원톤 (택 1세트) 투톤 투톤
	가전제품	냉장고	CG5	원톤
		모니터	CG5	원톤
		가스레인지	CG5	원톤
3단계	벽의 요소	유리	PB76	원톤
		창문	CG5	원톤
4단계	벽지, 천장지	-	YR26 PB77	원톤 (택 1색상)
5단계	몰딩	-	BR103	원톤
	걸레받이	-	WG9	원톤
6단계	조명	-	YR33 & YR23	투톤
7단계	테두리	-	WG9, BG9, CG9	원톤 (택 1색상)
8단계	기타효과	색연필	플리즈마 유성흰색 색연필	

※신한 트윈 마카 60색 SET 기준으로 작성.

※다른 브랜드의 경우 번호와 색상이 다를 수 있으므로 주의바람.

※PB77의 경우 별도구매 색상으로 60색 SET에 포함되어있지 않음. (신한 트위 마카 PB77)

※플리즈마 유성흰색 색연필(PRISMA 유성색연필, 흰색)

사전작업

① 잉킹이 끝났다면 트레이싱 페이퍼를 떼어 뒤집어 다시 붙이도록 한다.

(※주의 : 잉킹이 되어 있는 면에 컬러링을 하면 잉킹이 번지기 때문이다.)

※주의

챗오른손

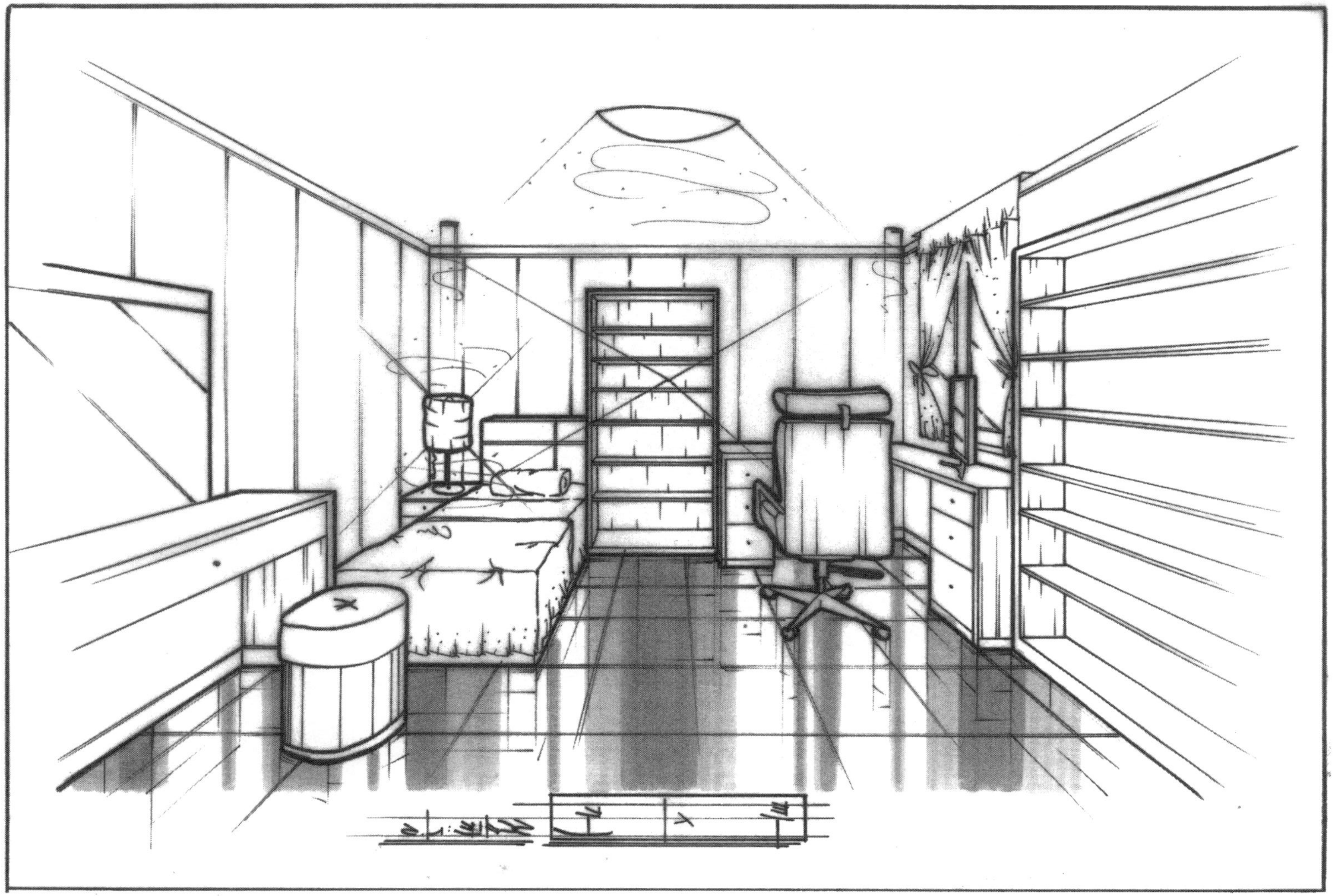

칠이 기준

1단계

① 채색 시 예제와 같이 물체의 색상을 덩어리지게 표현하면 되기에 전체 채색을 할 필요가 없다. 바닥은 반드시 투톤으로 칠하도록 하자.

② 삼각자를 왼쪽에 대고(제도할 때 삼각자 놓은 방향을 미리했다고 생각하자.) 오른쪽에서 왼쪽으로 세로선을 마카로 그으면 된다.

③ 투톤은 원톤을 먼저 칠하고 난 후 원톤 칠한 곳을 겹쳐서 투톤을 칠한다. 투톤은 원톤 칠한 면적의 1/2 초과하지 않는다.

2단계

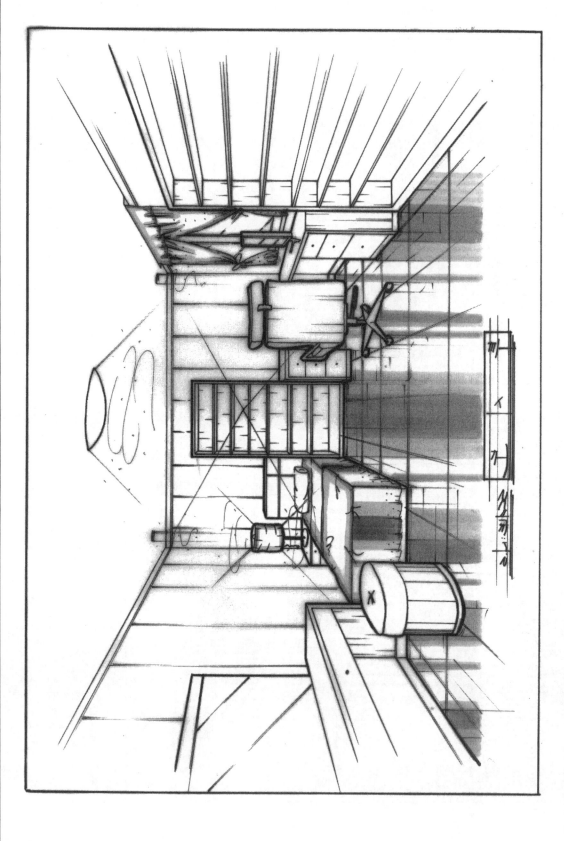

① 공간의 포인트 컬러가 되는 부분의 색을 넣는다. (주거공간의 경우 침대, 커튼, 나이트램프가 되며, 상업공간의 경우 가운티가 된다.)

② 색칠방법은 가구의 윗면은 테두리만 돌리고, 옆면은 바닥과 같은 방법으로 덩어리감이 생기게 넣는다.

③ 포인트 컬러는 튀도록 투톤을 넣도록 하자.

① 나머지 가구를 다양한 색상으로 넣도록 하자. 주의 점은 바로 옆에 붙어있는 가구는 같은 색상으로 칠하면 안 된다.

② 가구의 윗면은 테두리만, 옆면은 바닥과 같이 덩어리감을 주자.

③ 시간이 여유롭다면 투톤을 추천하겠다만, 부족하다면 원톤만 해도 무방하다. 얼룩덜룩하게만 칠하려고 주의하자.

3단계

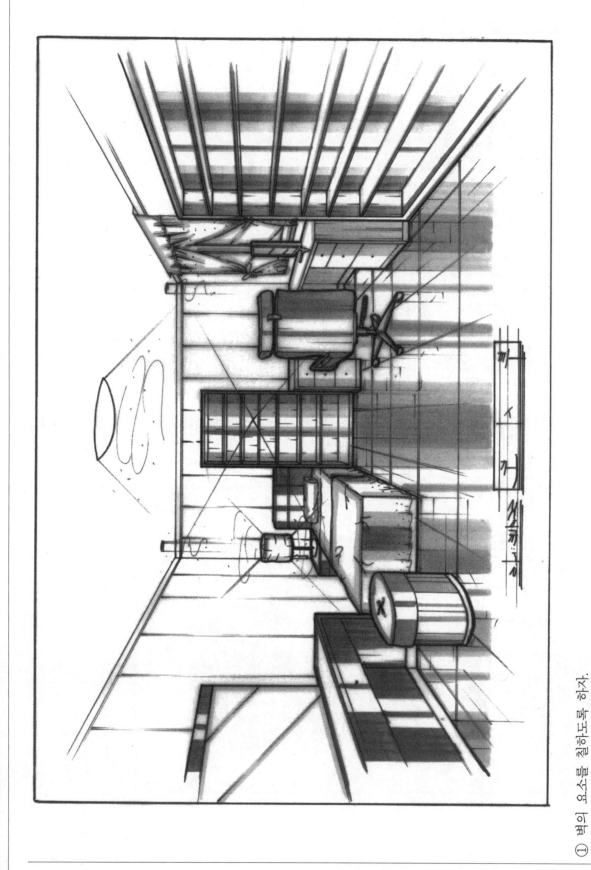

① 벽의 요소를 첨하도록 하자.
(유리 : 테두리만 돌린다. / 창틀 : 원톤으로 가볍게 칠한다.)

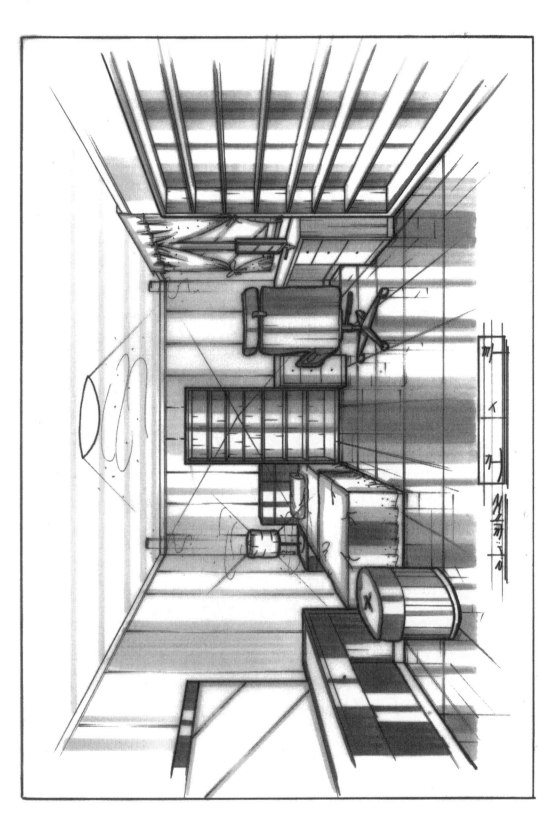

① 벽지는 세로로 덩어리감이 느껴지도록 칠하며, 천장지는 가로로 원근감이 느껴지도록 간격을 띄워 색을 넣는다. 바닥은 세로로 덩어리감이 느껴지도록 칠하며, 천장지는 가로로 원근감이 느껴지도록 간격을 띄워 색을 넣는다. (예제는 PB77을 사용하였으며, 여러분은 YR26을 사용하면 된다. 주거&상업 모두 YR26사용해도 무방하다.)

5단계

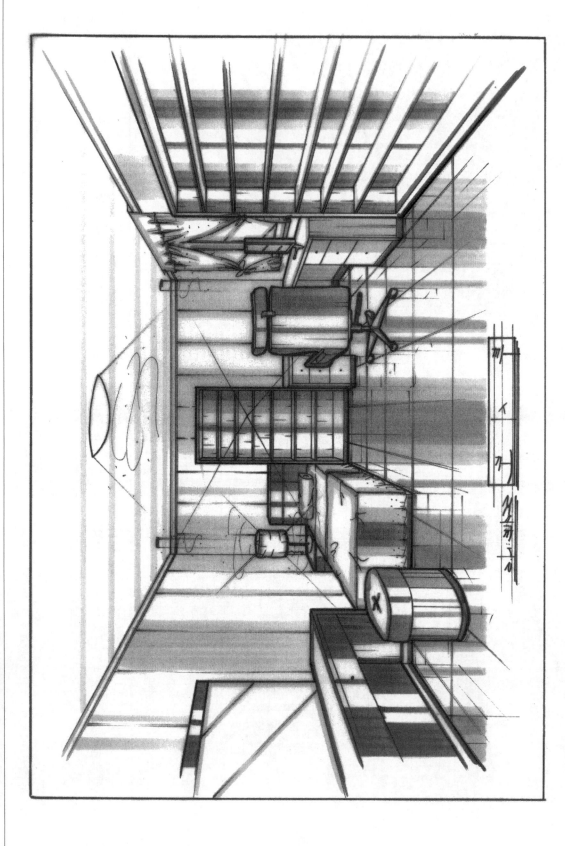

① 몰딩과 걸레받이를 칠한다.

② 몰딩과 걸레받이를 두껍게 그렸다면 여러 번 덧칠하여 채우려 하지 말고, 위, 아래에 한 번씩 에게와 같이 칠하고 끝낸다.

③ 걸레받이는 투시도에 반드시 넣어야 한다. 그 이유는 바닥과 가구를 칠할 때 경계를 벗어난 실수가 있다면 모두 가릴 수 있기 때문이다.

① 조명을 칠한다.
② 취향에 맞춰 점찍는 효과와 지그재그 효과는 빼도 된다. 우리의 최우선 목표는 깜깜하게 칠하는 것임을 잊지 말자.

7단계

① 테두리에 색을 넣어준다. 테두리가 빠지면 투시도를 작도하다 시간이 부족해 작도하던 중에 제출한 느낌을 주니 시간이 없더라도 반드시 테두리는 칠하고 도면을 제출하도록 하자.

자! 완성이다! 붙어있는 투사도를 떼어서 다시 뒤집는다. 이제부터 색연필로 하이라이트(Highlight)를 줄 것이다. 8단계는 선택의 영역이다.

① 색연필을 칠할 때는 앞면(잉킹이 되어 있는 면)에 빠르게 프리핸드로 그린다. 경우에 따라 자를 사용하는 것도 좋다. (라이트의 색을 눌러주거나, 원목가구의 나이테를 그려주거나, 거울과 유리의 반사효과 등을 준다.)

부록	투시도 사례
학습목표	대표적인 투시도 사례 5가지를 살펴보며, 특징을 이해하자. 공간별로 1소점 투시도과 2소점 투시도의 각각의 장·단점을 이해해보자.

「실내건축산업기사」 실기시험은 5시간 30분 안에 모든 요구 도면을 완성해야 한다. 평면도, 입면도, 천장도와 컨셉 작성시간을 제외하고 나면 1시간 10분이 남으며, 이 시간 안에 컬러링을 포함한 투시도를 완성해야한다.

앞장에서 학습한 투시도 작도를 위한 사전작업(그리드 치기), 잉킹, 컬러링의 모든 과정 전부를 진행하여야 하며, 막상 진행해 보면 쉽지 않음을 알 수 있다. 그 이유는 작도방향을 고민하고, 거리를 재고, 이런저런 디자인을 구상하다보면 작도시간 외로 많은 고민과 결정의 시간들이 추가되기 때문이다.

그렇다고 중간과정 중 한 가지를 뺀다면 시간은 절약할 수 있지만 작품의 질이 떨어지고, 실수를 할 수 있는 상황이 증가되므로 이것은 추천하지는 않는다.

여기서 한 가지 가정을 하겠다. 만약 투시도 작도방향을 수험자에게 시험보기 전에 미리 공지한다면 어떠하겠는가?

그렇다면 우리는 시험장에 가는 그 날까지 미리 공지한 방향을 10번, 20번 연습해서 달인이 되어 시험장을 들어가지 않겠는가? 이 경우라면 투시도를 1시간10분만에 작도하는 것도 그렇게 어려운 일이 아닐 것이다.

이것이다!

① 작도방향을 미리 정해놓고 작도방향을 고민하지 않는 것
② 작도방향이 정해졌으니 들어갈 가구배치와 디자인도 미리 준비하는 것

이 두 가지 방법을 미리 준비해서 간다면 투시도를 1시간 10분 만에 1컷을 제출하는 것은 그렇게 어려운 일은 아니게 될 것이다.

제출도면의 투시도는 1컷이다. 잊지 마라. 2컷도 3컷도 아닌 딱 1컷만 멋지게 그리면 된다.

1. 1소점 투시도에 적합한 공간

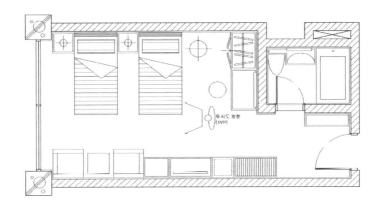

1소점 투시도의 가장 큰 장점은 작도 방법이 2소점 투시도에 비하여 쉽다는 점이며, 단점은 작도해야 할 가구가 2소점 투시도에 비해 많다는 점이다.

쉽게 풀어서 이야기 하자면 실내공간의 동, 서, 남, 북 4방향 중 한 방향만 별도의 고민 없이도 작도가 가능하며, 가구양이 많아 투시도도 멋지게 나온다.

하지만 가구양이 많아 자칫하면 완성을 못하고 시험이 종료될 수도 있다.

반대로 생각하면 공간의 4방향에 가구배치가 적다면, 작도할 때는 아주 유용하다.
예를 들면 주거공간과 숙박공간이 대표적이다. 대부분 주거공간과 숙박공간은 직사각형
모양으로 침대와 통로 마주보는 가구 1개를 놓으면 될 정도로 공간의 폭이 좁다. 이런
경우에는 아주 유용하다 할 수 있다.

2. 2소점 투시도에 적합한 공간

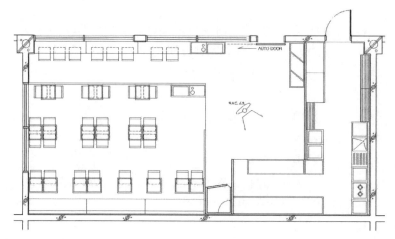

2소점 투시도의 가장 큰 장점은 작도 할 가구가 적다는 점이며, 단점은 작도 방법이 1소점
투시도에 비해 어렵다는 점이다.
쉽게 풀어서 이야기 하자면 2소점 투시도는 한 개의 모서리와 두 개의 벽만 있으면 어느
곳이든 그릴 수 있다. 하지만 1소점은 세 개의 벽이 있어야 투시도를 그릴 수 있다.
그렇기에 2소점 투시도는 1소점 투시도에 비해 한 개의 벽이 적기 때문에 그 만큼 벽에
붙여 배치하는 가구의 양이 줄어들고, 당연히 작도양도 줄어들게 된다.
이처럼 2소점 투시도는 공간의 크기가 커서 많은 가구배치 되어 있는 경우에 유용하다,
즉 상업공간이다.
상업공간을 작도할 경우에는 2소점 투시도가 유리한 상황이라 할 수 있다.

3. 시험에 적합한 투시도법 찾기

시험만 보고 이야기 하자면 무조건 2소점 투시도를 추천한다.
　① 카운터와 메뉴박스를 모듈화(미리 사전에 계획해 놓은 것을 붙이는 방식)해서
　사용하자.
　그 이유는 모든 상업공간에 카운터는 공통적으로 존재하기 때문이며, 카운터와 메뉴박스,
　싱크대정도를 모듈화(ㄷ자 형태로), 계획해 준비해 놓으면 상업공간 출제 시 투시도를
　특별히 고민 없이 작도할 수 있을 것이다.
　② 평면도 작도 시 카운터 영역만큼은 투시도 작도할 것을 미리 염두하고 계획하자.
　평면도 작도 시 사전에 모듈화 해 놓은 카운터를 카운터 영역에 배치하자.
　평면의 계획적인 측면에서는 다소 부족할 수 있지만 시험은 평면도 하나만으로 당락이
　결정되는 것이 아니므로 100% 완벽한 평면 계획은 포기하도록 하자.
　③ 시험에 주거공간이 나왔을 경우 2소점으로 주방을 작도하도록 하자.
　주거공간에서 주방 역시 빠지지 않는 영역이다. 주거공간에서 ㄷ자 형태의 배치는
　싱크대와 냉장고, 식탁으로 가능하니 2소점 투시도에는 안성맞춤인 셈이다.

사례를 보며 다시 한 번 시험에 적합한 2소점 투시도 방향을 설명하도록 하겠다.

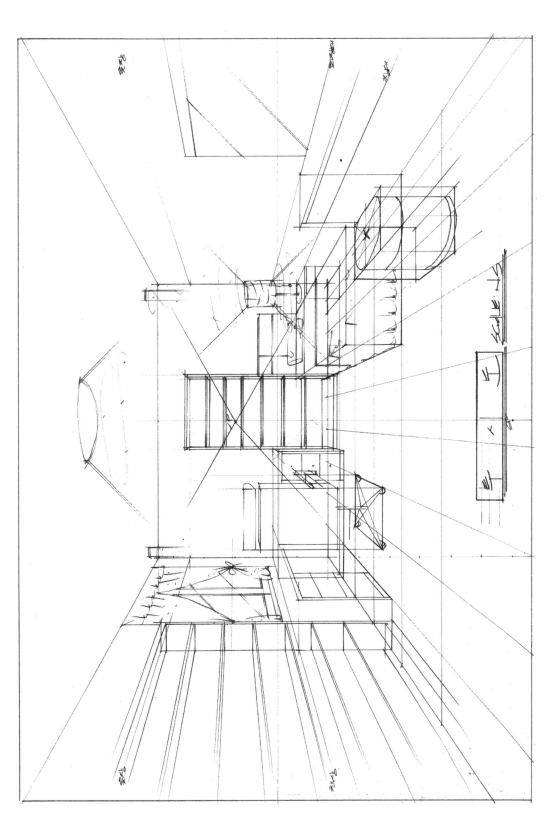

투 시 도 스케치

① 1소점의 경우 앞에서 이야기 한 것과 같이 3개의 벽에 배치된 가구를 그려야하기 때문에 가구의 양이 많다. 대신 어느 면을 그려야 할지 고민이 적다.

② 공간의 대표가구를 들어있는 방향을 추천한다. 주거공간의 경우 침대, 상업공간의 경우 가운데가 대표가구라 할 수 있다.

사전작업

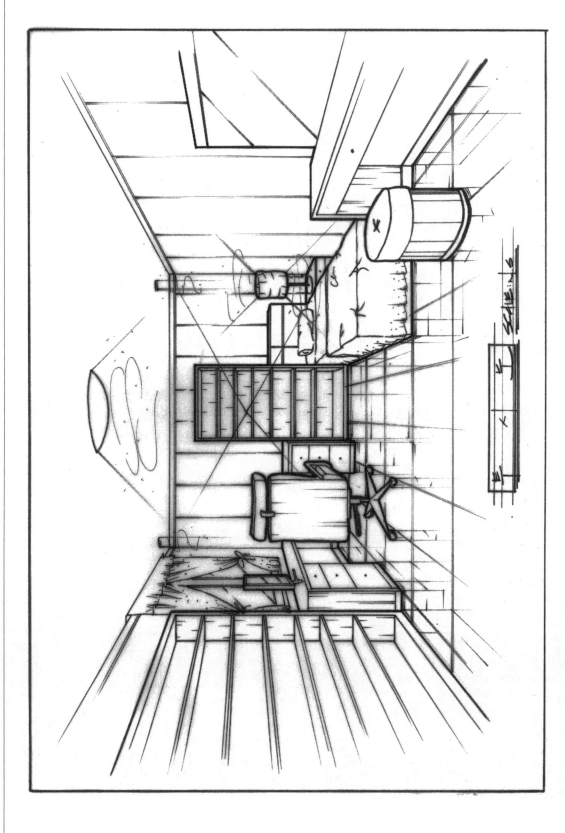

① 잉킹을 할 때는 평소 본인의 컬러링 시간을 알아두어야 한다. 그 이유는 시험는 시험당일 컨디션에 따라 도면(평면도, 입면도, 천장도)이 빨리 끝날 수도, 늦게 끝날 수 있기 때문에 역으로 남은시간을 계산해서 잉킹의 퀄리티(Quality)를 정하는 것이 현명한 방법이다.

② 시험을 보러갈 때는 수능시계를 지참해서 시간을 체크하며 진행하도록 하자.

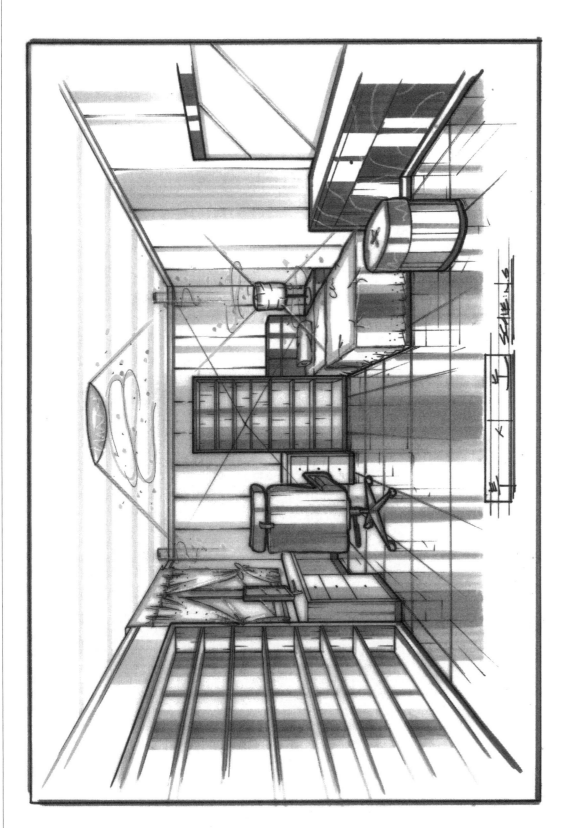

① 컬러링의 가장 중요한 것은 바로 깔끔함이다. 조명표현, 가구 측면표현, 바닥의 그림자를 넣어 컬러터를 올리는 것도 좋지만 깔끔하게 작도되지 않는다면 과감하게 삭제할 것을 추천한다.

② 컬러링은 물체의 상부는 밝게 바닥, 측면은 바닥과 같이 하며, 바닥은 떨어리감이 나도록 채색하는 것이 포인트다.

사전작업

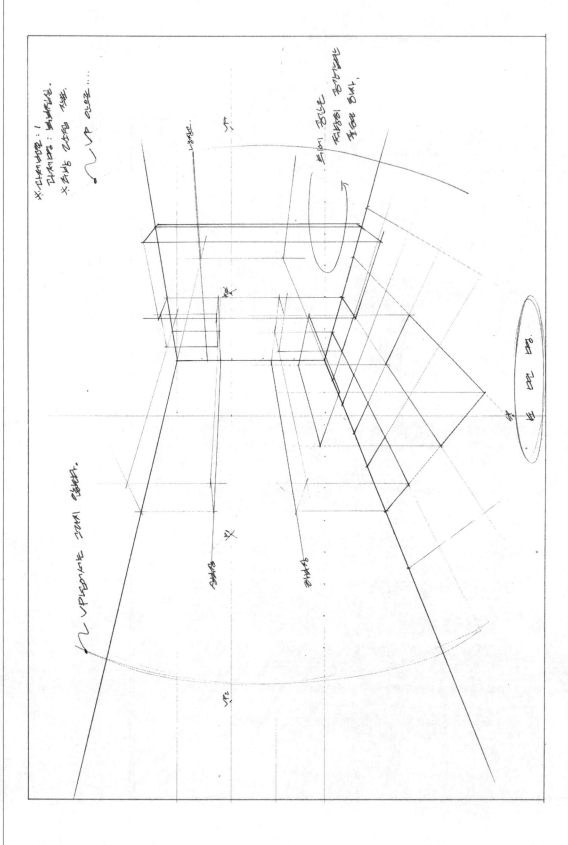

① 2소점 투시도가 가능한 영역인 주방이다. 싱크대와 냉장고 식탁의 배치가 느자 배치가 되도록 평면에 사전 배치를 해야만 가능한 투시방향이다. 주방을 ㄱ자로 꺾을 때 칸막이벽을 넣음으로 반대편에서 싱크대 혹은 냉장고의 뒷면이 보이지 않게 하는 것이 평면 계획의 포인트이다.

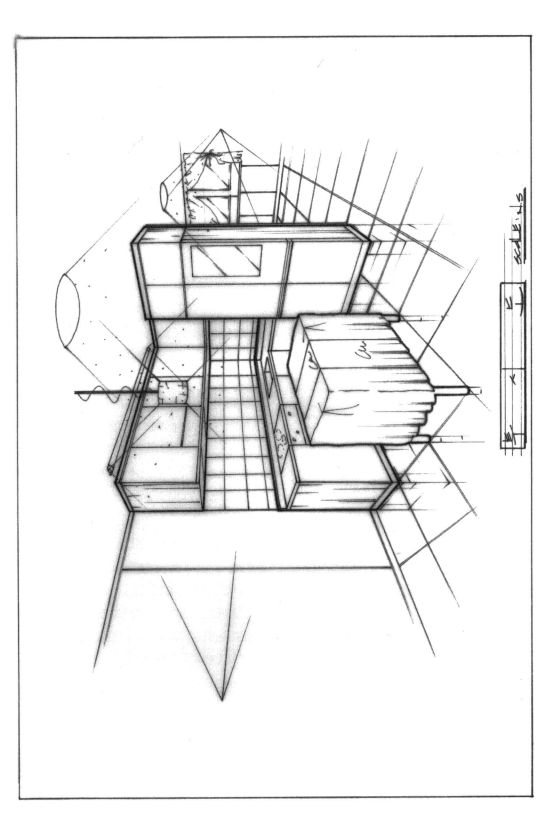

① 잉킹을 할 때 가구 디자인을 같이 해서 시간을 단축하였다. 처음에는 어려워 보이지만 계속 한 가지 부분 연습 하다보면 쉽게 할 수 있다.

② 식탁에 보면 일단 식탁보가 있다. 식탁보를 넣은 이유는 식탁 밑 부분을 통해 죽은 의자의 다리가 보이는 것을 피하기 위해서다.

③ 의자는 시험장에서 생략해도 무방하다. (미술에 재능이 있고, 시간적 여유가 많으면 넣어주도록 하자)

컬러링

① 컬러링 시 마카를 60개 세트를 가지고 있는 사람이라면, 시험장에 60개 전부를 가지고 갈 필요가 없다. 자신이 주로 사용하는 컬러만 재색 순으로 배치해서 가져가도록 하자. 그럼 마카를 찾으며 시간을 빼앗기지 않고, 마카통을 보면 다음에 무엇을 재색해야 되는지 알 수 있으니 혹시나 시험장의 무거운 분위기로 재색 순서를 잊어도 도움이 될 수 있다.

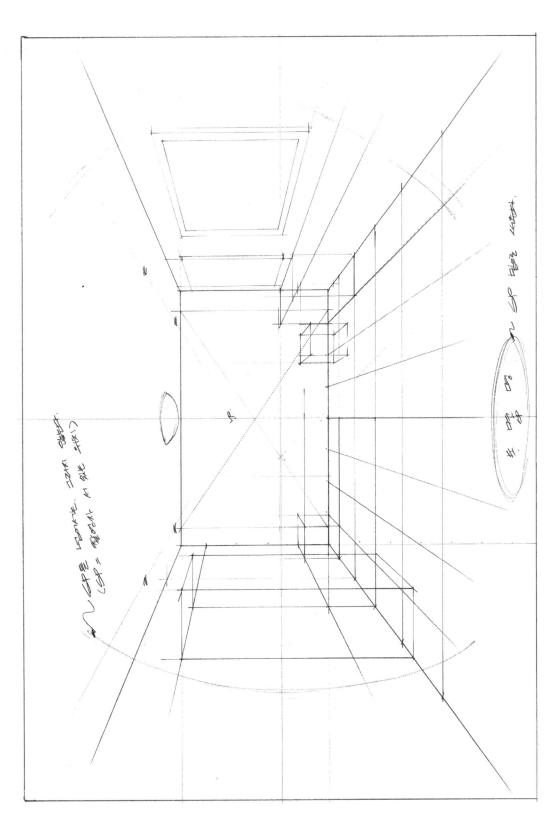

① 호텔, 혹은 원룸의 투시도 방향이다. 투시도 방향을 선택할 때는 그 공간의 주된 가구가 나올 수 있도록 계획하는 것이 좋다. 호텔과 원룸과 같은 주거공간은 침대가 꼭 나오는 방향을 선택하도록 하자.

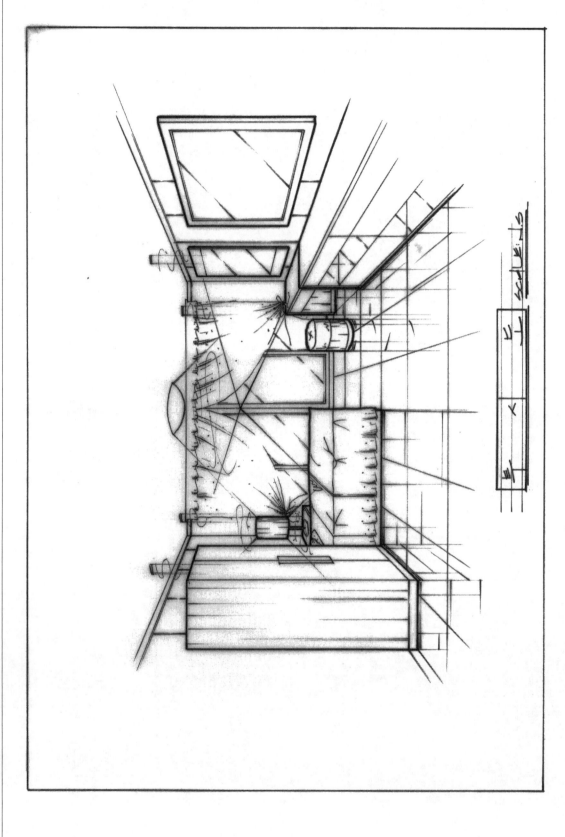

① 주거공간에서 창문이 있으면 커튼은 반드시 그려야 한다. (상업공간은 선택적으로 넣어주면 된다.)

② 평면도를 보면 옷장 앞에 칸막이벽이 존재하지만 SP를 옷장까지로 정한다면, 칸막이벽은 투시도에 나오지 않게 된다.
(칸막이벽이 나온다 하더라도 투시도의 효과를 위해 생략해도 무방하다.)

① 옷장, TV테이블과 길이 비슷한 크기의 가구가 연속으로 배치되어 있을 경우 채색 시 반드시 별도의 색으로 채색을 하길 추천한다. 그 이유는 크기의 가구와 모양이 유사한데, 색상도 유사하면 하나의 가구가 단순히 크게 작도한 것으로 보이며, 어느 투시도의 퀄리티를 떨어트리기 때문이다.

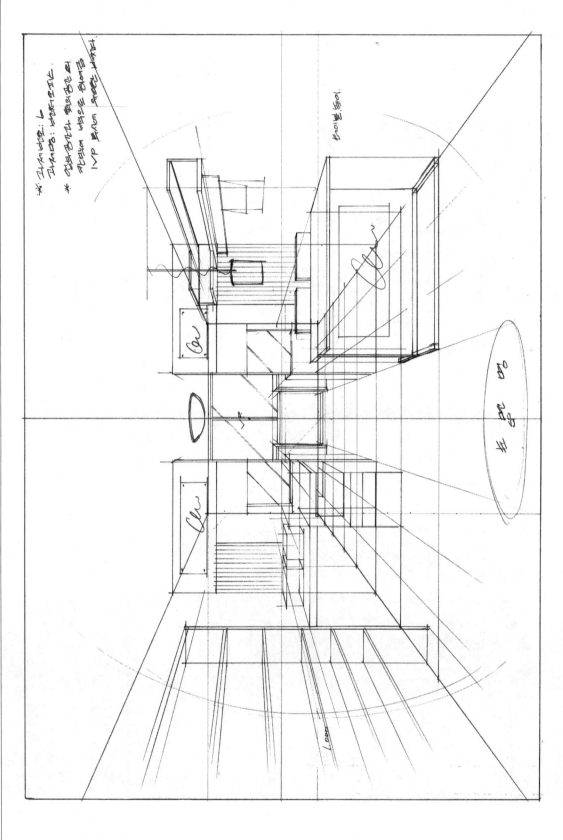

사전작업

① 상업, 업무공간은 2소점 투시도를 추천하지만, 이번과 같은 경우는 1소점 투시도로 해볼 만하다. 자세히 보면 업무실 앞쪽의 간막이벽이 뒤쪽의 업무영역(책상과 의자)을 모두 가린다. 그 결과 간막이 벽 앞의 2~3개의 가구만 작도하면 된다. 이는 2소점 투시도와 같은 작도양이며, 그렇다면 2소점 투시도로 작도해 쉬운 1소점 투시도보다 볼만한 모의고사 문제였다.

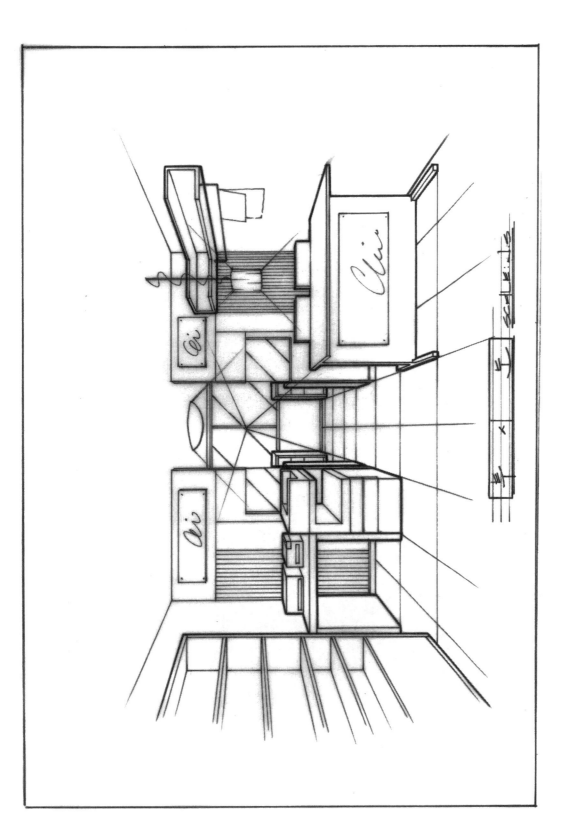

① 오른쪽의 회의 테이블을 보라.

주거용의 식탁과 같이 식탁보를 그리기엔 업무영역이기에 조금 애매한 감이 있다. 그래서 회의테이블 중간에 수직으로 된 판을 설치해 테이블 아래로 의자의 다리나 그 너머가 보이는 것을 방지했다. 결과적으로는 의자의 등받이만 조금 그리면 된다.

컬러링

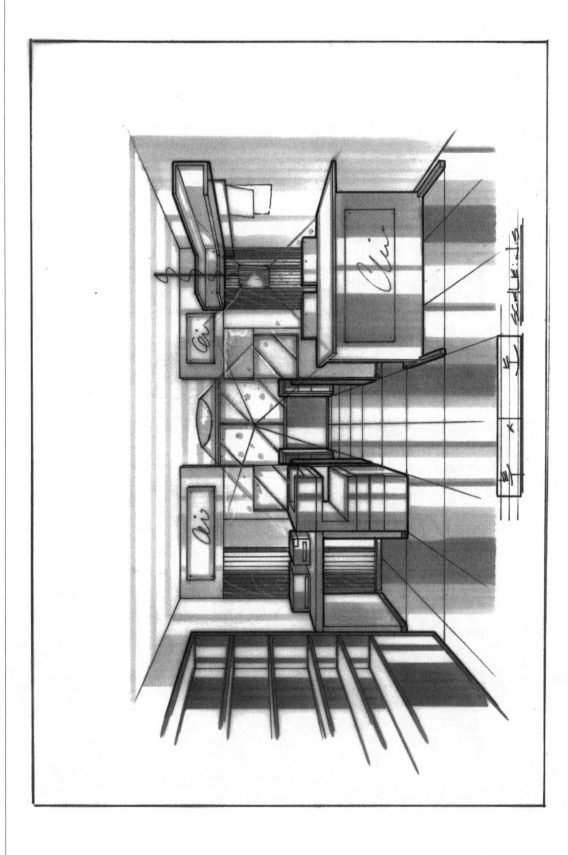

① 컬러링에 보이는 흰색 선은 색연필이다.

색연필을 칠할 때는 면에 있는 잉킹이 되어 있는 면에 프리핸드르로 조금씩만 나이비, 조명 빛이 하이라이트, 유리반짝이를 넣어준다. 추가적으로 잉킹이나 컬러링에서 실수를 했다면 화이트로 지우듯 약간만 색칠하자. 너무 과하게 색칠하면 오히려 눈에 띄니 주의하도록 하자.

① 카운터는 상업공간이면 모든 문제에 존재한다. 약간의 디자인만 변경한다면, 커피숍, 의류매장, 헤어숍 등등 어디든 사용가능하다.

② 디자인 변경 포인트는 메뉴박스의 유무와 카운터의 프리핸드 스케치(커피로고)정도이다. 당연히 의류매장과 헤어숍은 메뉴박스가 없으며, 커피숍과 아이스크림매장, 패스트푸드점과 같은 곳은 메뉴박스를 넣어준다.

사전작업

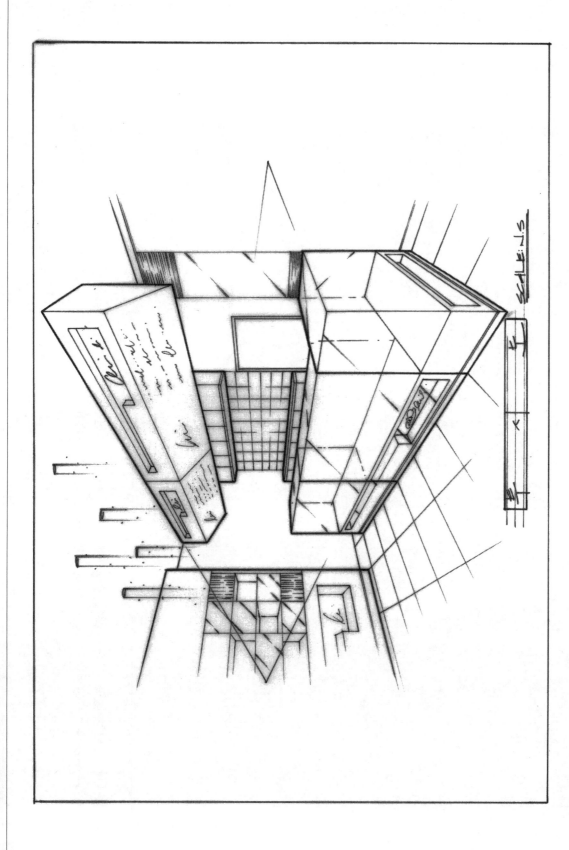

① 많이들 어려워하는 것이 바로 로고이다.

로고를 포리핸드 스케치로 그릴 때에는 글씨는 필기체 형태로 알아보지 못하게 날려쓰라. 예제를 보다 멋지는 몰라도 이쁘지 않은가?
로고의 그림은 카피는 커피, 의류매장은 의류, 페스트푸드는 햄버거를 그리면 되는데, 자신이 그림에 소질이 없어 걱정이라면 한 가지만
유의하자. 그림은 못 그려도 되지만 깔끔하게만 그리도록 하자.

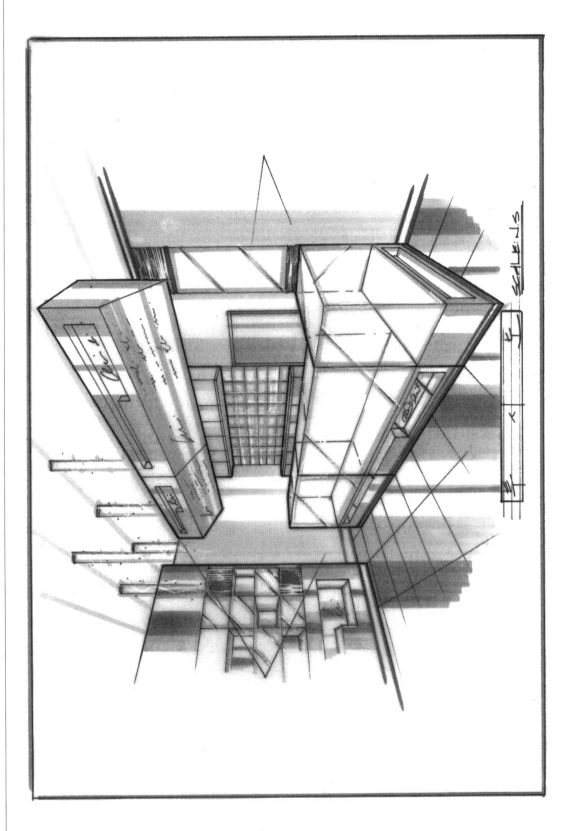

① 자신이 색채감이 없다 하는 사람은 앞장의 컬러링에서 다루는 표는 그대로 사용하라.

② 그래도 다른 색을 사용해 보고 싶다면 최대한 파스텔 톤을 사용하라.

③ 문구점에서 판매할 것 같은 형광펜과 같은 색은 지양하자.

사진작업

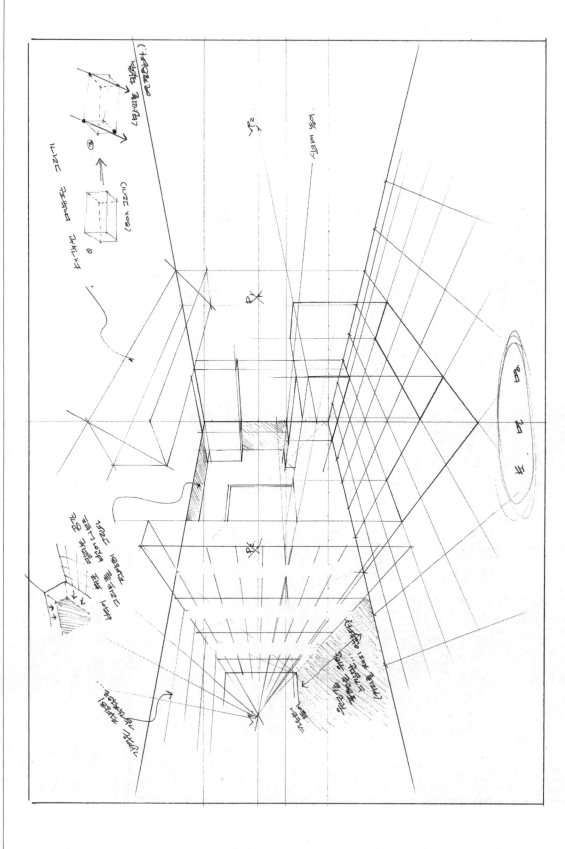

① 예제의 모서리에 있는 스케치는 자도 틈이다. 여유가 되다면, 한 번쯤 읽어보길 바란다.

② 의류매장의 의류, 스포츠매장의 운동화 등 소품에 너무 연연하지 않아도 된다.

③ 투시도는 첫 번째는 컬러, 두 번째는 최소한으로 무슨 공간인지 구분만 되면 된다. 여유가 안 되면 최소한의 조건에 맞춰 그려길 바라며, 여유가 된다면 자신의 미술적 소질은 맘껏 뽐내길 바란다.

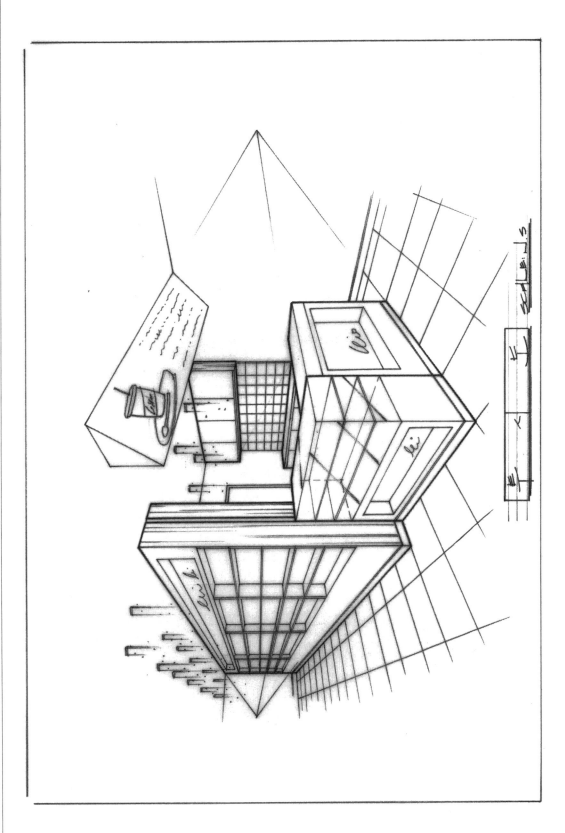

① 메뉴박스를 보라, 커피그림 하나로 커피숍을 그렸나 보구나 하는 생각이 들지 않는가? coffee라고 쓰는 순간, 투시도의 질이 떨어진다.

② 쇼케이스를 보라, 보석점과 이동통신매장의 쇼케이스와는 달리 케이크를 보관하는 냉장고형 쇼케이스다. 참고하길 바란다.

컬러링

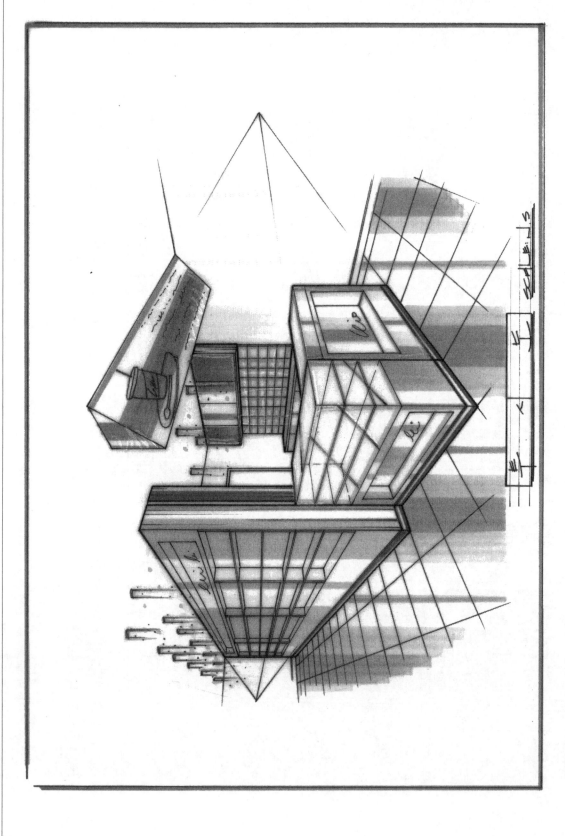

① 색을 고를 때는 파스텔 톤으로 고르고, 다른 가구와 조화롭게 어울릴 수 있는 색을 골라 넣는다.
② 시험장에서는 새로운 것을 시도하려 하지 무난하게, 밋고 깜끔하게 하는 것에 목표로 하도록 하자.

부록	모의고사

학습목표	모의고사를 진행함으로써 시험에 대한 자신감과 작도 프로세스를 익히고, 다양한 공간의 배치를 해봄으로써 새로운 유형의 문제해결능력을 키우도록 하자.

모의고사는 총 1번부터 21번까지 21개가 준비되어 있다.

모의고사는 과거 기출문제를 조금씩 변형하여 만들었으며, 이를 통하여 과거에 나온 문제의 유형을 파악하고 앞으로 새로이 나올 수 있는 문제를 유추해 볼 수 있다.

1. 모의고사 구성

각 회 차의 모의고사는 3장으로 각각의 페이지는 다음과 같이 구성되어 있다.

① 표지 : 과제명, 작도시간 기입란, 메모로 구성
② 요구사항 : 과제의 요구조건, 요구도면으로 구성
③ 도면 : 과제도면 제시
④ 풀이방향 : 각 문제의 풀이방향 제시
⑤ 계획 답안 : 평면도, 입면도, 천장도의 계획안으로 구성

시험장에서는 ② 요구사항과 ③ 도면, 수험자 유의사항과 지급재료 목록으로 4페이지로 구성된 시험지를 지급한다. 본 교재에선 수험자 유의사항과 지급재료 목록은 제외하였다.

2. 모의고사 활용법

① 모의고사를 풀며 각각의 도면의 작도시간을 체크하자.

작업명	표준작업시간	시험시간
시험지 정독 및 계획	10분	
평면도	2시간 10분	
입면도	50분	5시간 30분
천장도	1시간	
투시도	1시간 10분	
검토 및 컨셉	10분	

모의고사를 풀며 자신이 문제를 풀며 걸리는 작도시간을 알아야 한다.

시간 내에 작도가 완료되고, 심지어 시간이 남는다면 더없이 좋겠지만 그런 경우는 드물다.

일단 나의 문제를 파악해야 해결법을 찾을 수 있다.

② 나만의 주특기 2과목을 만들자.

시험에서 합격하려면 적어도 2과목은 주특기가 있어야한다.

평면도가 내 주특기라서 1시간 50분 만에 작도가 종료된다면 입면도, 천장도도 아마 시간이 남을 것이라 예상되지만, 일반적으로는 이런 사람은 극히 드물다.

대부분 애를 쓰고 평면도를 작도해도 2시간 30분정도 일 것이다. 그렇다면 다른 도면작업에서 시간을 아껴서 평면도에서 까먹은 시간은 채워야 한다.

그러기 위해 적어도 2개의 도면은 표준작업시간보다 당겨야한다.

도면 한 개의 작도시간을 드라마틱하게 절반으로 줄일 수는 없다. 그렇기 때문에 2개의 도면이 나의 주특기가 될 수 있도록 모의고사를 풀며 연습하도록 하자.

③ 답안지를 외우지 말자!

한 15년 전인 것 같다. 실내건축학원에 가서 실기시험 수업을 들으면 답안지를 주고
3번이고 4번이고 같은 도면을 반복해서 작도하게 하며 외우라 했었다. 그때는 그랬다.
지금은 안 된다. 2022년에 N.C.S 교육과정으로 필기과목의 개정되고, 과거
O.M.R답안지에서 C.B.T(Computer Based Test)로 변경되었다.
실기문제도 당연히 새로운 문제가 출제되고 있다. 이러한 현재 상황에서 15년 전 사용하던
방법은 그다지 추천하지 않는다.
지금은 전반적인 방법론을 기억하는 것이 훨씬 효율적이다. 「3. 풀이 방향」을 참고하여
방법론을 익히도록 하자.

④ 작도순서를 외워라!

학교에서, 사회에서 평면도 한 두 번은 그려봤을 것이다.
평면도 작도하는데 얼마나 걸리는가? 하루? 이틀? 학교나 사회에서는 세상에 없는 멋진
계획을 요구하기 때문에 많은 고민과 사례검토를 해야 하기에 오래 걸린다.
시험은 어떤가? 세상에 없는 멋진 계획을 바라지 않는다. 그냥 일반적이고 최소한의
계획능력만 요구한다. 그리고 2시간 10분 만에 완성을 해야 한다.
결론은 계획은 일반적인 계획수준으로 작도도면은 필수요소들이 빠짐없이 기계적으로 고민
없이 그려나가야 된다. 그러기 위해서는 작도 순서를 반드시 외워야 한다.

⑤ 스케일을 최소한만 사용하라

작도시간이 오래 걸리는 사람들의 특징은 모든 것을 스케일자로 측정해서 작도하려한다.
원칙적으로는 맞는 말이지만 시험에서는 그렇게 해서는 2시간 10분 안에 작도할 수 없다.
500mm정도는 감각으로 그릴 수 있어야 한다. 당연히 막 그리라는 소리가 아니라 연습을
많이 해서 500mm를 눈에 익히라는 소리다. 때문에 모든 가구는 500mm의 배수로
계획한다면 작도시간이 단축될 수밖에 없는 것이다.

⑥ 나만의 요령을 만들라.

5시간 30분이라는 시험 시간 안에 4개의 도면을 작도한다는 것은 손 도면에 매우 익숙한
사람만이 가능하다. 손 도면을 많이 그려보고 접해봤다면 남들과는 다른 자신만의 요령이
있지 않겠는가? 위에서 말한 5가지의 요령은 저자의 요령이다. 6번째 자신만의 요령을
반드시 만들어야 한다. 그래야만 작도시간을 줄일 수 있다.
모든 모의고사를 풀며 자신만의 요령을 만들길 바란다.

자! 모의고사를 풀고 있는 당신은 아마 시험이 얼마 남지 않았을 것이다.
1주일에 2세트 정도는 기본적으로 연습하는 루틴을 가지자.
모의고사를 연습하며 「3.문제 풀이」를 꼭 읽어보도록 하자. 계획하는데 도움이 될 것이다.
시험을 마치고 나오는 그때까지 긴장을 풀지 말고 최선을 다하길 바란다.
이제 진짜 얼마 안 남았다. 합격을 말하는 것이다!
조금 먼 곳에서 여러분의 합격을 열심히 응원하도록 하겠다!

3. 도면작도 자가 체크리스트

앞으로 풀어나갈 모의고사는 시험장에서 시험을 본다는 마음가짐으로 한 회씩 풀어보길 바란다.

우리는 지금까지 많은 내용을 학습하였으며, 현재에는 머리에 차곡차곡 저장되어 있을 것이다. 하지만 만약 시험장에서 생각지 못한 변수를 만나게 된다면 우리는 사람인지라 동요할 수밖에 없고 이럴 경우 머리에 저장되어 있는 지식이 손으로 쉽사리 출력되기가 쉽지 않다.

이를 대비하여 늘 같은 방법으로 통일된 작도 프로세스를 만들어 도면을 작도한다면 보다 쉽게 변수에 대응 할 수 있을 것이다.

이렇듯 작도 프로세스를 만들기 위해 도면작도 자가 체크리스트를 준비하였으니 여러분들은 모의고사를 풀고 난 후 이를 통해서 내가 무엇을 빼먹었고, 무엇을 습관적으로 안 그리는지를 확인하기 바란다.

자신의 상태를 확실히 인지하고, 시험장에 들어가기 전에 올바른 도면작도 습관을 완성한다면 어떠한 과제가 출제 되어도, 어떠한 변수를 만나더라도 차분하게 늘 하던 대로 작도하여 완벽한 도면을 완성 할 수 있을 것이다.

도면작도 자가 체크리스트

단계	항목	O·X
작도 전 단계	문제를 2번 이상 읽었는가?	
	입면도가 1면 혹은 2면을 확인하고 레이아웃을 생각했는가?	
	문제에 재료(콘크리트 혹은 조적)가 지정되어 있는가?	
	트레이싱 페이퍼의 센터를 나누었는가?	
평면도	스케일을 확인하였는가?	
	공간벽의 경우 중심선의 위치를 확인하였는가?	
	문지방이 있는 것과 없는 것을 확인하였는가?	
	마감선은 넣었는가? (욕실, 화장실도 넣었는가?)	
	공간구성 및 집기는 모두 넣었는가?	
	도면명, F.L, C.H, F.F를 각 공간별로 넣었는가?	
	입면도 방향표시를 넣었는가?	
	E.N.T를 넣었는가?	
	바닥 해치와 벽 해치를 넣었는가?	
	현관과 욕실의 해치는 거실과 다르게 했는가?	
	3면 2줄 치수를 넣었는가?	
	치수선의 교차부에 도트(●)를 찍었는가?	
	천마다 콤마를 찍었는가?(ex 1,000, 1,850)	
	도면명의 박스를 굵은선으로 돌렸는가?	
	컨셉박스는 굵은선으로 돌리고 박스 위에 컨셉이라고 썼는가?	
	도면의 테두리는 굵은선 혹은 중간선으로 돌렸는가?	
입면도	입면도가 1면 혹은 2면, 방향이 정해져 있음을 확인하였는가?	
	도면이 1개면 위, 2개면 아래에 천장도 그릴 공간을 두고 그렸는가?	
	작도방향이 12시방향과 6시방향을 헷갈리지 않았나?	
	6시방향을 작도 시 평면도를 180도 돌려서 보았는가?	
	몰딩, W.F, 걸래받이를 적었는가?	

단계	항목	O·X
입면도	해치를 넣었는가?(벽, 싱크대의 타일 부분, 욕실, 화장실)	
	3면 2줄의 치수를 넣었는가?	
	도면명에 방향을 적었는가?, 스케일은 각각 적었는가?	
천장도	스케일을 확인하였는가?	
	공간벽의 경우 중심선의 위치를 확인하였는가?	
	천장도의 창과 문에 문의 윗면만 잘 그렸는가?	
	고정창이 있을 때는 3m를 넘으면 중간에 창틀(멀리온)을 넣었는가?	
	고정창의 창틀이 100mm이면 유리1장, 200mm이면 유리2장을 넣었는가?	
	마감선은 넣었는가? (욕실, 화장실도 넣었는가?)	
	커튼박스를 넣었는가?	
	평면에 싱크대가 있으면 후드를 넣었는가?	
	문제에 고층, 초고층을 확인했는가?	
	상업공간 시 음식물 쓰는 공간이면 환기구를 6개 홀에 넣었는가?	
	별도의 실(창고, 휴게실)을 만들었다면 설비(감지기, 스프링클러, 환기구, 점검구)는 계획하였는가?	
	E.N.T가 있는 입구에 비상등을 그렸는가?	
	C.F를 실(홀)과 화장실 각각 써주었는가?	
	커튼박스, HOOD, 천장형에어컨, 광천장은 도면에 글씨를 별도 기입했는가?	
	벽과 천장에 해치를 하였는가?	
	욕실의 마감은 플라스틱보드로 거실과 다른 해치를 하였는가?	
	상업공간의 경우 다운라이트는 도면 내부에 가로세로 치수를 넣었는가?	
	3면 2줄의 치수를 넣었는가?	
	도면명과 스케일을 썼는가?	
	우측에 범례표를 만들었는가?	
	범례제목을 썼는가?	
투시도	공간의 대표가구가 나오도록 투시방향을 잡았는가?	
	가구는 3~5개정도 나왔는가?	
	가구디자인은 넣었는가?	
	벽면이 휑하지 않은가?	
	천장도에 커튼을 넣었다면 투시도에도 넣었는가?	
	잉킹이 번지지 않았는가?	
	테두리는 그렸는가?	
	투시보조선 3~4개 넣었는가?	
	최소한 원톤이상 색상을 넣었는가?	
	도면명과 스케일(Scale : N.S)은 잘 넣었는가?	
기타	도면이 찢어진 곳은 없는가?	
	컨셉의 내용을 180자 가량 썼는가?	
	수험번호와 이름은 잘 썼는지 확인했는가?	

국 가 기 술 자 격 실 기 모 의 문 제

모의고사	실내건축산업기사	과제종류	주거공간
		과제번호	0
		과 제 명	자녀방

MEMO.

작 도 개 요

작 도 일		전체시간	시 분
평 면 도	시 분	입 면 도	시 분
천 장 도	시 분	투 시 도	시 분

국 가 기 술 자 격 실 기 시 험 문 제

자격종목	실내건축산업기사	과 제 명	자녀방

※ 시험시간 : 5시간 30분

1. 요구사항

※ 문제 도면은 주택에 여중생의 방의 평면도이다. 다음 요구 조건에 맞게 요구
도면을 작도하시오.

가. 요구조건

1) 설계면적 : 4.5m x 4.5m x 2.7m(CH)

2) 창호 : 1.2m x 1.4m

3) DOOR(출입문) : 0.9m x 2.1m

4) 공간구성 및 집기

  – 싱글 침대 1개, 옷장 2개, 책상 1개, 책꽂이 2개, 컴퓨터 테이블 1개,
학습용 테이블 1개, 학습용 TV & DVD플레이어 등

  (* 제시된 공간구성 및 집기는 필수적이며, 이외에 필요한 것이 있다면
수험자가 임의로 추가할 수 있음)

나. 요구도면

1) 평면도 (가구배치 및 바닥 마감재 표기) : 1/30 (SCALE)

– 평면도 주변의 여유공간에 설계개요(DESIGN CONCEPT)를 200자 이내로
서술하시오.

2) 내부입면도 2면 (벽면재료 표시) : 1/30 (SCALE)

3) 천장도 (설비, 조명기구 배치 및 범례표 작성, 천장마감재 표기) : 1/30 (SCALE)

4) 실내 투시도 (채색작업 필수) : N/S (SCALE)

– 계획의 포인트가 좋은 지점에서 1소점 또는 2소점 투시법으로 작성 및 작성과정
의 투시보조선을 남길 것

2. 도 면

과제명	자녀방	SCALE	NONE SCALE

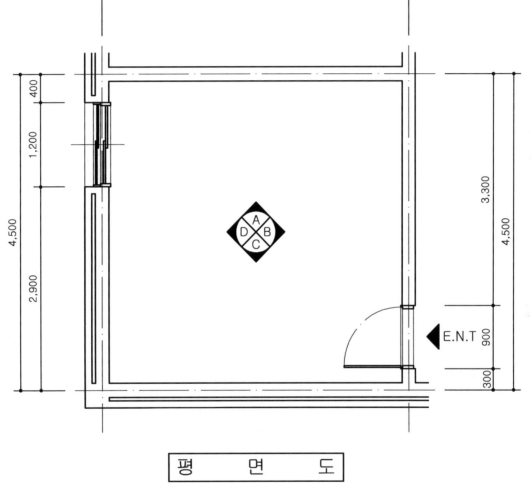

평 면 도

※ 요구도면의 작성범위는 평면도 상 실내공간에 한정하여 작성한다.

3. 풀이 방향

주거공간의 가구배치 순서

침대 -> 책상 -> 옷장 -> 나머지로 진행한다.

침대배치방법

침대 배치 시에는 다음의 2가지를 주의하며 배치하도록 한다.
1) 침대헤드가 창문에 면하지 않게 계획하기
2) 침대의 옆면이 벽면에 붙여서 계획하지 않기
   침대 옆에 나이트 테이블을 계획하는 이유는 침대와 벽에 붙이지 않기 위함이다.
   침대가 벽에 붙으면 그 사이로 먼지나 이물질이 들어갈 시 청소에 불리하다.
   그렇기 때문에 청소기 머리가 들어갈 수 있도록 여유를 주기 위해 나이트 테이블을 배치하는 것이다.

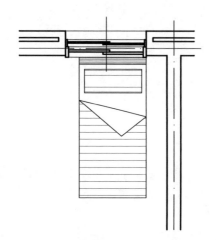
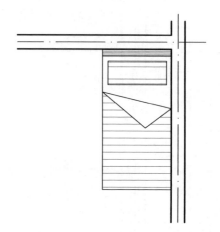

침대 헤드가 창에 붙으면 안됨   침대 옆면이 벽에 붙으면 안됨

프라이버시에 따른 가구 배치

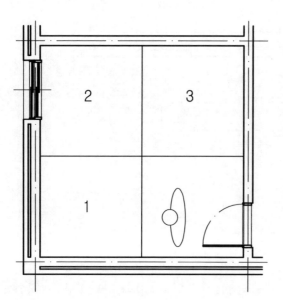

방에 사람이 들어가면 본능적으로 장애물이 있는지를 확인하기 위해 1 -> 2 -> 3으로 시야가 흐르게 된다.

그 말은
3 : 가장 프라이버시가 보호되는 곳
1 : 가장 프라이버시가 보호가 안되는 곳

3번에는 침대를 배치하며, 2번에는 조도가 좋으니 책상을 배치한다.
1번은 나머지 가구를 배치한다.

4. 계획 답안

<B 절취선

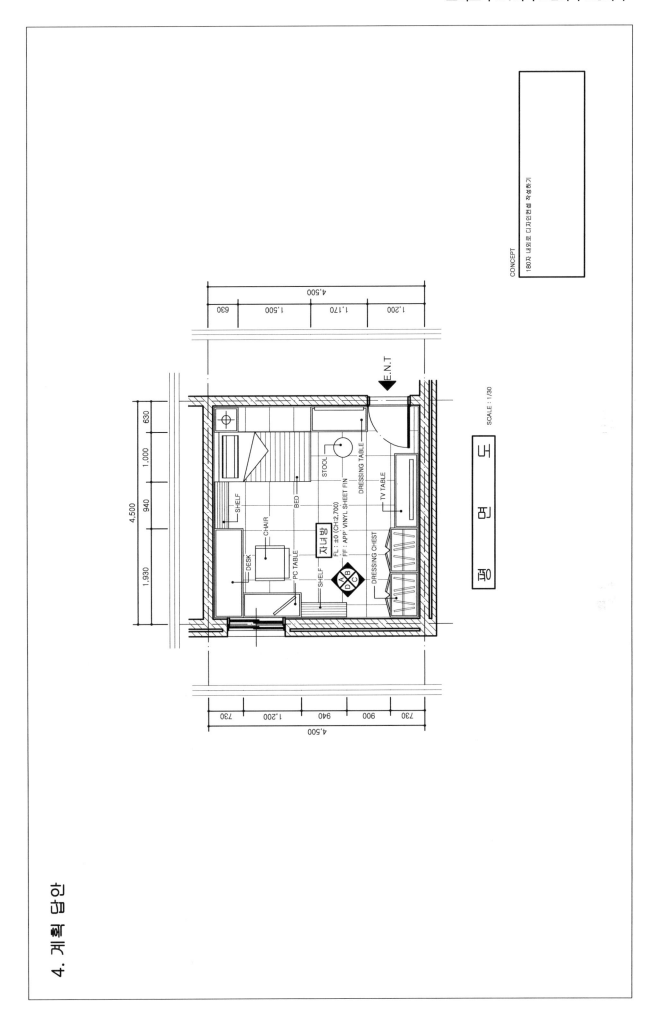

CONCEPT
180자 내외로 디자인컨셉 작성하기

평 면 도
SCALE : 1/30

자녀방
FL : ±0 (CH:2,700)
FF : APP' VINYL SHEET FIN

DESK
CHAIR
PC TABLE
SHELF
SHELF
BED
STOOL
DRESSING TABLE
DRESSING CHEST
TV TABLE
E.N.T

4,500
630 1,500 1,170 1,200
4,500
730 900 940 1,200 730
4,500
630 1,000 940 1,930

4. 계획 답안

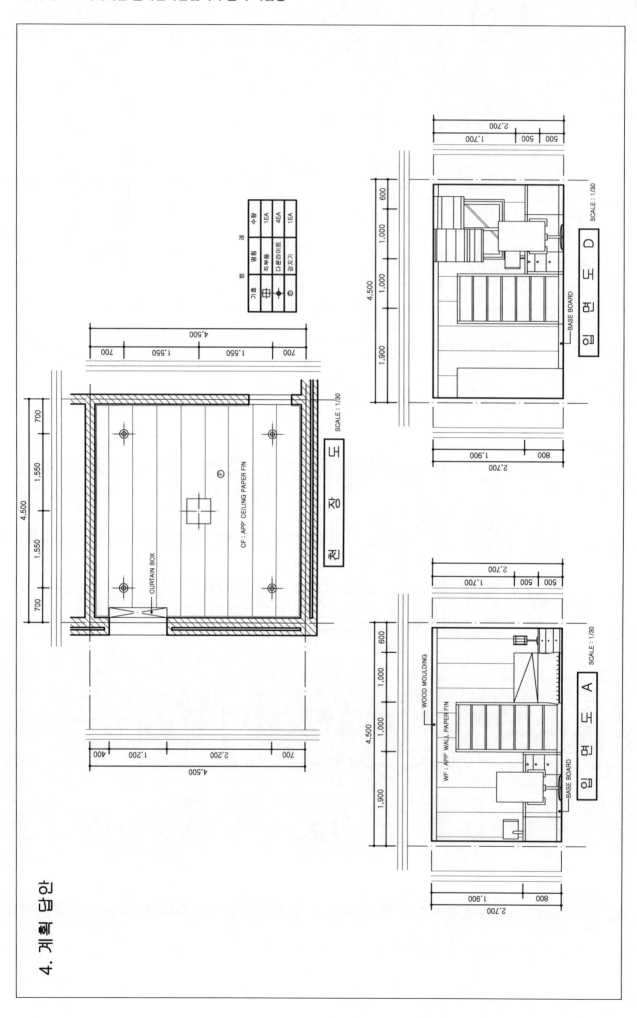

국 가 기 술 자 격 실 기 모 의 문 제

모의고사	실내건축산업기사	과제종류	주거공간
		과제번호	1
		과 제 명	부부침실

MEMO.

작 도 개 요

작 도 일			전체시간	시	분
평 면 도	시	분	입 면 도	시	분
천 장 도	시	분	투 시 도	시	분

국 가 기 술 자 격 실 기 시 험 문 제

자격종목	실내건축산업기사	과 제 명	부부침실

※ 시험시간 : 5시간 30분

1. 요구사항

※ 문제 도면은 신혼부부가 거주하는 원룸의 평면도이다. 다음 요구 조건에 맞게
   요구 도면을 작도하시오.

가. 요구조건
   1) 설계면적 : 9m x 4m x 2.4m(CH)
   2) 공간구성 및 집기
      - SEMI DOUBLE BED, 1~2인용 소파 및 테이블 세트, 옷장, 화장대 및 스툴
        식탁 및 의자
      (* 제시된 공간구성 및 집기는 필수적이며, 이외에 필요한 것이 있다면
        수험자가 임의로 추가할 수 있음)

나. 요구도면
   1) 평면도 (가구배치 및 바닥 마감재 표기) : 1/30 (SCALE)
   - 평면도 주변의 여유공간에 설계개요(DESIGN CONCEPT)를 200자 이내로
     서술하시오.
   2) 내부입면도 2면 (벽면재료 표시) : 1/30 (SCALE)
   3) 천장도 (설비, 조명기구 배치 및 범례표 작성, 천장마감재 표기) : 1/30 (SCALE)
   4) 실내 투시도 (채색작업 필수) : N/S (SCALE)
   - 계획의 포인트가 좋은 지점에서 1소점 또는 2소점 투시법으로 작성 및 작성과정
     의 투시보조선을 남길 것

2. 도 면

과제명	부부침실	SCALE	NONE SCALE

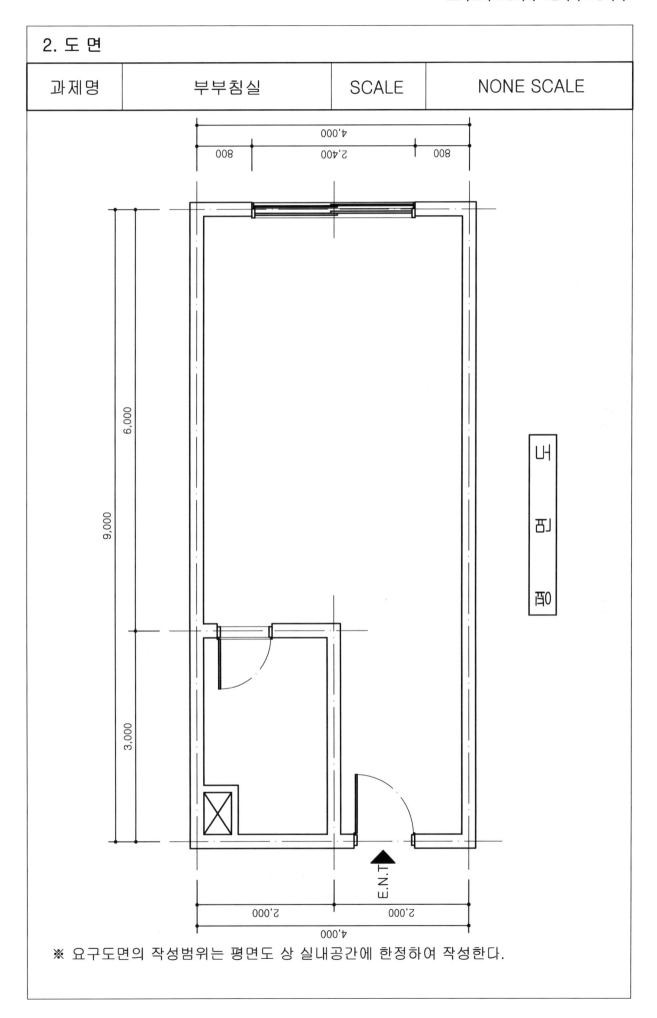

※ 요구도면의 작성범위는 평면도 상 실내공간에 한정하여 작성한다.

3. 풀이 방향

문제에 <원룸>이라는 단어가 나오면 우선 원룸의 무엇인지 알아야 한다.
원룸은 침실, 거실, 주방, 욕실, 현관의 5가지 실을 벽이 아닌 가구로 공간을 나누는 배치방식을 말한다.
다시 말해서 원룸 = 5개 공간을 구분해야 한다는 것이다.

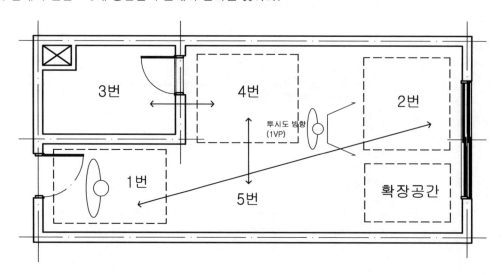

원룸의 공간계획 순서

1번(현관) : 현관문을 열고 사람이 들어서면 가장 먼저 마주하는 공간이다.
2번(침실) : 현관이 결정되면 현관에서 가장 멀리 떨어진 곳에 침실을 배치한다.
3번(욕실) : 이곳은 모두가 욕실이라고 생각할 것이니 넘어간다.
4번(주방) : 욕실과 근접하게 물쓰는 공간인 주방을 배치한다. 설비의 편의성을
           도모할 수 있다.
5번(거실) : 거실은 모든 공간을 연결해 주는 공간이다.
           현관에서 들어오면 바로 거실과 연결되야 한다.
           거실에서 주방과 욕실의 출입이 자유로워야 한다.
           마지막으로 외부인이 왔을때 침실이 아닌 거실에서 응접하기 위해선
           거실은 현관과 침실 사이에 있어야 한다.

각각의 공간에 맞는 가구를 배치하면 된다.

침실 옆에 싱크대가 있어도 되나?

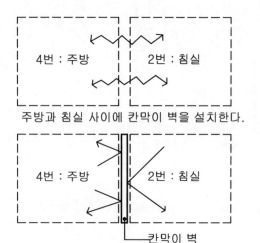

확장공간은 침실과 거실의 공간이 부족하면 영역을 확장해서 사용하도록 한다.

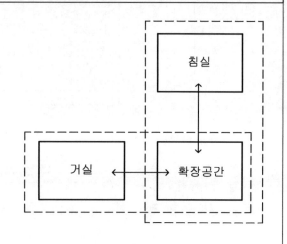

<B 절취선

4. 계획 답안

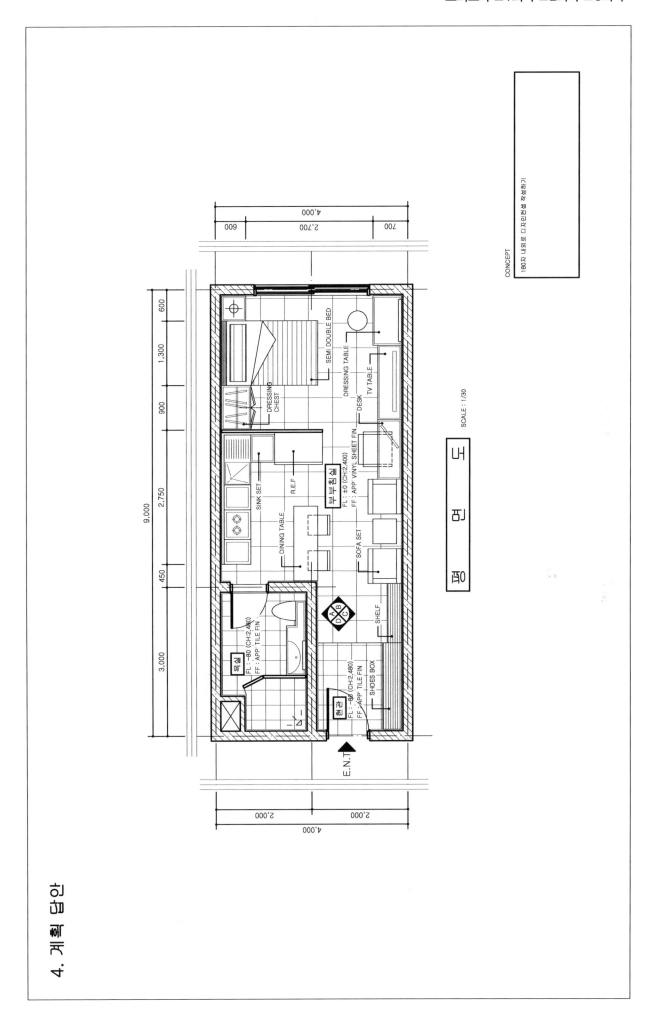

평 면 도

SCALE : 1/30

CONCEPT

180자 내외로 디자인컨셉 작성하기

4. 계획 답안

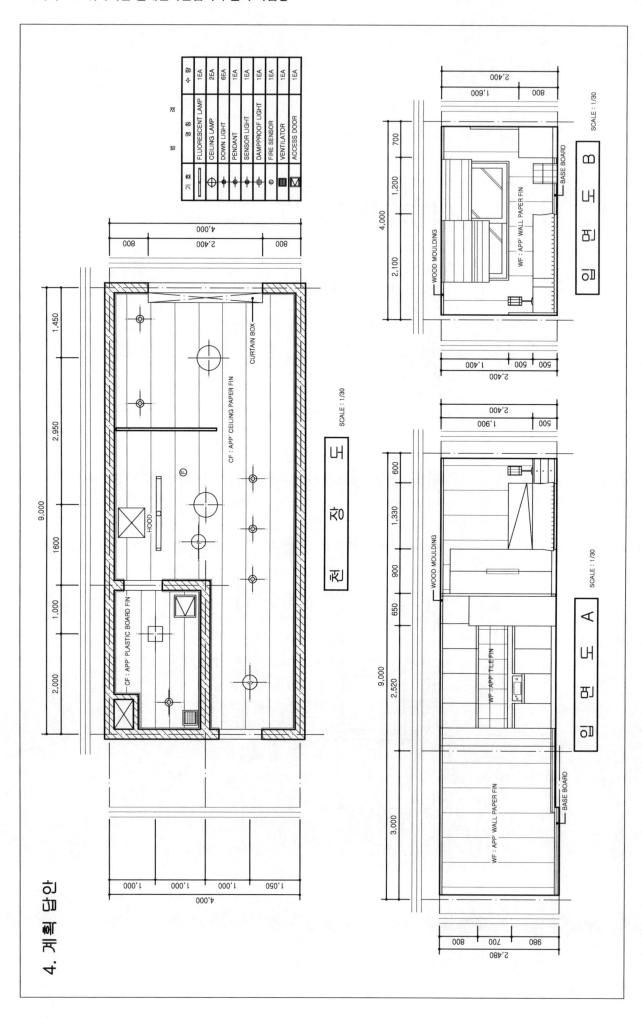

국 가 기 술 자 격 실 기 모 의 문 제

모의고사	실내건축산업기사	과제종류	주거공간
		과제번호	2
		과 제 명	오피스텔

MEMO.

작 도 개 요

작 도 일			전체시간	시	분
평 면 도	시	분	입 면 도	시	분
천 장 도	시	분	투 시 도	시	분

국 가 기 술 자 격 실 기 시 험 문 제

자격종목	실내건축산업기사	과 제 명	오피스텔

※ 시험시간 : 5시간 30분

1. 요구사항

※ 문제 도면은 전문직에 종사하는 독신이 거주하는 초고층 오피스텔의 평면도이 다. 다음 요구 조건에 맞게 요구 도면을 작도하시오.

가. 요구조건

  1) 설계면적 : 10.5m x 4.2m x 2.4m(CH)

  2) 공간구성 및 집기

    – 접이식 싱글 BED, 최소한의 주방집기, 2인용 식탁, 2인용 소파 세트, TV테이블, 수납가구, 신발장, 책상2개

    – 세탁실 : 세탁기, 보일러

    – 욕실

    (* 제시된 공간구성 및 집기는 필수적이며, 이외에 필요한 것이 있다면 수험자가 임의로 추가할 수 있음)

나. 요구도면

  1) 평면도 (가구배치 및 바닥 마감재 표기) : 1/30 (SCALE)

  – 평면도 주변의 여유공간에 설계개요(DESIGN CONCEPT)를 200자 이내로 서술하시오.

  2) 내부입면도 B방향 또는 D방향 1면 (벽면재료 표시) : 1/30 (SCALE)

  3) 천장도 (설비, 조명기구 배치 및 범례표 작성, 천장마감재 표기) : 1/30 (SCALE)

  4) 실내 투시도 (채색작업 필수) : N/S (SCALE)

  – 계획의 포인트가 좋은 지점에서 1소점 또는 2소점 투시법으로 작성 및 작성과정 의 투시보조선을 남길 것

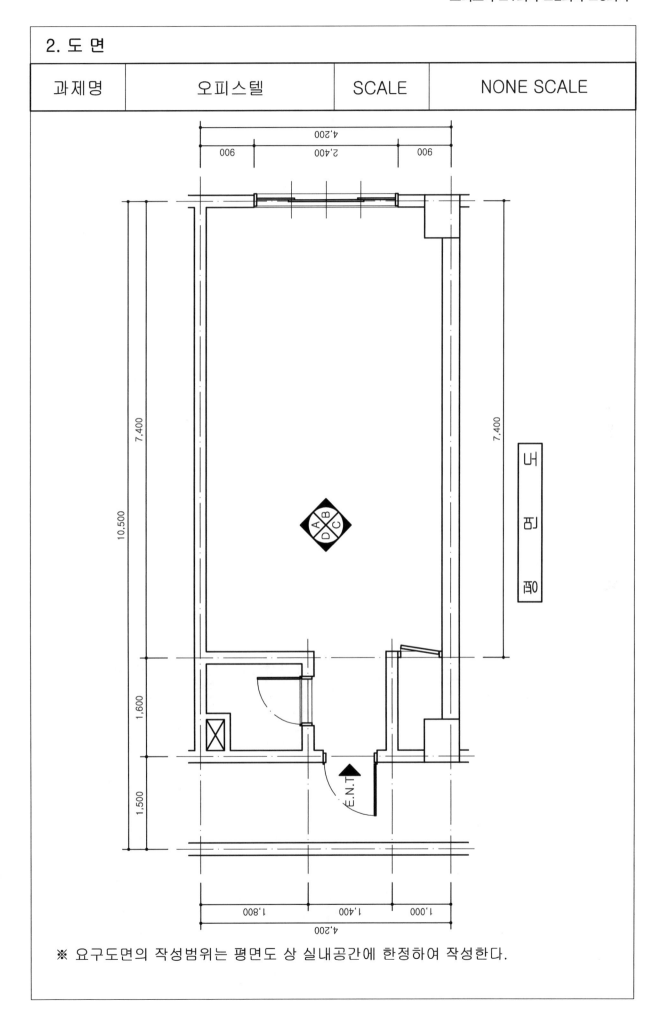

3. 풀이 방향

문제에 <원룸>이 라는단어는 나오지 않았지만 도면을 보면 원룸인 것을 알 수 있다.
침실, 거실, 주방, 욕실, 현관의 5가지 실을 떠올려라!
이번 문제에는 별도로 세탁실이 들어 있다. 초고층이란 말도 있으니 스프링클러를 계획
해야 한다.

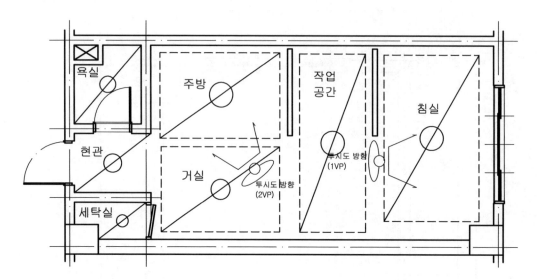

조명계획을 해보도록 하겠다.

1) 공간을 일단 나누자!
2) 중심에 메인조명을 설치하자(현관은 센서등, 욕실은 방습등, 세탁실은 매립등)
3) 서브조명을 설치하자
   (싱크대 -> 형광등, 식탁 -> 펜던트, 책상 위 -> 형광등)
4) 소방설비를 넣자
   (욕실->환기구&점검구, 거실->감지기, 세탁실->감지기,환기구,점검구)
5) 욕실을 제외한 모든 곳에 스프링클러 계획

침실을 계획해 보자.

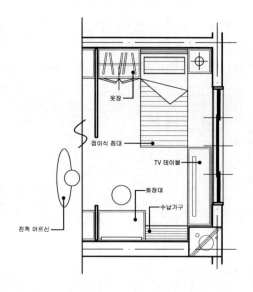

1단계 - 침대의 옆면은 벽에 붙으면 안되니 일단
         나이트테이블과 침대는 세트다.
2단계 - 침대를 북축배치인가? 남축배치인가? 했을 때
         당연히 북측이 프라이버시가 좋다.
         칸막이 벽으로 사생활이 보호 되기 때문이다.
3단계 - 옷장과 화장대의 위치를 바꾸면 어떨까?
         친척어르신이 그림과 같은 위치에
         서 계신다고 생각해보자.
         어르신이 보시는 자리에서 화장은 할 수 있지만
         옷을 갈아입기는 좀 어색하지 않을까?

결론 - 옷장이 화장대보다 프라이버시가 보호되어야
        하는 가구이니 칸막이 벽 뒤가 좋을 듯 하다.

> B 절취선

4. 계획 답안

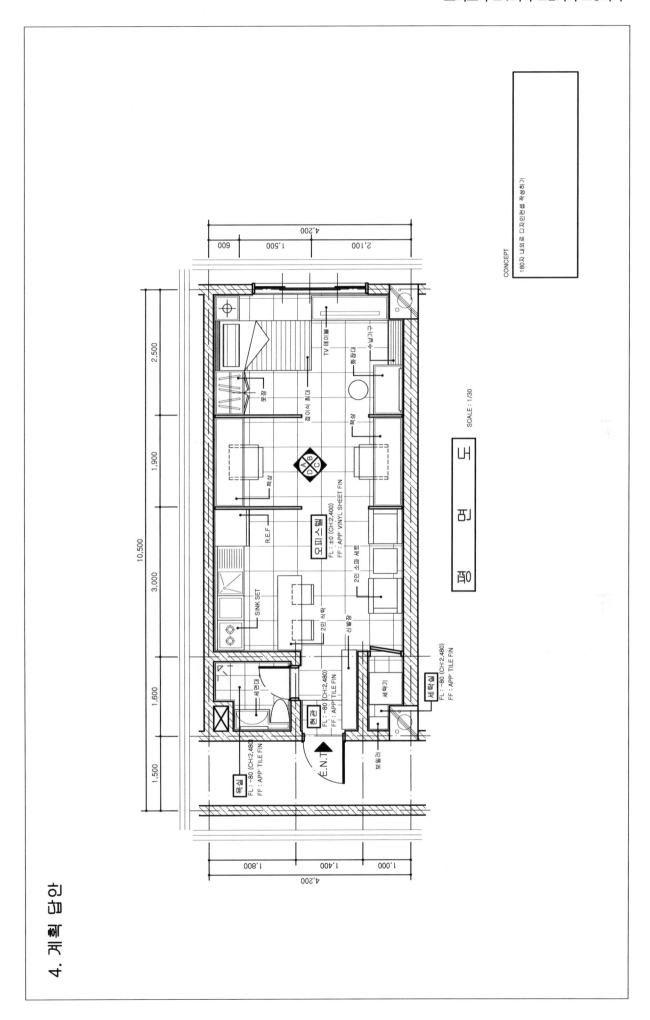

4. 계획 답안

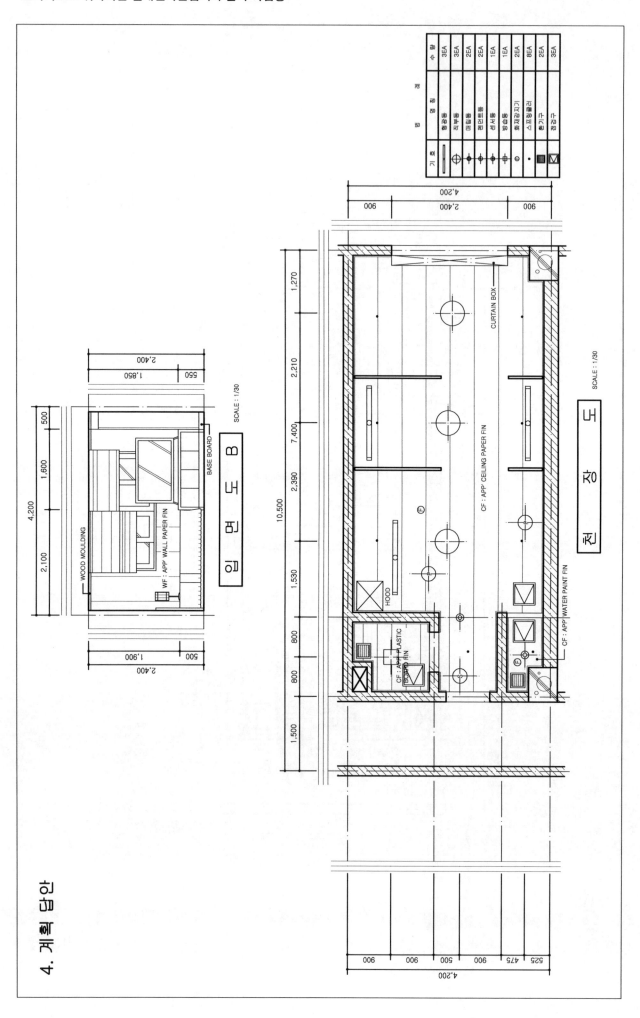

국 가 기 술 자 격 실 기 모 의 문 제

모의고사	실내건축산업기사	과제종류	주거공간
		과제번호	3
		과 제 명	주거형 오피스텔

MEMO.

작 도 개 요

작 도 일			전체시간	시	분
평 면 도	시	분	입 면 도	시	분
천 장 도	시	분	투 시 도	시	분

국 가 기 술 자 격 실 기 시 험 문 제

자격종목	실내건축산업기사	과 제 명	주거형 오피스텔

※ 시험시간 : 5시간 30분

1. 요구사항

※ 문제 도면은 전문직의 30대 부부가 거주하는 고층의 오피스텔의 평면도이다.
다음 요구 조건에 맞게 요구 도면을 작도하시오.

가. 요구조건

1) 설계면적 : 10.2m x 5.4m x 2.4m(CH)

2) 공간구성 및 집기

- 침실공간 및 작업공간 : 트윈베드, 나이트 테이블, 작업대(1.5m x 1m)의자포함,
붙박이장, 화장대, 서랍장, 장식장, 신발장

- 주방공간 : 싱크세트 및 냉장고

- 욕실공간

(* 제시된 공간구성 및 집기는 필수적이며, 이외에 필요한 것이 있다면
수험자가 임의로 추가할 수 있음)

나. 요구도면

1) 평면도 (가구배치 및 바닥 마감재 표기) : 1/30 (SCALE)

- 평면도 주변의 여유공간에 설계개요(DESIGN CONCEPT)를 200자 이내로
서술하시오.

2) 내부입면도 A방향 1면 (벽면재료 표시) : 1/30 (SCALE)

3) 천장도 (설비, 조명기구 배치 및 범례표 작성, 천장마감재 표기) : 1/30 (SCALE)

4) 실내 투시도 (채색작업 필수) : N/S (SCALE)

- 계획의 포인트가 좋은 지점에서 1소점 또는 2소점 투시법으로 작성 및 작성과정
의 투시보조선을 남길 것

>B 절취선

2. 도 면

과제명	주거형 오피스텔	SCALE	NONE SCALE

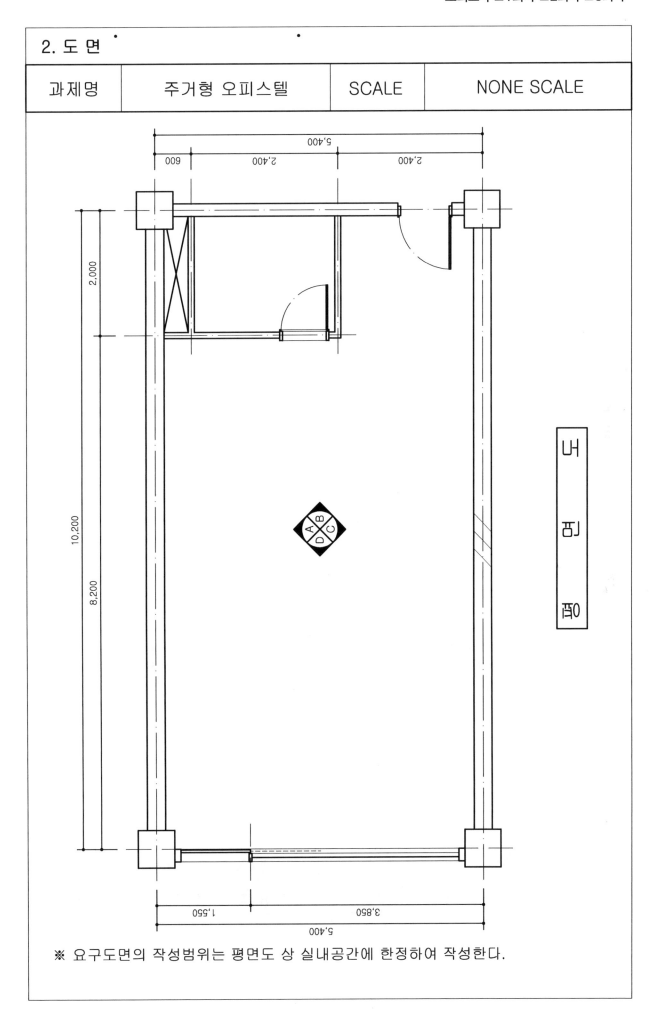

※ 요구도면의 작성범위는 평면도 상 실내공간에 한정하여 작성한다.

3. 풀이 방향

이번 문제도 원룸이라는 단어가 없다!
하지만! 도면을 보면 원룸이니 원룸계획을 한다.
초고층이란 말이 있으니 나중에 스프링 클러 계획을 해야 되고, 오피스텔이란 단어가
있으니 천장도 설비계획이 원룸이 아닌 오피스텔을 따라야 할 것이다.

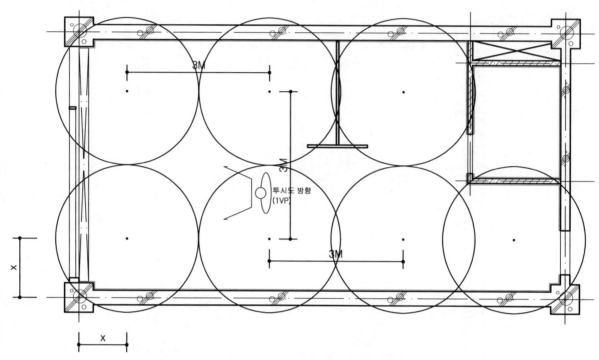

벽에서 첫 스프링클러와 떨어지는 거리(x)는 1.5M를 넘어서는 안된다.

스프링클러 배치규칙

스프링클러 배치법에 대해 알아보자
스피링클러는 3M 마다 1개씩 계획!
그말은 1개의 스프링클러가 커버할 수
있는 반경은 1.5M라는 것이다.

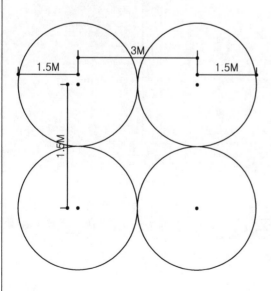

스프링클러 2개로 해결될 공간에 중간의 칸막이 벽이 있다면?

칸막이 벽 너머로 빗금친 부분에 화재 시
소화가 안되기 때문에 별도로 추가해야 한다.

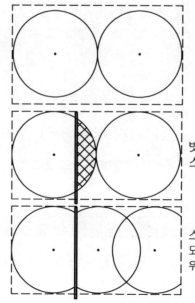

빗금친 부분때문에
스프링클러 1개가 추가

스프링클러 1개가 추가
되었으니 균등하게
위치를 변경한다.

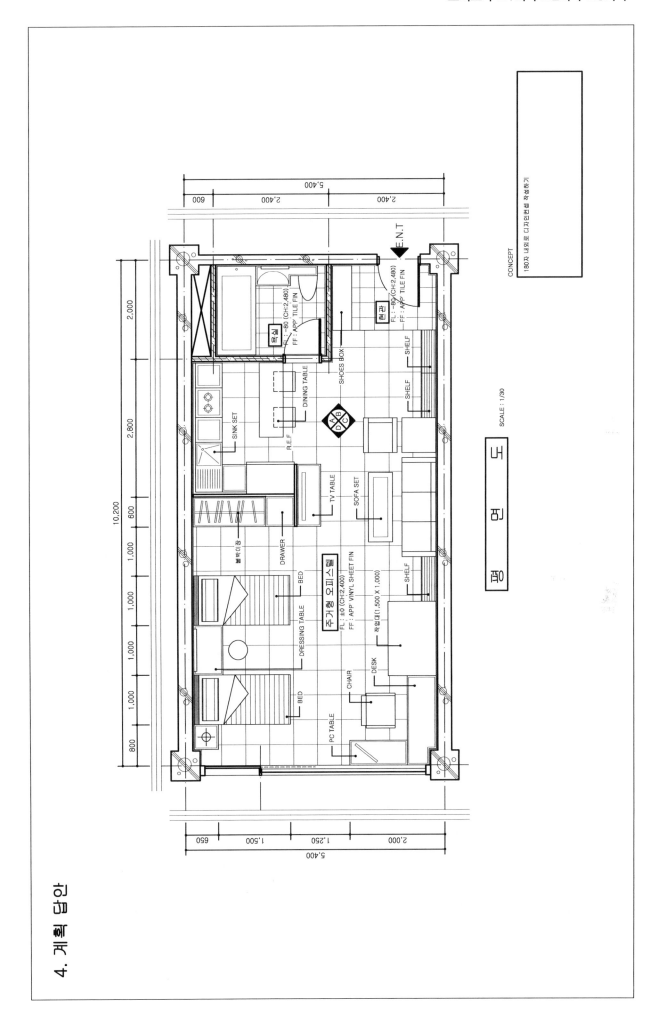

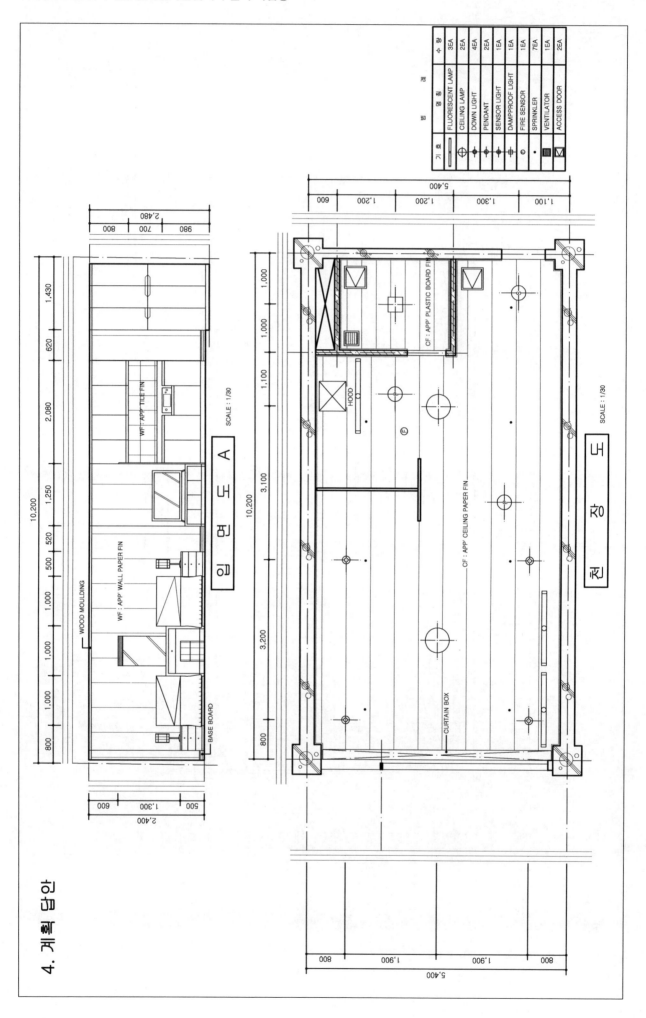

4. 계획 답안

기호	명칭	수량
	FLUORESCENT LAMP	3EA
	CEILING LAMP	2EA
	DOWN LIGHT	4EA
	PENDANT	2EA
	SENSOR LIGHT	1EA
	DAMPPROOF LIGHT	1EA
	FIRE SENSOR	1EA
	SPRINKLER	7EA
	VENTILATOR	1EA
	ACCESS DOOR	2EA

B 절취선

입 면 도 A   SCALE : 1/30

천 장 도   SCALE : 1/30

WF : APP' TILE FIN
WF : APP' WALL PAPER FIN
WOOD MOULDING
BASE BOARD

CF : APP' PLASTIC BOARD FIN
CF : APP' CEILING PAPER FIN
HOOD
CURTAIN BOX

국 가 기 술 자 격 실 기 모 의 문 제

모의고사	실내건축산업기사	과제종류	주거공간
		과제번호	4
		과 제 명	독신자 A.P.T

MEMO.

작 도 개 요

작 도 일			전체시간	시	분
평 면 도	시	분	입 면 도	시	분
천 장 도	시	분	투 시 도	시	분

국 가 기 술 자 격 실 기 시 험 문 제

자격종목	실내건축산업기사	과 제 명	독신자 A.P.T

※ 시험시간 : 5시간 30분

1. 요구사항

※ 문제 도면은 40대 독신이 거주하는 독신자형 아파트의 평면도이다. 다음 요구
조건에 맞게 요구 도면을 작도하시오.

가. 요구조건

1) 설계면적 : 9.1m x 4.2m x 2.4m(CH)

2) 공간구성 및 집기

- 싱글베드, 소파세트, TV테이블, 플로어스텐드, 싱크세트, 식탁, 냉장고,
욕조, 세면대, 양변기, 신발장

(* 제시된 공간구성 및 집기는 필수적이며, 이외에 필요한 것이 있다면
수험자가 임의로 추가할 수 있음)

나. 요구도면

1) 평면도 (가구배치 및 바닥 마감재 표기) : 1/30 (SCALE)

- 평면도 주변의 여유공간에 설계개요(DESIGN CONCEPT)를 200자 이내로
서술하시오.

2) 내부입면도 2면 (벽면재료 표시) : 1/30 (SCALE)

3) 천장도 (설비, 조명기구 배치 및 범례표 작성, 천장마감재 표기) : 1/30 (SCALE)

4) 실내 투시도 (채색작업 필수) : N/S (SCALE)

- 계획의 포인트가 좋은 지점에서 1소점 또는 2소점 투시법으로 작성 및 작성과정
의 투시보조선을 남길 것

A/B 절취선

2. 도 면

과제명	독신자 A.P.T	SCALE	NONE SCALE

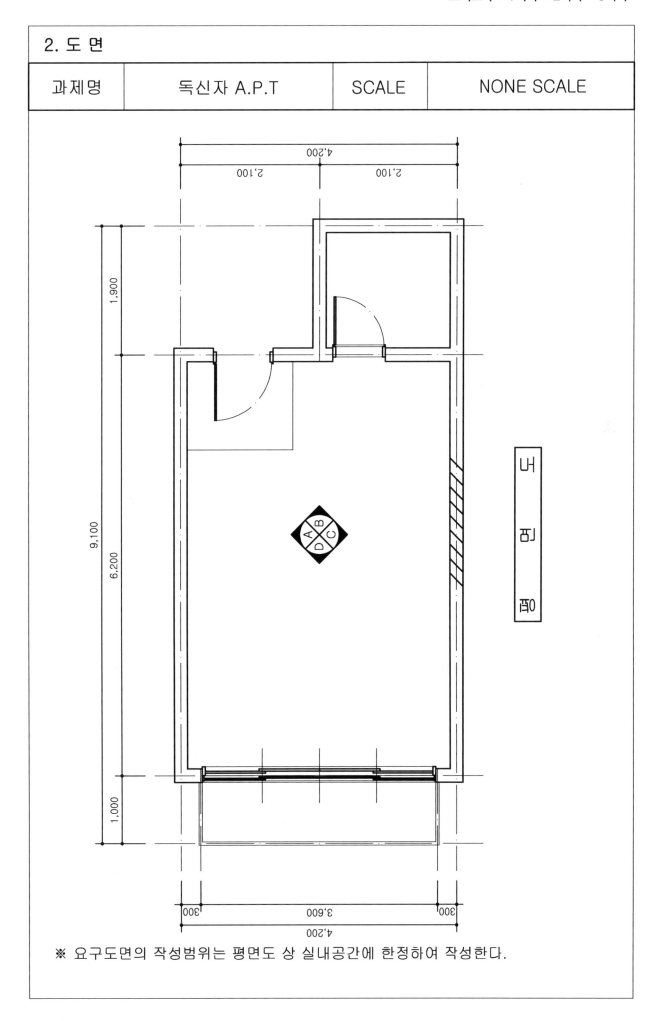

※ 요구도면의 작성범위는 평면도 상 실내공간에 한정하여 작성한다.

3. 풀이 방향

이번 문제에서는 원룸이라는 단어가 없다!
하지만! 도면을 보면 원룸이다. 문제가 어려워질 수록 문제에 직접적인 단어는 주어지
지 않는다.

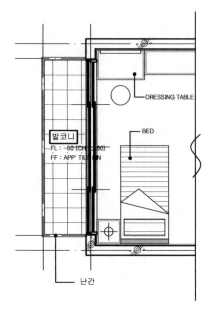

발코니를 살펴보자

발코니의 경계선이 2줄로 확인되는가?
벽이 아닌 난간이란 소리다.

그 말은 발코니는 외부인 것인다.
눈이 오면 눈이 쌓이는 외부 말이다.

그렇기 때문에 바닥마감은 타일로 해야하고, 벽과 천장은 수성
페인트 마감을 해야한다.
바닥레벨은 화장실처럼 내려야 한다.

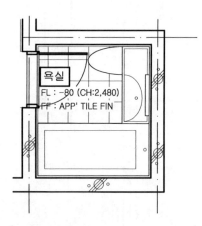

이번문제에는 욕조가 나왔다.

요즘세상에 무슨 욕죠냐! 샤워부스로 바꿀테다!
하면 감점이다.
요구조건을 어겼기 때문이다.
그렇다고 욕조를 넣자니 욕조 사이즈도 안나오는
좁은 욕실이다.
좁으면 좁은데로 그냥 우겨넣도록 하자.
시험에서 요구하는 것은 어떻해서든 넣어야 한다.

변기는 벽쪽으로 붙이자!
문의 반경에 걸려서 변기를 못그리는 경우가
생긴다면 아래의 변기도 있으니 참고하길 바란다.

 TYPE - 1

 TYPE - 2

 TYPE - 3

4. 계획 답안

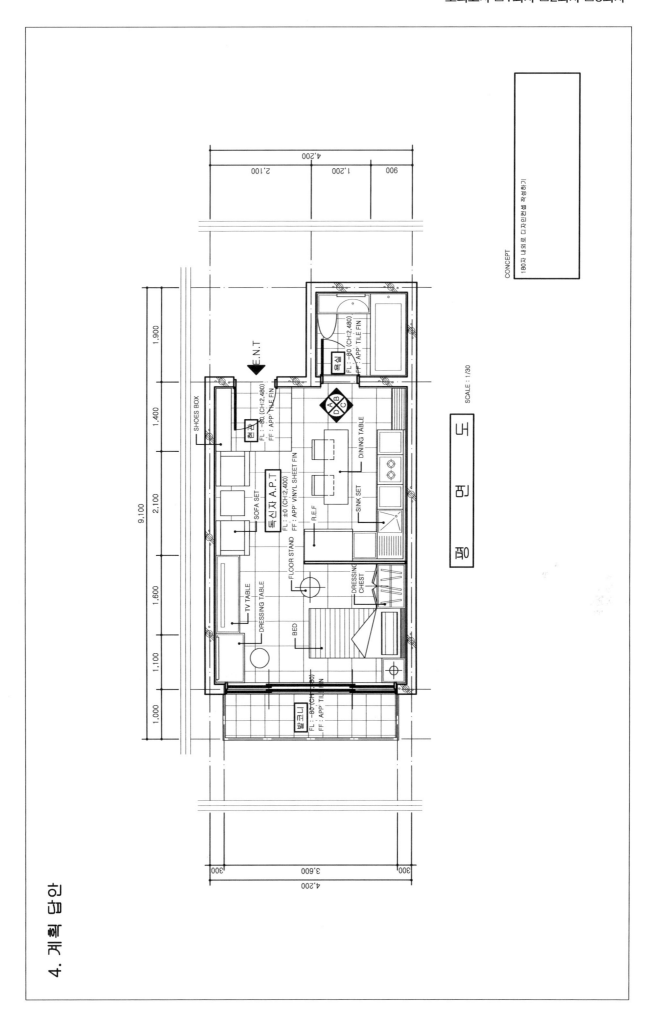

평 면 도

SCALE : 1/30

CONCEPT

180자 내외로 디자인컨셉 작성하기

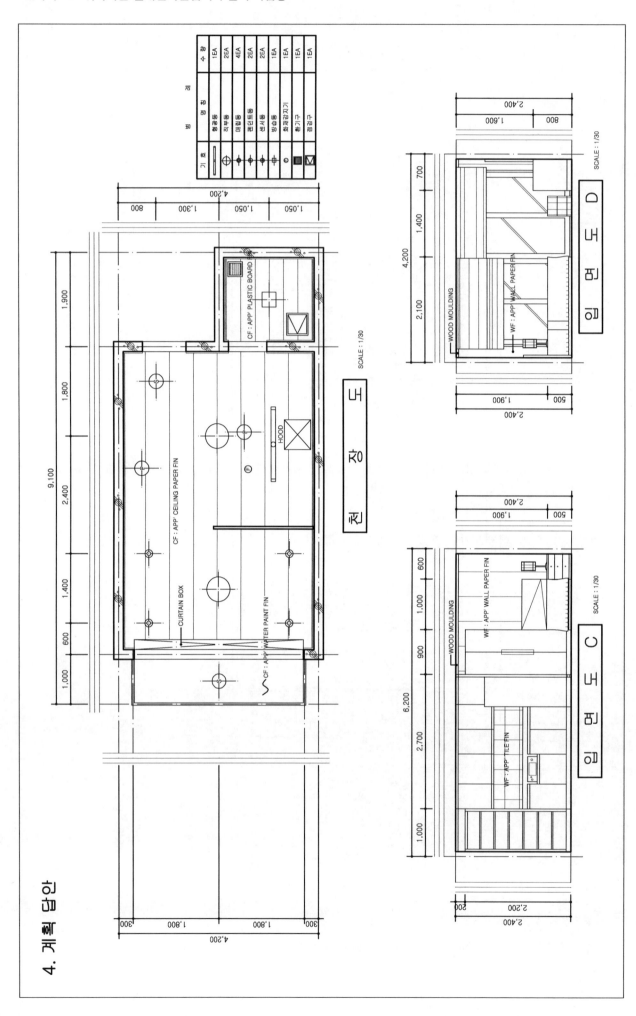

>B 절취선

국 가 기 술 자 격 실 기 모 의 문 제

모의고사	실내건축산업기사	과제종류	숙박공간
		과제번호	5
		과 제 명	호텔 트윈 베드룸

MEMO.

작 도 개 요

작 도 일			전체시간	시 분
평 면 도	시	분	입 면 도	시 분
천 장 도	시	분	투 시 도	시 분

국 가 기 술 자 격 실 기 시 험 문 제

자격종목	실내건축산업기사	과 제 명	호텔 트윈 베드룸

※ 시험시간 : 5시간 30분

1. 요구사항

※ 문제 도면은 호텔 객실의 평면도이다. 다음 요구 조건에 맞게 요구 도면을 작도하시오.

가. 요구조건

  1) 설계면적 : 7.4m x 3.8m x 2.5m(CH)

  2) 공간구성 및 집기

   – 침실 : BED, NIGHT TABLE, EASY CHAIR SET, TEA TABLE, TV TABLE, FLOOR STAND, DRESSING CHEST, DRAWER, DRESSING TABLE, STOOL, BAGGAGE RACK

   – 욕실 : 욕조, 세면기, 변기

   (* 제시된 공간구성 및 집기는 필수적이며, 이외에 필요한 것이 있다면 수험자가 임의로 추가할 수 있음)

나. 요구도면

  1) 평면도 (가구배치 및 바닥 마감재 표기) : 1/30 (SCALE)

  – 평면도 주변의 여유공간에 설계개요(DESIGN CONCEPT)를 200자 이내로 서술하시오.

  2) 내부입면도 2면 (벽면재료 표시) : 1/30 (SCALE)

  3) 천장도 (설비, 조명기구 배치 및 범례표 작성, 천장마감재 표기) : 1/30 (SCALE)

  4) 실내 투시도 (채색작업 필수) : N/S (SCALE)

  – 계획의 포인트가 좋은 지점에서 1소점 또는 2소점 투시법으로 작성 및 작성과정의 투시보조선을 남길 것

2. 도 면

과제명	호텔 트윈 베드룸	SCALE	NONE SCALE

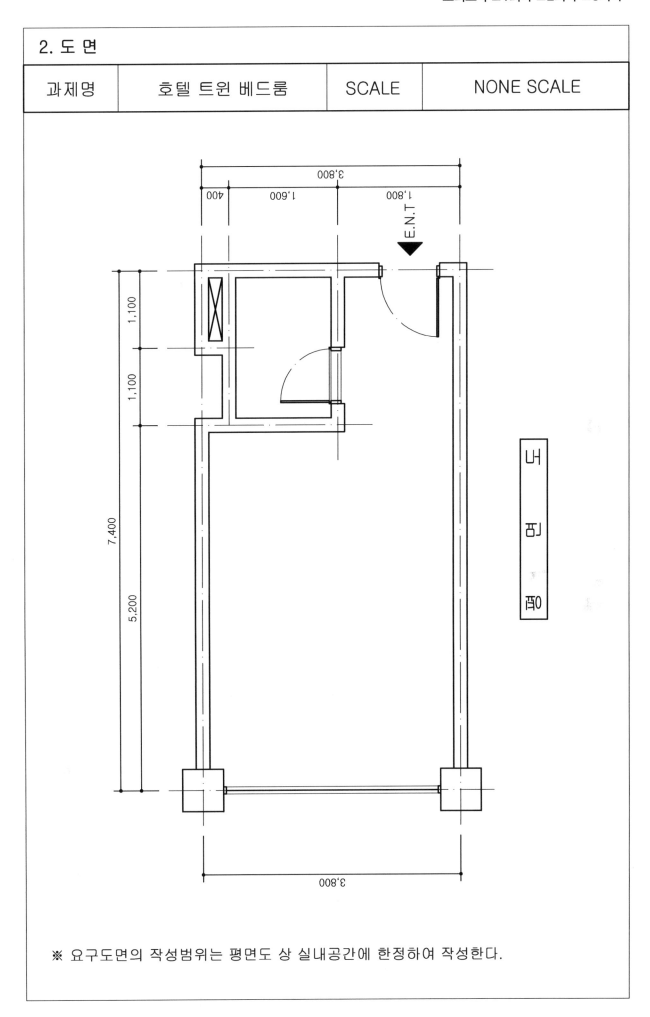

※ 요구도면의 작성범위는 평면도 상 실내공간에 한정하여 작성한다.

3. 풀이 방향

과제명이 호텔 트윈 베드룸이다. 그말은 침대는 2개있는 호텔이란 이야기이다.
요구조건에 별도로 침대의 수량을 써주지 않은 이유는 과제명에서 알려주었기 때문이다.

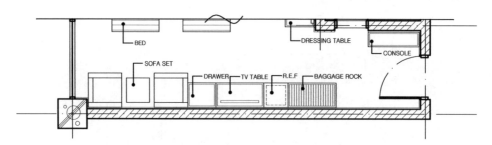

호텔이 나왔다면 가장 중요한 것은 바로 호텔 전용 가구배치다.
출입구를 기준으로 주변에 콘솔이 들어가고,
한 쪽벽은 수화물대, 냉장고, TV테이블, 서랍장이 순차적으로 들어가면 된다.

플로어 스텐드(FLOOR STAND)가 뭘까?

사람 키 만한 스텐드를 의미한다.
나이트램프는 나이트 테이블 위에 있어야 하지만 플로어스텐드는
바닥에 세우면 되기 때문에 편한 곳에 놓으면 된다.

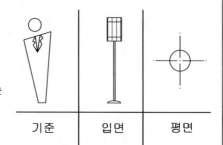

| 기준 | 입면 | 평면 |

CONCEPT은 어떻게 쓸까?

아직도 고민하는가?
풀이방향이 곧 설계방향이고, 설계방향이 곧 컨셉(CONCEPT)이다.

창의 높이는 어떻게 될까?

발코니는 없지만 열리지 않는 창인 고정창이니 창의 크기는 자유롭게 할 수 있다.

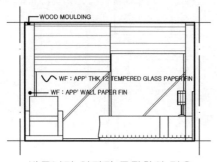

발코니가 없지만 고정창의 경우
혹은
발코니가 있으며 미서기 창의 경우

발코니가 없지만 미서기 창의 경우

4. 계획 답안

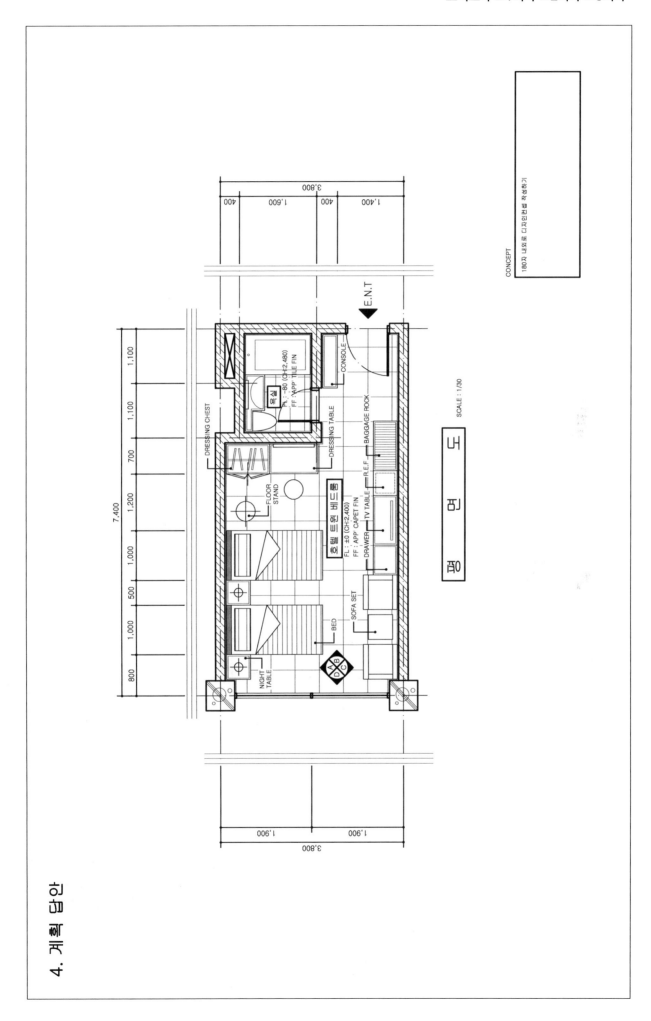

평 면 도

SCALE : 1/30

CONCEPT

180자 내외로 디자인컨셉 작성하기

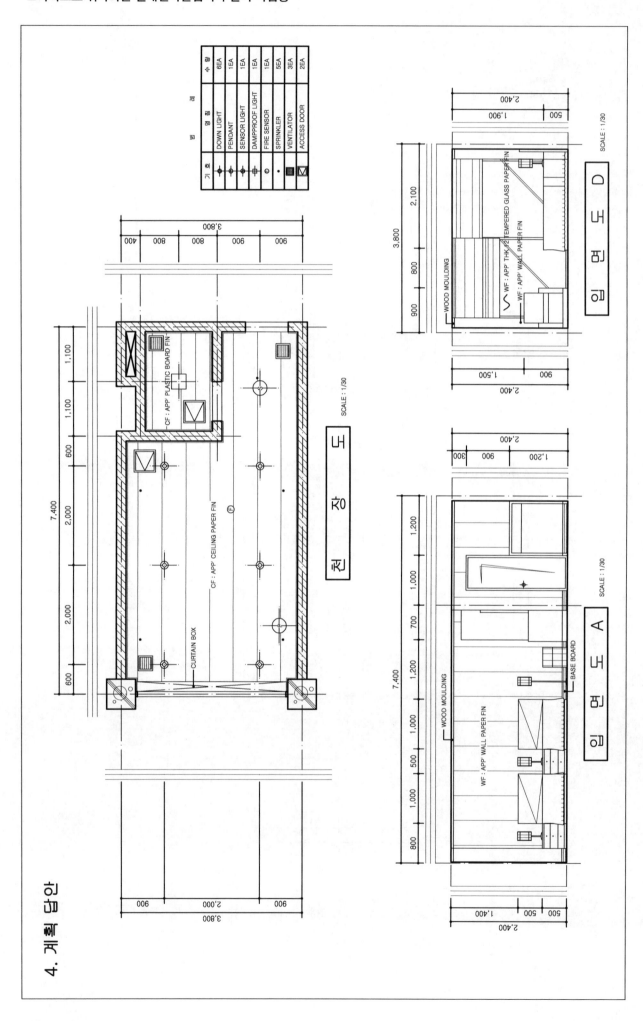

4. 계획 단안

기호	명칭	수량
✕	DOWN LIGHT	6EA
◆	PENDANT	1EA
●	SENSOR LIGHT	1EA
⊡	DAMPPROOF LIGHT	1EA
○	FIRE SENSOR	1EA
▪	SPRINKLER	5EA
▦	VENTILATOR	3EA
▽	ACCESS DOOR	2EA

천 장 도

SCALE : 1/30

CF : APP PLASTIC BOARD FIN

CF : APP' CEILING PAPER FIN

CURTAIN BOX

입 면 도 D

SCALE : 1/30

WOOD MOULDING

WF : APP THK 12 TEMPERED GLASS PAPER FIN

WF : APP' WALL PAPER FIN

입 면 도 A

SCALE : 1/30

WOOD MOULDING

WF : APP' WALL PAPER FIN

BASE BOARD

B 절취선

204

국 가 기 술 자 격 실 기 모 의 문 제

모의고사	실내건축산업기사	과제종류	업무공간
		과제번호	6
		과제명	벤처 오피스

MEMO.

작 도 개 요

작 도 일			전체시간	시 분	
평 면 도	시	분	입 면 도	시	분
천 장 도	시	분	투 시 도	시	분

국 가 기 술 자 격 실 기 시 험 문 제

자격종목	실내건축산업기사	과 제 명	벤처 오피스

※ 시험시간 : 5시간 30분

1. 요구사항

※ 문제 도면은 중심상업지역에 위치한 오피스텔 건물의 소규모 벤처 사무실 용
도로 사용하는 공간의 평면도이다. 다음 요구 조건에 맞게 요구 도면을 작도
하시오.

가. 요구조건
  1) 설계면적 : 8.4m x 4.2m x 2.4m(CH)
  2) 구성원 : 창업자 2인, 사원 2인
  3) 공간구성 및 집기
    - OPEN OFFICE PLAN으로 주거용 오피스텔은 아니며 화장실 및 SINK위치는
      유지한다.
    - 사무용 테이블 세트, 회의용 테이블 세트, 보조 테이블, 책장 및 수납장
    - 복사기, 프린터, FAX기기
    - 화장실은 주어진 공간에 양변기, 세면대, 기타집기
    - 팬코일 유닛 공간은 냉,난방을 위한 설비공간으로 (0.45m(폭) x 0.8m(높이))
      창문에 위치하며, 가구 및 집기를 놓지 않는다.
    (* 제시된 공간구성 및 집기는 필수적이며, 이외에 필요한 것이 있다면
      수험자가 임의로 추가할 수 있음)

나. 요구도면
  1) 평면도 (가구배치 및 바닥 마감재 표기) : 1/30 (SCALE)
  - 평면도 주변의 여유공간에 설계개요(DESIGN CONCEPT)를 200자 이내로
    서술하시오.
  2) 내부입면도 B방향 1면 (벽면재료 표시) : 1/30 (SCALE)
  3) 천장도 (설비, 조명기구 배치 및 범례표 작성, 천장마감재 표기) : 1/30 (SCALE)
  4) 실내 투시도 (채색작업 필수) : N/S (SCALE)
  - 계획의 포인트가 좋은 지점에서 1소점 또는 2소점 투시법으로 작성 및 작성과정
    의 투시보조선을 남길 것

2. 도 면

과제명	벤처 오피스	SCALE	NONE SCALE

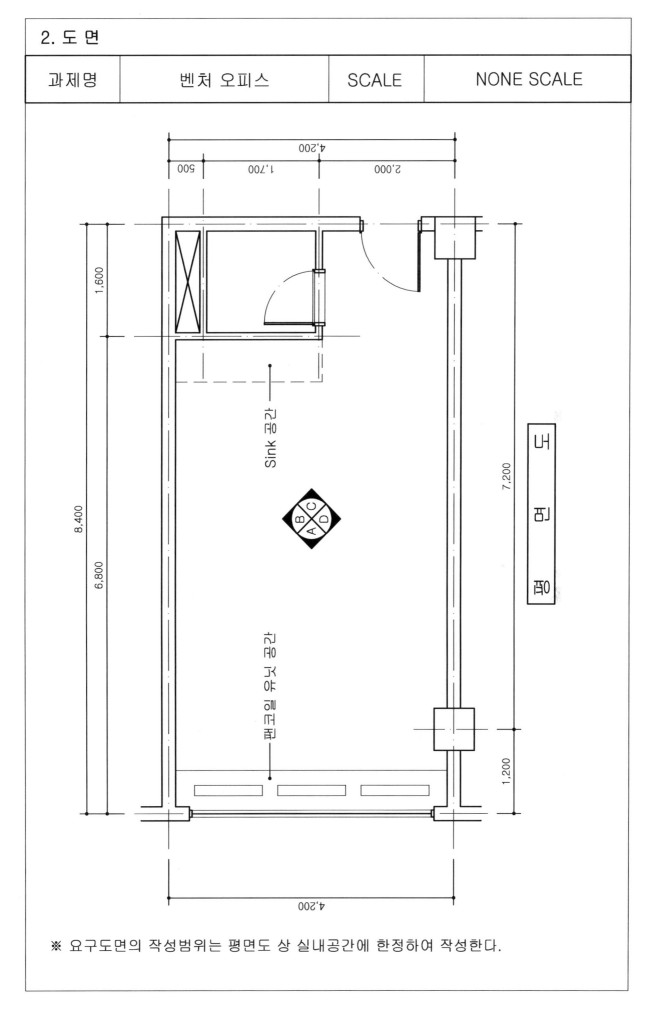

※ 요구도면의 작성범위는 평면도 상 실내공간에 한정하여 작성한다.

3. 풀이 방향

이번과제는 주거용 오피스텔을 상업용 업무공간으로 변경하여 사용한다고 생각하자.
현관이 있어야 하나? 없어야 하나는 크게 중요하지 않다.

팬코일 유닛 공간이란?

쉽게 생각하면 학교교실의 창가쪽에 위치한 라디에이터라고 생각하면 된다.
이 곳은 건물전체의 난방장치이니 가구배치를 하면 안 된다.

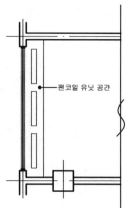

벽의 재료는 무엇일까?

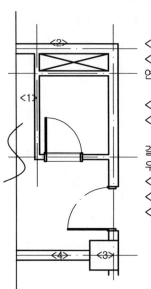

<1>은 벽의 두께가 100MM
<2>은 200MM이며,
연결되어 있다.

<3>은 기둥이고
<4>와 연결되어 있지 않다.

결론!
우선 확실한 답을 기준으로 잡아간다.
<3>기둥이니 콘크리트
<1>은 100MM이니 조적,
<2>,<4>은 조적일 수밖에 없다.

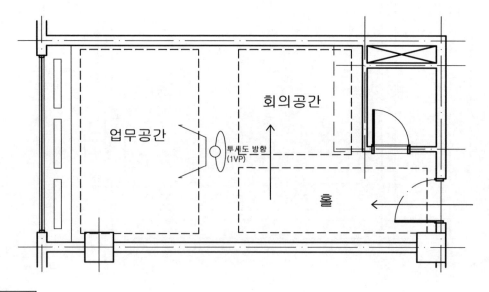

계획방법

사무실의 계획방법이다.
업무공간 : 이 공간의 주된 사용자이다. 가장 좋은 자리에 배치한다.
회의공간 : 회의공간은 내부회의, 외부인이 참석하는 외부회의로 구분한다면
　　　　　홀과 주방이 인접한다면 좋을 것이다.
홀 : 외부인이 방문시 우선 대기하는 공간으로 출입구와 화장실이 인접하면 좋을 것이다.

4. 계획 답안

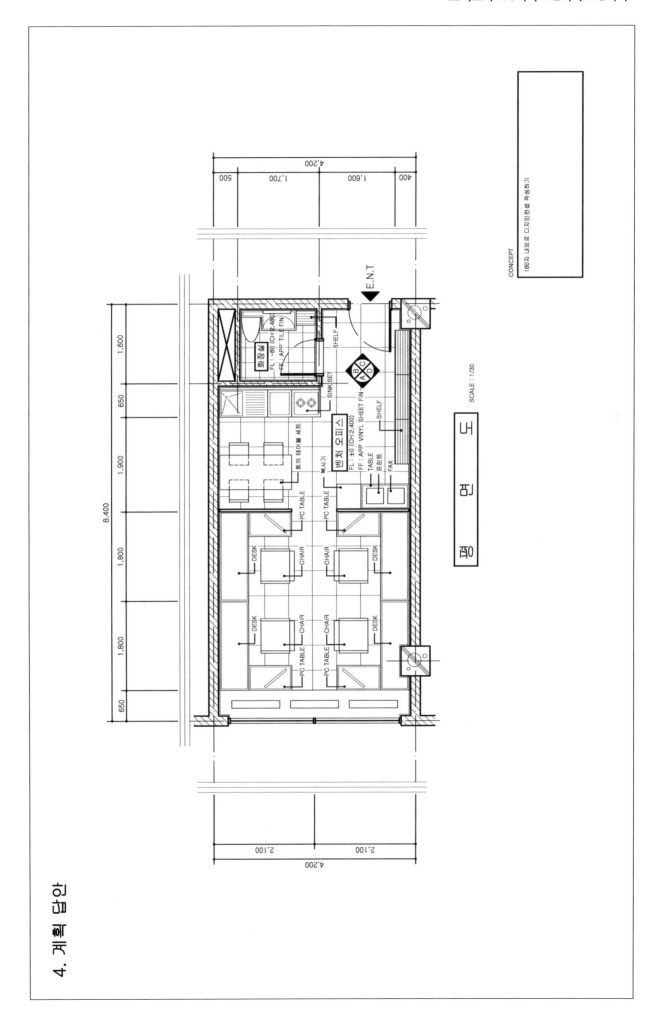

평 면 도

SCALE : 1/30

CONCEPT
180자 내외로 디자인컨셉 작성하기

E.N.T

벤처 오피스
FL : ±0 (CH:2,400)
FF : APP' VINYL SHEET FIN'

화장실
FL : -80 (CH:2,480)
FF : APP' TILE FIN'

SHELF
SINKSET
회의 테이블 세트
복사기
PC TABLE
DESK
CHAIR
TABLE
프린트
FAX
SHELF

4,200
500
1,700
1,600
400

8,400
1,600
650
1,900
1,800
1,800
650

4,200
2,100
2,100

4. 계획 답안

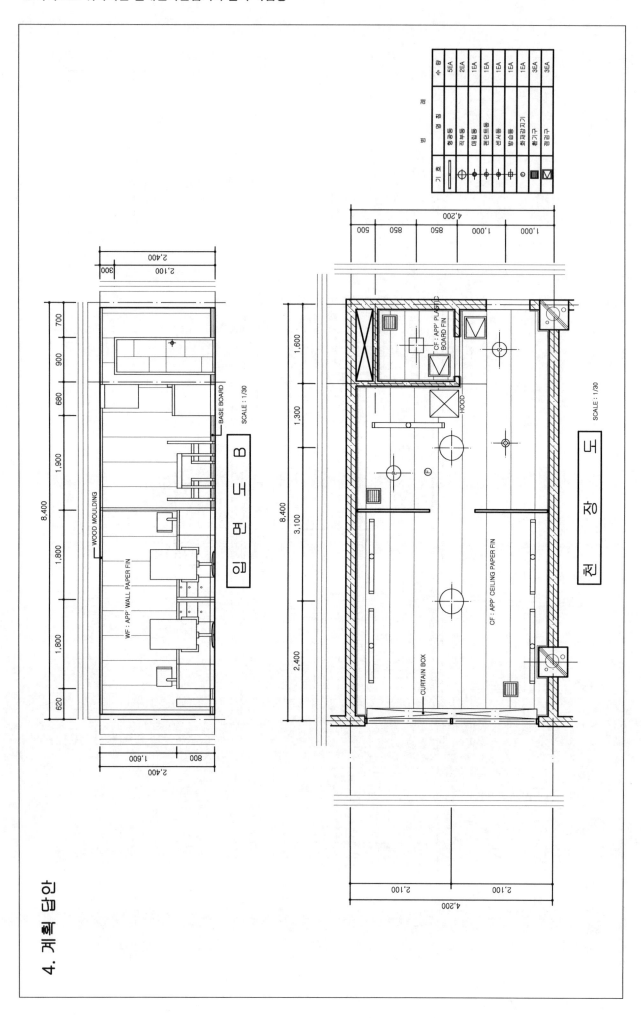

국 가 기 술 자 격 실 기 모 의 문 제

모의고사	실내건축산업기사	과제종류	상업공간
		과제번호	7
		과 제 명	아동의류매장

MEMO.

작 도 개 요

작 도 일			전체시간	시	분
평 면 도	시	분	입 면 도	시	분
천 장 도	시	분	투 시 도	시	분

국 가 기 술 자 격 실 기 시 험 문 제

자격종목	실내건축산업기사	과 제 명	아동의류매장

※ 시험시간 : 5시간 30분

1. 요구사항

※ 문제 도면은 번화가에 위치한 아동의류 전문매장의 평면도이다. 다음 요구 조건에 맞게 요구 도면을 작도하시오.

가. 요구조건

1) 설계면적 : 5.5m x 5.8 x 2.6m(CH)

2) 출입문 : 0.9m x 2.1m(H)

3) 주요 고객층 : 7~12세 아동을 동반한 30~40대 부모

4) 공간구성 및 집기

　- SHOW WINDOW

　- CASHIER COUNTER : 1.3m x 0.5m x 1m(H)

　- DISPLAY TABLE : 1.3m x 0.5m x 1.1m(H) 3개

　　　　　　　　　　　1.2m x 0.35m x 1.1m(H) 1개

　- FITTING ROOM, DISPLAY SHELF, HANGER, AIR CONDITIONER

　(* 제시된 공간구성 및 집기는 필수적이며, 이외에 필요한 것이 있다면

　　수험자가 임의로 추가할 수 있음)

나. 요구도면

1) 평면도 (가구배치 및 바닥 마감재 표기) : 1/30 (SCALE)

- 평면도 주변의 여유공간에 설계개요(DESIGN CONCEPT)를 200자 이내로 서술하시오.

2) 내부입면도 2면 (벽면재료 표시) : 1/30 (SCALE)

3) 천장도 (설비, 조명기구 배치 및 범례표 작성, 천장마감재 표기) : 1/30 (SCALE)

4) 실내 투시도 (채색작업 필수) : N/S (SCALE)

- 계획의 포인트가 좋은 지점에서 1소점 또는 2소점 투시법으로 작성 및 작성과정의 투시보조선을 남길 것

2. 도 면

과제명	아동의류매장	SCALE	NONE SCALE

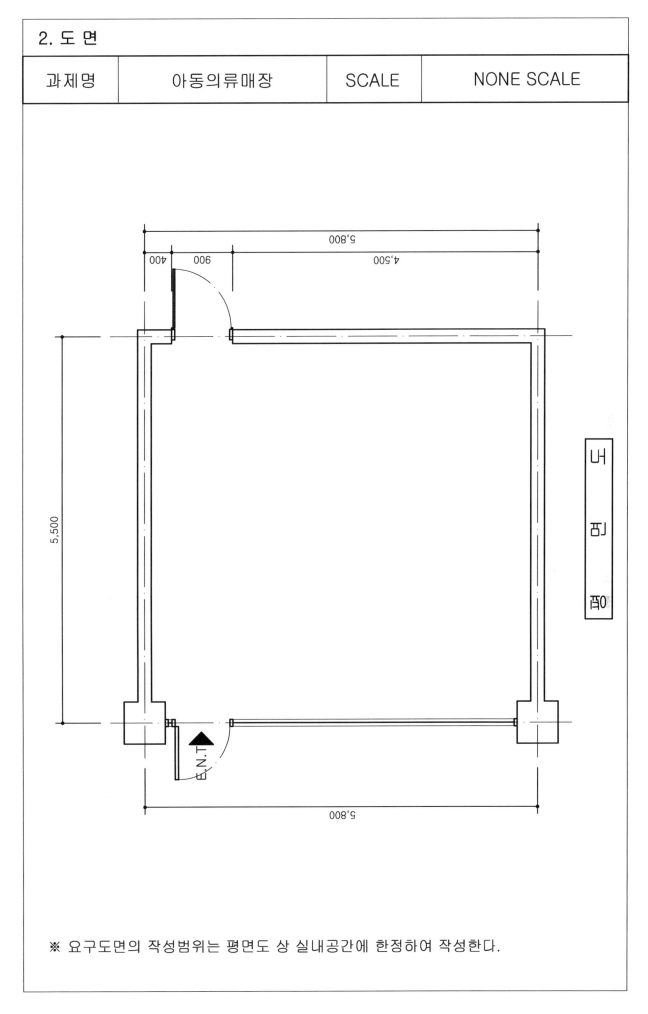

※ 요구도면의 작성범위는 평면도 상 실내공간에 한정하여 작성한다.

3. 풀이 방향

상업공간이다.
상업공간의 가구 배치는 주거공간과 달리 크게보자면 매대와 카운터 뿐이다.
당연히 배치가 단조로워 질 수 있기 때문에 배치에 신경을 써야 한다.

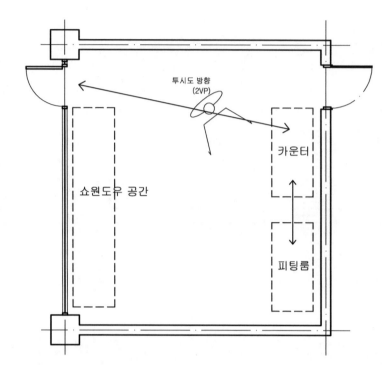

배치계획은 다음과 같다.

1) 고정창이 있는 곳은 쇼윈도우를
계획한다.

2) 카운터는 주출입구에서 멀리한다.
(주출입구에 카운터가 있으면 부담스러
워서 고객이 들어오기 힘들다.)

3) 카운터와 피팅룸은 인접하게
배치한다.
(결제를 빨리 하게 하기 위해서)

가구 배치 요령

1) 고정창이 보이면 쇼윈도우를 설치하라!
2) 출입구에서 떨어져 카운터 배치
3) 카운터 근처에 피팅룸 배치
4) 벽에는 선반을 돌린다. (판매공간에 진열장이 많아야 많이 진열할 것이다.)
5) 중앙부분만 가구 배치 고민을 하자!

가구 배치 안 좋은 사례

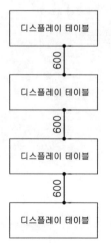

가구 배치 시
통로거리만 띄고
반복 배치하는 경우

가구 배치 좋은 사례

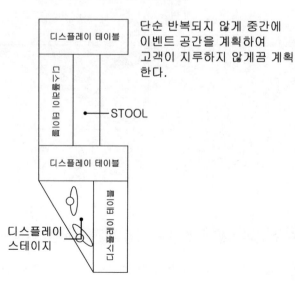

단순 반복되지 않게 중간에
이벤트 공간을 계획하여
고객이 지루하지 않게끔 계획
한다.

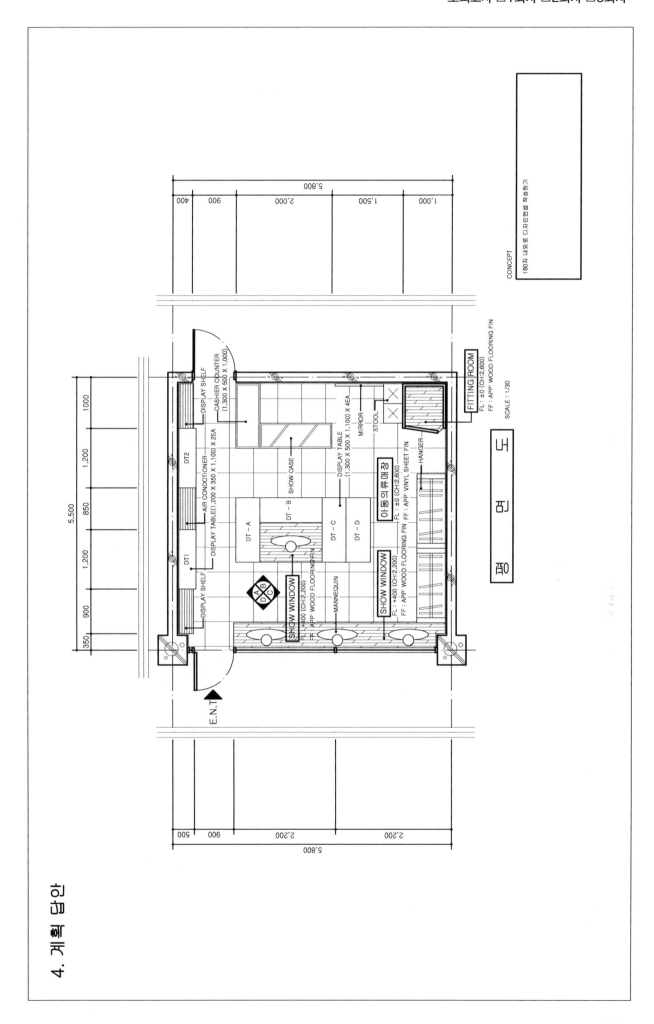

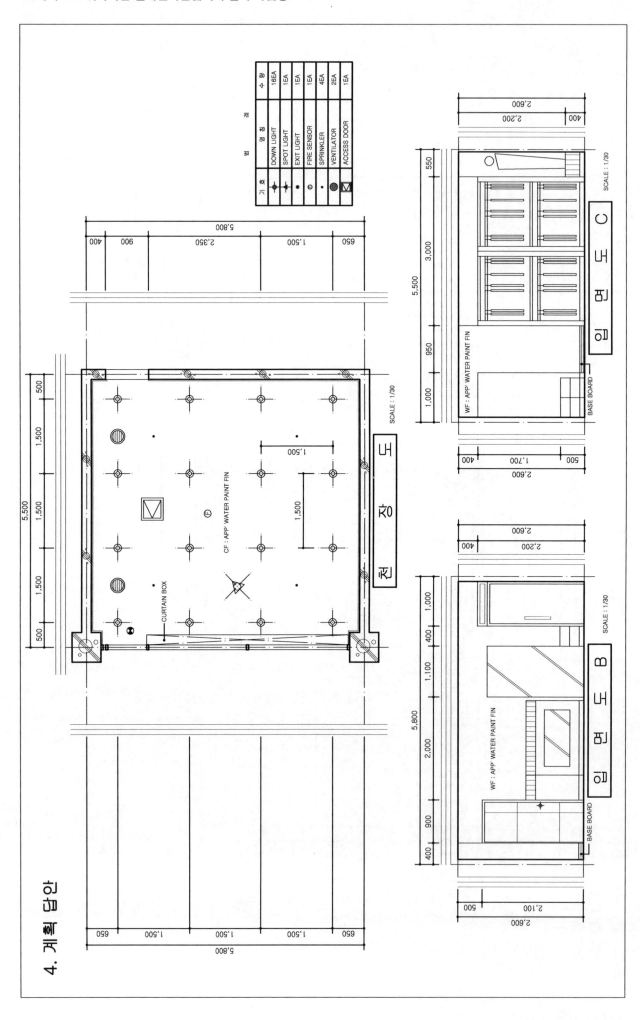

기 호	명 칭	수 량
✦	DOWN LIGHT	16EA
✦	SPOT LIGHT	1EA
●	EXIT LIGHT	1EA
Ⓢ	FIRE SENSOR	1EA
·	SPRINKLER	4EA
⊙	VENTILATOR	2EA
▽	ACCESS DOOR	1EA

4. 계 획 답 안

>B 절취선

국 가 기 술 자 격 실 기 모 의 문 제

모의고사	실내건축산업기사	과제종류	상업공간
		과제번호	8
		과 제 명	여성의류매장

MEMO.

작 도 개 요

작 도 일			전체시간	시	분
평 면 도	시	분	입 면 도	시	분
천 장 도	시	분	투 시 도	시	분

국 가 기 술 자 격 실 기 시 험 문 제

자격종목	실내건축산업기사	과 제 명	여성의류매장

※ 시험시간 : 5시간 30분

1. 요구사항

※ 문제 도면은 도심에 위치한 백화점 내에 위치한 20~30대 대상의 여성복 전문 매장의 평면도이다. 다음 요구 조건에 맞게 요구 도면을 작도하시오.

가. 요구조건

1) 설계면적 : 8.1m x 5.4m x 2.4m(CH)

2) 공간구성 및 집기

- 카운터, 창고, 쇼윈도우, 화장실(세면대, 소변기, 양변기), 피팅룸

- 판매전시공간 : 디스플레이 테이블, 행거, 선반

(* 제시된 공간구성 및 집기는 필수적이며, 이외에 필요한 것이 있다면 수험자가 임의로 추가할 수 있음)

나. 요구도면

1) 평면도 (가구배치 및 바닥 마감재 표기) : 1/30 (SCALE)

- 평면도 주변의 여유공간에 설계개요(DESIGN CONCEPT)를 200자 이내로 서술하시오.

2) 내부입면도 D방향 1면 (벽면재료 표시) : 1/50 (SCALE)

3) 천장도 (설비, 조명기구 배치 및 범례표 작성, 천장마감재 표기) : 1/30 (SCALE)

4) 실내 투시도 (채색작업 필수) : N/S (SCALE)

- 계획의 포인트가 좋은 지점에서 1소점 또는 2소점 투시법으로 작성 및 작성과정의 투시보조선을 남길 것

2. 도 면

과제명	여성의류매장	SCALE	NONE SCALE

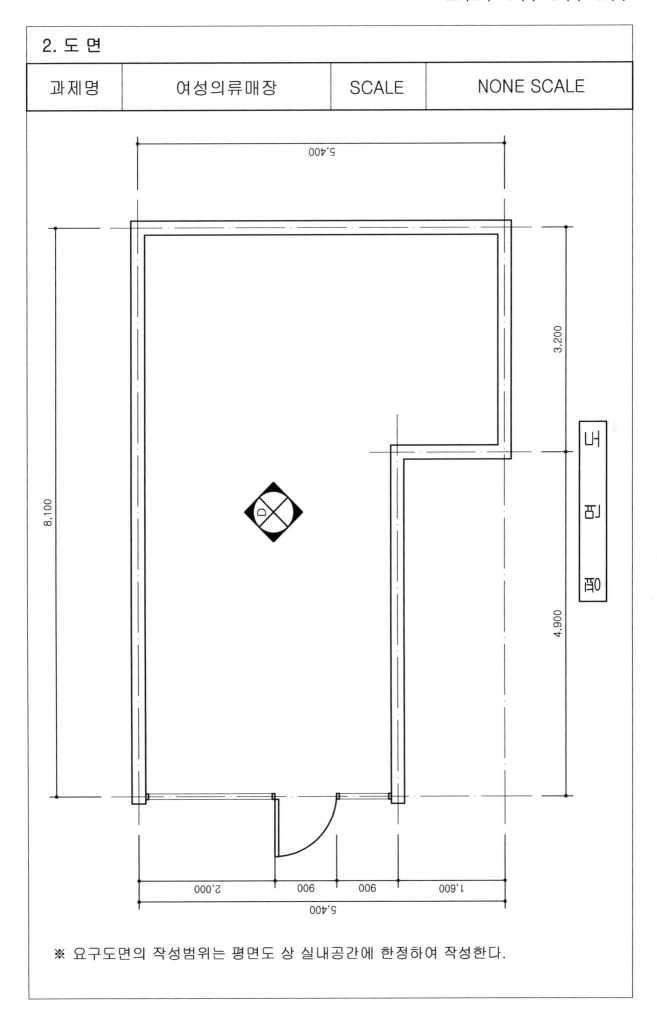

5,400

8,100

3,200

4,900

너 편 도

2,000   900   900   1,600

5,400

※ 요구도면의 작성범위는 평면도 상 실내공간에 한정하여 작성한다.

3. 풀이 방향

상업공간의 배치 계획은 아래와 같다.

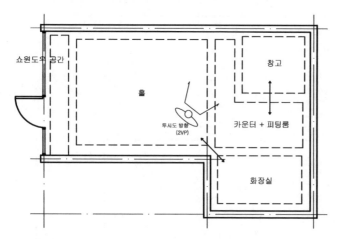

1) 쇼윈도우 공간
고정창이 보이면 인접하게 쇼윈도우를 설치하자.

2) 카운터 + 피팅룸
주출입구와 거리를 두고 계획

3) 창고
창고는 매장의 제고가 있는 곳이다. 관리적인 측면에도 카운터 주변이 있는 것이 좋다.

4) 화장실
홀에서 고객이 쉽게 이동이 가능한 곳이 계획한다.

상업공간의 평면 계획에 맞춰 조명계획은 어떻게 하나?

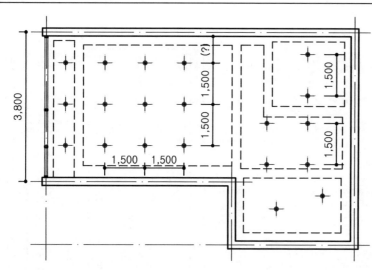

1) 쇼윈도우 공간
매립등 혹은 스포트 라이트
를 계획하도록 하자.

2) 홀
홀은 매립등을 그리드
(1,500 X 1,500)을 깔고 설치한다.
중요한점은 벽과 매립등이 간격
(?)는 어떻게 구할까?
3,800 - 3,000 = 800(양벽거리)
800/2 = 400(한쪽벽거리)

3) 카운터 + 피팅룸
홀과 같은 방법으로 한다.

4) 창고
창고 영역 안에서 새로 계획하자

5) 화장실
변기 위에 1개
대기공간에 1개

영역안에서 새로 계획이 뭐죠?

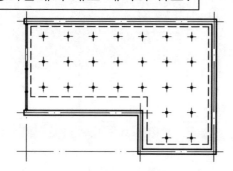 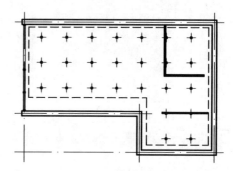

과제를 한 공간 통으로 조명계획을 하면 왼쪽처럼 된다. 문제는 창고벽, 화장실 벽 설치 시 걸리는 부분이 생긴다. 그리니 공간별로 새로 계획하여야 할 것이다.

220

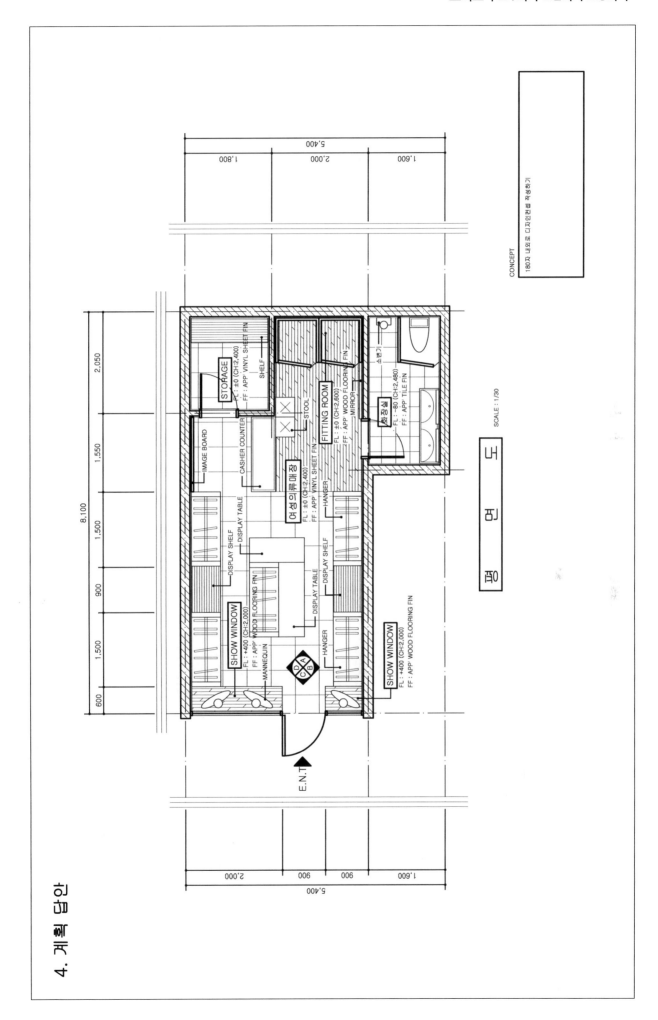

4. 계획 답안

4. 계획 도안

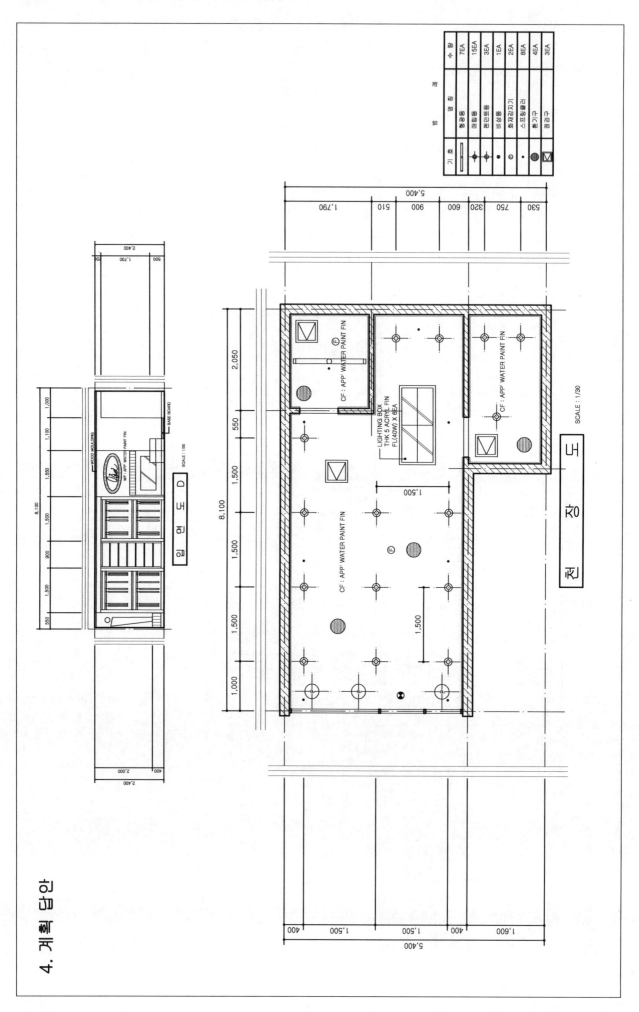

국 가 기 술 자 격 실 기 모 의 문 제

모의고사	실내건축산업기사	과제종류	상업공간
		과제번호	9
		과 제 명	안경점

MEMO.

작 도 개 요

작 도 일			전체시간	시	분
평 면 도	시	분	입 면 도	시	분
천 장 도	시	분	투 시 도	시	분

국 가 기 술 자 격 실 기 시 험 문 제

자격종목	실내건축산업기사	과 제 명	안경점

※ 시험시간 : 5시간 30분

1. 요구사항

※ 문제 도면은 근린생활지역의 대로변에 위치한 안경점의 평면도이다. 다음 요구 조건에 맞게 요구 도면을 작도하시오.

가. 요구조건

　1) 설계면적 : 8m x 7.2m x 2.7m(CH)

　2) 구성원 : 점장1인, 점원 2인

　3) 출입문 : 1.8m x 2.1m(H)

　4) 공간구성 및 집기

　　– 검안실

　　– 작업공간

　　– 대기공간

　　– 상담공간

　　– CASHIER COUNTER, SHOW CASE, WALL SHELF DISPLAY

　　(* 제시된 공간구성 및 집기는 필수적이며, 이외에 필요한 것이 있다면
　　　수험자가 임의로 추가할 수 있음)

나. 요구도면

　1) 평면도 (가구배치 및 바닥 마감재 표기) : 1/30 (SCALE)

　– 평면도 주변의 여유공간에 설계개요(DESIGN CONCEPT)를 200자 이내로
　　서술하시오.

　2) 내부입면도 B방향 1면 (벽면재료 표시) : 1/30 (SCALE)

　3) 천장도 (설비, 조명기구 배치 및 범례표 작성, 천장마감재 표기) : 1/50 (SCALE)

　4) 실내 투시도 (채색작업 필수) : N/S (SCALE)

　– 계획의 포인트가 좋은 지점에서 1소점 또는 2소점 투시법으로 작성 및 작성과정
　　의 투시보조선을 남길 것

2. 도 면

과제명	안경점	SCALE	NONE SCALE

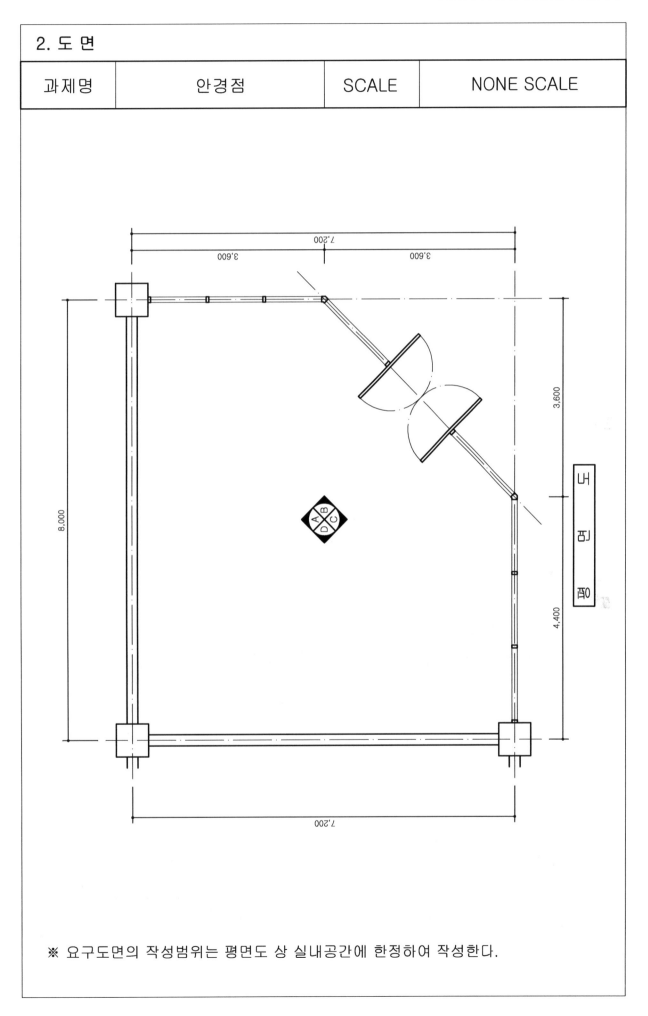

※ 요구도면의 작성범위는 평면도 상 실내공간에 한정하여 작성한다.

3. 풀이 방향

이번 과제의 특징은 단연 5시 방향의 대각선 벽면이다.
시험에서 이런 대각선 벽면이 나오면 그 벽면에 맞춰 가구를 그리려 하지 말자.
시간이 많이 걸리기 때문이다.
12시, 9시 방향의 벽에서 부터 계획을 하도록 하자.

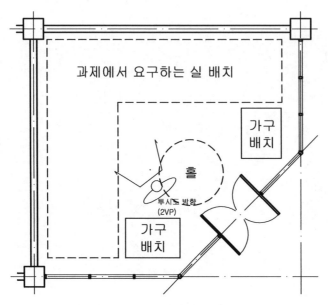

과제에서는 검안실, 작업공간, 상담공간, 대기공간의 4가지의 실을 요구했다.
물론 창고나, 직원 휴게실을 계획해도 되지만 그만한 공간은 나오지 않는다.

실의 용도로 보았을 때, 검안실, 작업공간, 상담공간은 다소 프라이버시가 중요하게 느껴지기 때문에
안쪽에 공간을 만든다.

다소 퍼브릭한 공간인 대기공간은 고정창과 면하게 계획하면 좋을 듯하다.

B면 입면도 문 어떻게 그리나요?

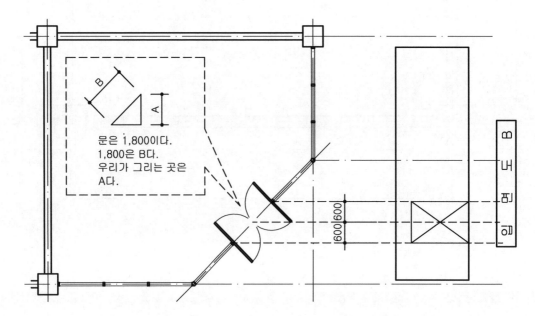

입면도 작도시 그림과 같이 평면도 혹은 천장도에서 선을 띄우거나 스케일로 재서 문을 작도한다.

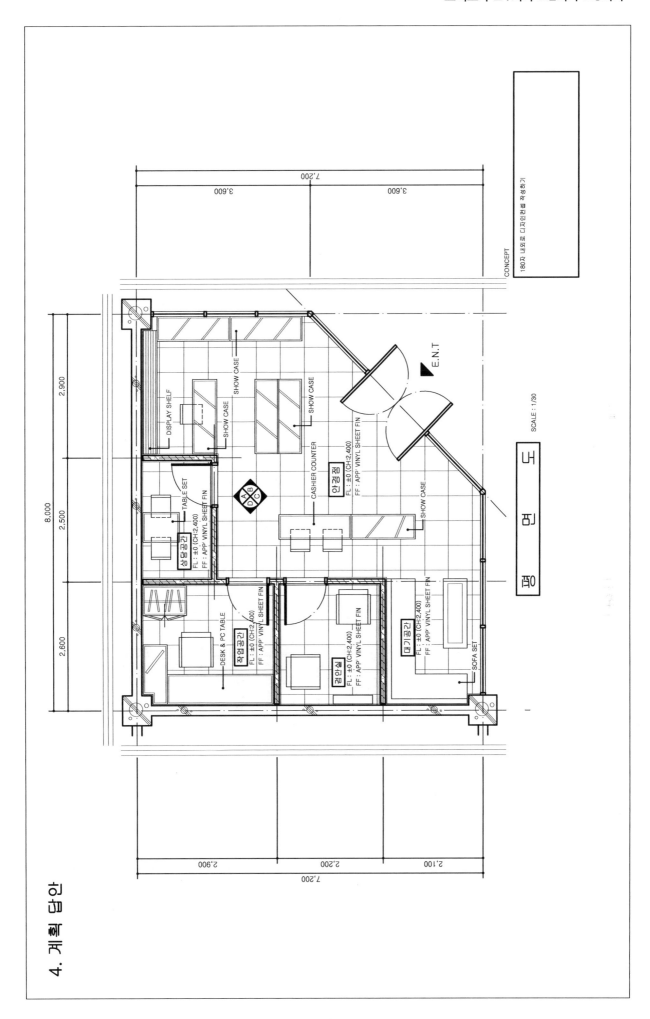

4. 계획 단안

4. 계획 답안

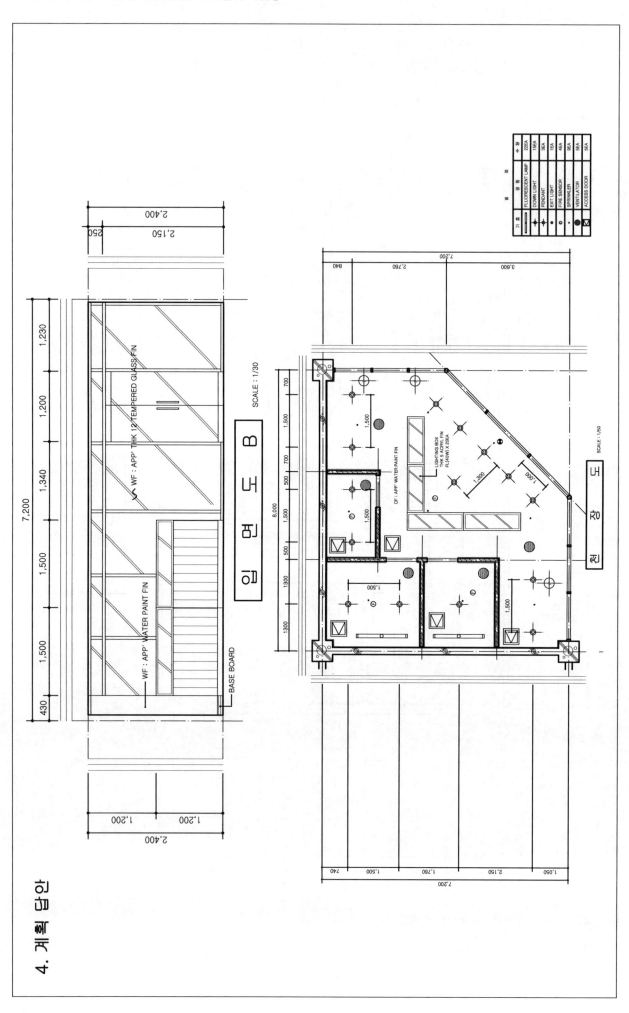

입 면 도 B

SCALE : 1/30

천 장 도

SCALE : 1/50

국 가 기 술 자 격 실 기 모 의 문 제

모의고사	실내건축산업기사	과제종류	상업공간
		과제번호	10
		과 제 명	아이스크림 매장

MEMO.

작 도 개 요

작 도 일		전체시간	시 분
평 면 도	시 분	입 면 도	시 분
천 장 도	시 분	투 시 도	시 분

국 가 기 술 자 격 실 기 시 험 문 제

자격종목	실내건축산업기사	과 제 명	아이스크림 매장

※ 시험시간 : 5시간 30분

1. 요구사항

※ 문제 도면은 중심상업지역에 위치한 아이스크림 전문매장의 평면도이다. 다음 요구 조건에 맞게 요구 도면을 작도하시오.

가. 요구조건

1) 설계면적 : 7.8m x 5.8m

2) 공간구성 및 집기

- SHOW CASE(아이스크림, 케이크) 2개, TABLE & CHAIR, CASHIER COUNTER, 주방

(* 제시된 공간구성 및 집기는 필수적이며, 이외에 필요한 것이 있다면 수험자가 임의로 추가할 수 있음)

나. 요구도면

1) 평면도 (가구배치 및 바닥 마감재 표기) : 1/30 (SCALE)

- 평면도 주변의 여유공간에 설계개요(DESIGN CONCEPT)를 200자 이내로 서술하시오.

2) 내부입면도 2면 (벽면재료 표시) : 1/50 (SCALE)

3) 천장도 (설비, 조명기구 배치 및 범례표 작성, 천장마감재 표기) : 1/30 (SCALE)

4) 실내 투시도 (채색작업 필수) : N/S (SCALE)

- 계획의 포인트가 좋은 지점에서 1소점 또는 2소점 투시법으로 작성 및 작성과정의 투시보조선을 남길 것

2. 도 면

과제명	아이스크림 매장	SCALE	NONE SCALE

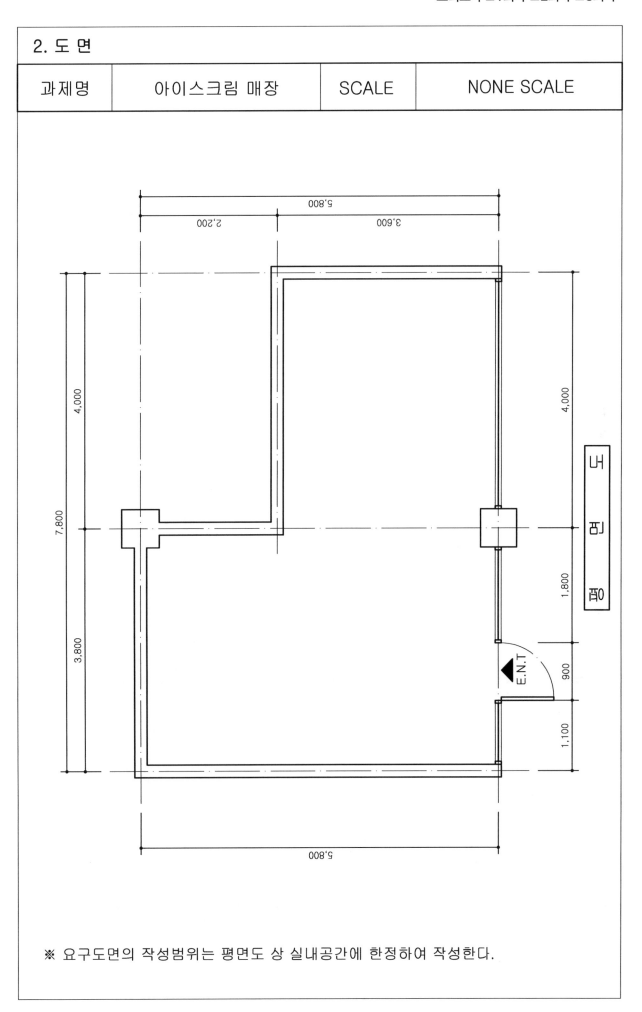

※ 요구도면의 작성범위는 평면도 상 실내공간에 한정하여 작성한다.

3. 풀이 방향

이번과제는 음식물 쓰는 공간이다.
먼저 떠올라야 하는 것은 환기구는 4~6개!
그리고 주방을 아이스크림 매장에서 어떻게 계획할 것인가에 대한 고민이다.

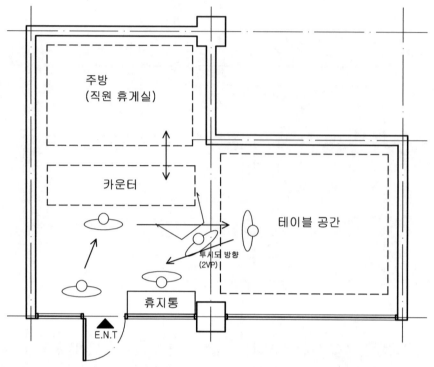

자 베스X 라빈스를 떠올려보자.
주문하고 받아서 먹고, 그릇을 반납하고 매장을 나간다는 생각을 가지고 공간을 계획
하자.

마감재료는 무엇으로 하나?

		홀	주방	화장실	
평면	기본	VINYL SHEET	TILE	TILE	
	고급	MABLE			
입면		WATER PAINT	WATER PAINT	WATER PAINT	
				TILE	1.5M까지만
천장		WATER PAINT	WATER PAINT	WATER PAINT	

<B 절취선

4. 계획 답안

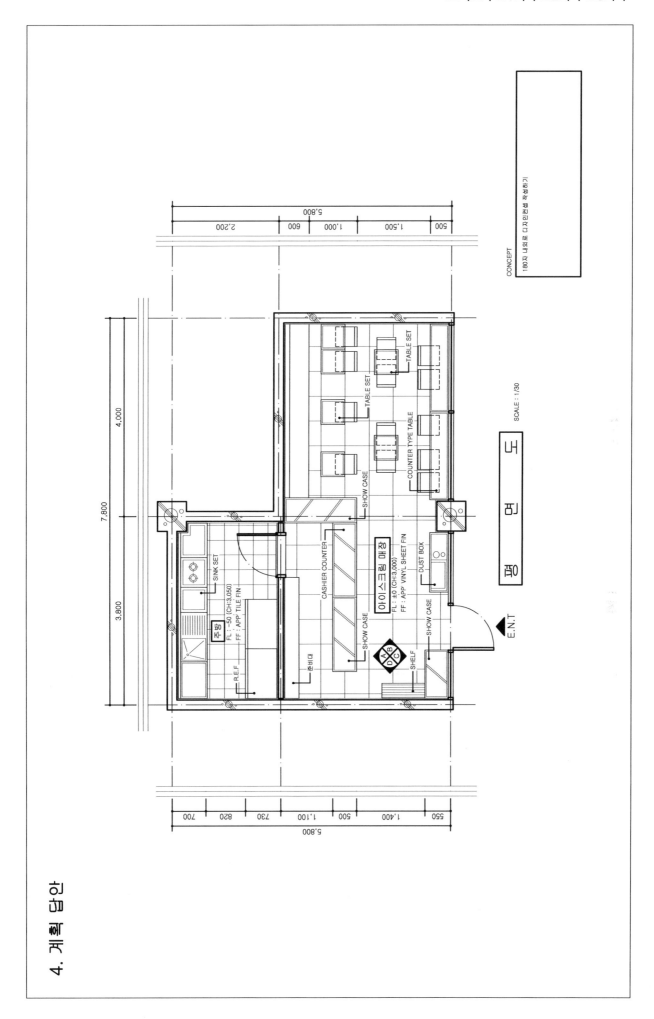

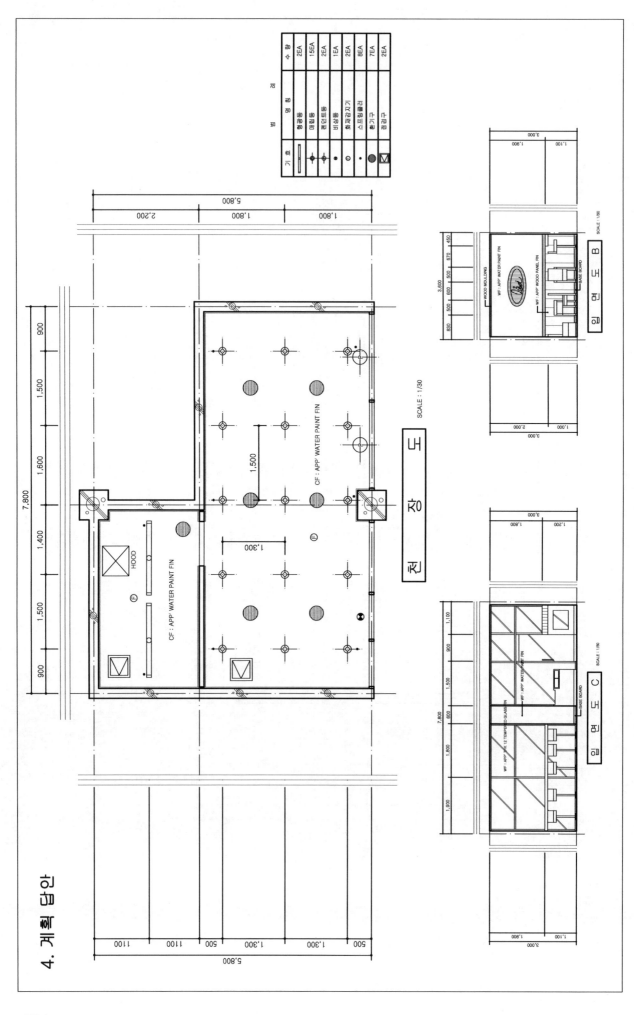

국 가 기 술 자 격 실 기 모 의 문 제

모의고사	실내건축산업기사	과제종류	상업공간
		과제번호	11
		과 제 명	패스트푸드점

MEMO.

작 도 개 요

작 도 일			전체시간	시	분
평 면 도	시	분	입 면 도	시	분
천 장 도	시	분	투 시 도	시	분

국 가 기 술 자 격 실 기 시 험 문 제

자격종목	실내건축산업기사	과 제 명	패스트푸드점

※ 시험시간 : 5시간 30분

1. 요구사항

※ 문제 도면은 주상복합시설 1층에 위치한 패스트 푸드 전문매장의 평면도이다.
다음 요구 조건에 맞게 요구 도면을 작도하시오.

가. 요구조건
  1) 설계면적 : 12m x 6m x 2.7m(CH)
  2) 공간구성 및 집기
    – 주방
    – HALL : 주문 카운터 겸 계산대
              공중전화박스 – 전화기 1개
              카운터용 테이블 공간 – 카운터 및 스툴
              일반 좌석 공간 – 테이블 및 의자
  (* 제시된 공간구성 및 집기는 필수적이며, 이외에 필요한 것이 있다면
    수험자가 임의로 추가할 수 있음)

나. 요구도면
  1) 평면도 (가구배치 및 바닥 마감재 표기) : 1/30 (SCALE)
  – 평면도 주변의 여유공간에 설계개요(DESIGN CONCEPT)를 200자 이내로
    서술하시오.
  2) 내부입면도 C방향 또는 A방향 1면 (벽면재료 표시) : 1/30 (SCALE)
  3) 천장도 (설비, 조명기구 배치 및 범례표 작성, 천장마감재 표기) : 1/30 (SCALE)
  4) 실내 투시도 (채색작업 필수) : N/S (SCALE)
  – 계획의 포인트가 좋은 지점에서 1소점 또는 2소점 투시법으로 작성 및 작성과정
    의 투시보조선을 남길 것

2. 도 면

과제명	패스트푸드점	SCALE	NONE SCALE

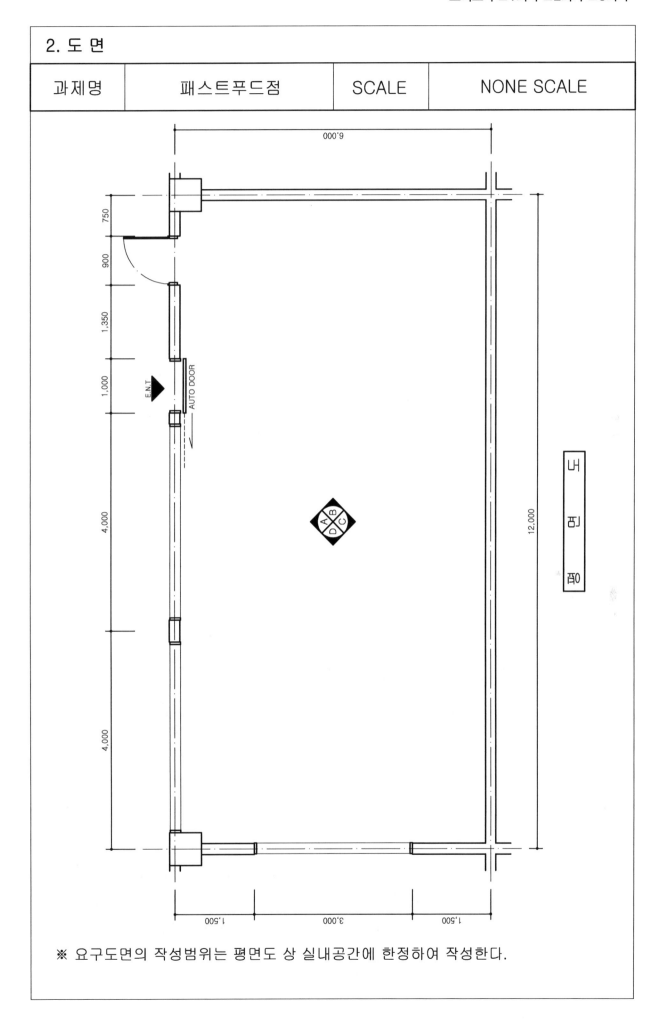

※ 요구도면의 작성범위는 평면도 상 실내공간에 한정하여 작성한다.

3. 풀이 방향

패스트푸드점이다. 맥도X드를 떠올려보자~ 그럼 조금 쉬워질 것이다.

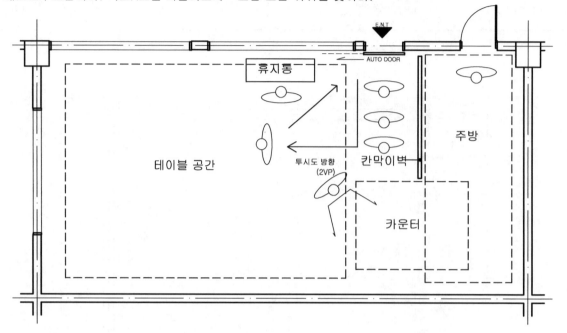

우선 처음으로 보이는 것은 문이 2개인 것이다.
왜 2개 일까? 굳이 자동문 옆에 여닫이 문을 왜 두었을까?
이 경우는 사용자가 다른 문인 것이다.
하나는 고객, 하나는 직원(물자출입문)용 문이라 생각하자.

광천장은 어떻게 그리나?

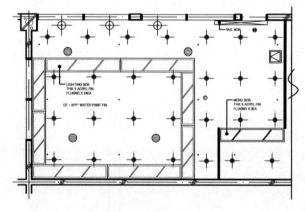

광천장의 크기는 제한이 없다.
다만 너무 작게 그려서 형광등이 들어가지 않을
정도만 아니면 된다.

요즘시대에 형광등으로 누가 하냐? LED아니냐?
할 수 있다.

우린 실시설계를 하는 것이 아니라 시험을 보는
것이다.
형광등 또는 LED구분이 중요한 것이 아니라
천장도의 작도량을 늘리며, 시간을 단축할 수
있는가? 를 따져야 한다.

이러한 면에선 광천장은 제격이다.

모양의 변화를 주기 편하고
부족하면 매립등을 추가하기도
편하기 때문이다.

광천장 글의 의미는?

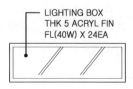

LIGHTING BOX
(광천장)
THK 5 ACRYL FIN
(두께 5미리 아크릴로 마감)
FL(40W) X 2EA
(형광등(40W)가 2개 들어감)

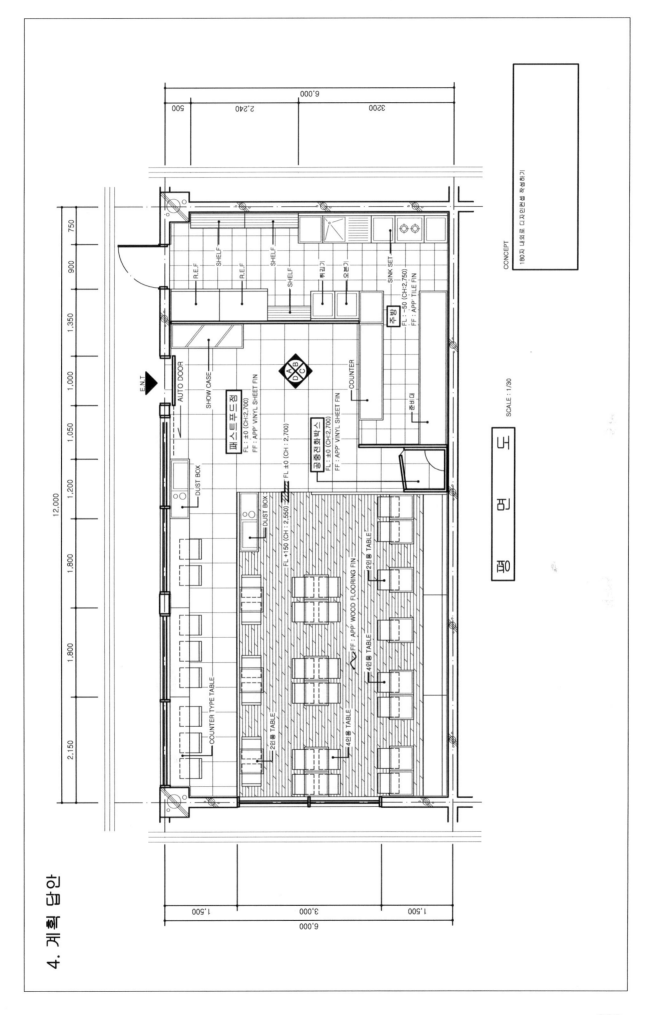

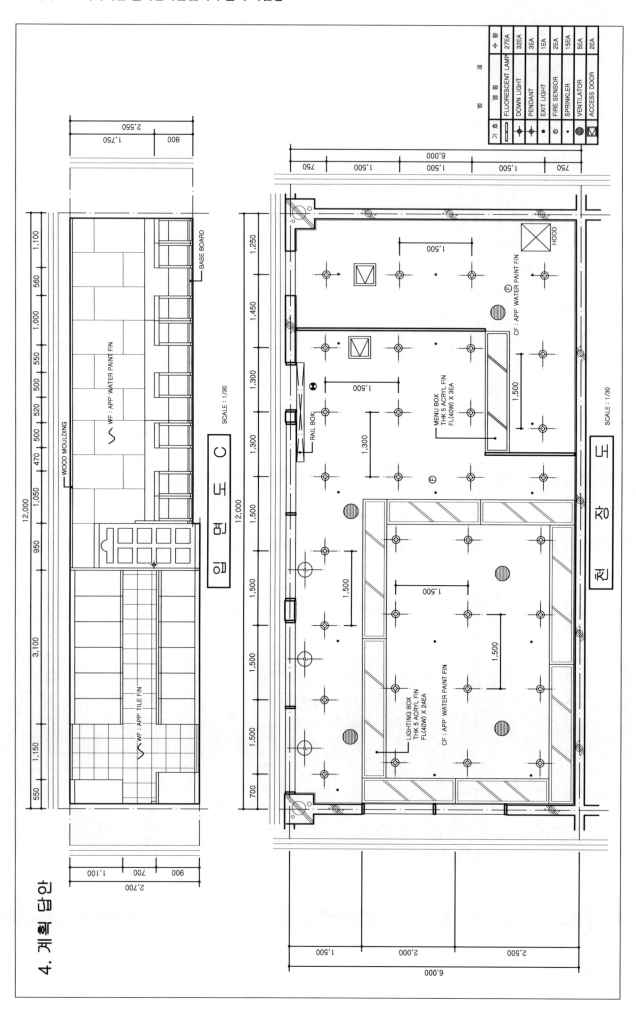

기 호	범 례	수 량
◉	FLUORESCENT LAMP	27EA
◈	DOWN LIGHT	32EA
◐	PENDANT	3EA
⊕	EXIT LIGHT	1EA
◉	FIRE SENSOR	2EA
⊙	SPRINKLER	15EA
●	VENTILATOR	5EA
▨	ACCESS DOOR	2EA

>B 절취선

4. 계획 답안

입 면 도 C
SCALE : 1/30

전 장 도
SCALE : 1/30

240

국 가 기 술 자 격 실 기 모 의 문 제

모의고사	실내건축산업기사	과제종류	상업공간
		과제번호	12
		과제명	커피숍

MEMO.

작 도 개 요

작 도 일			전체시간	시	분
평 면 도	시	분	입 면 도	시	분
천 장 도	시	분	투 시 도	시	분

국 가 기 술 자 격 실 기 시 험 문 제

자격종목	실내건축산업기사	과 제 명	커피숍

※ 시험시간 : 5시간 30분

1. 요구사항

※ 문제 도면은 중심상업지역에 위치한 쇼핑몰 내에 있는 커피숍의 평면도이다.
다음 요구 조건에 맞게 요구 도면을 작도하시오.

가. 요구조건
1) 설계면적 : 10.4m x 5.8m x 2.9m(CH)
2) 공간구성 및 집기
- SERVICE COUNTER & CASHIER COUNTER
- KITCHEN : 주방기구
- 2인용 TABLE SET 5개, 3인용 TABLE SET 2개, 4인용 TABLE SET 2개
- 인터넷 검색대 2개
- 카트 보관소
(* 제시된 공간구성 및 집기는 필수적이며, 이외에 필요한 것이 있다면
수험자가 임의로 추가할 수 있음)

나. 요구도면
1) 평면도 (가구배치 및 바닥 마감재 표기) : 1/30 (SCALE)
- 평면도 주변의 여유공간에 설계개요(DESIGN CONCEPT)를 200자 이내로
서술하시오.
2) 내부입면도 B방향 1면 (벽면재료 표시) : 1/30 (SCALE)
3) 천장도 (설비, 조명기구 배치 및 범례표 작성, 천장마감재 표기) : 1/30 (SCALE)
4) 실내 투시도 (채색작업 필수) : N/S (SCALE)
- 계획의 포인트가 좋은 지점에서 1소점 또는 2소점 투시법으로 작성 및 작성과정
의 투시보조선을 남길 것

2. 도면

과제명	커피숍	SCALE	NONE SCALE

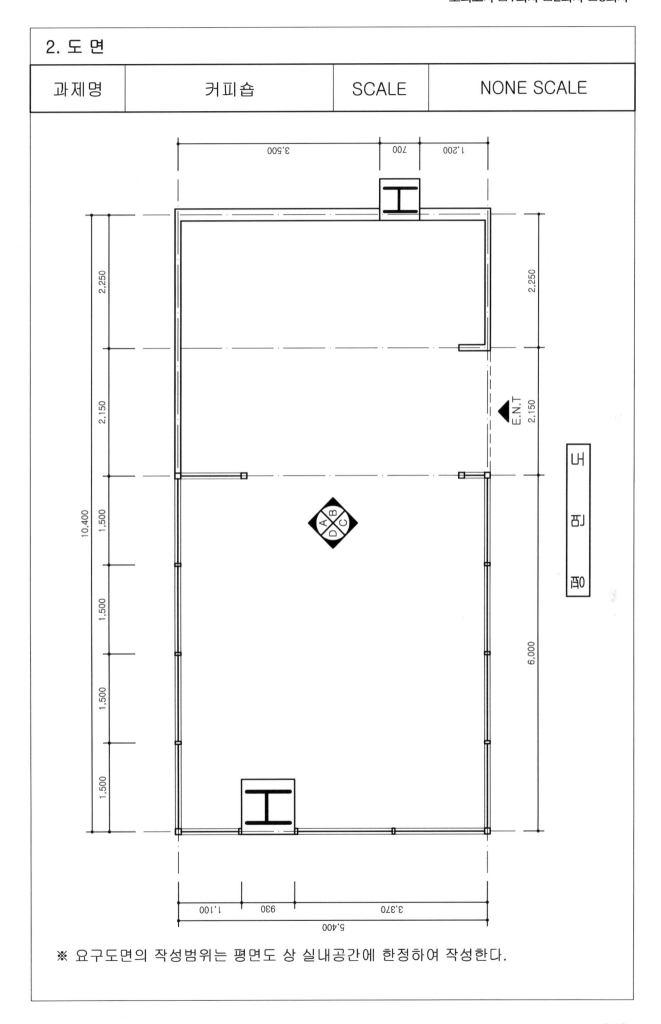

※ 요구도면의 작성범위는 평면도 상 실내공간에 한정하여 작성한다.

3. 풀이 방향

쇼핑몰 안의 커피숍이다.
문제를 보면 H빔이 들어간 기둥이 보일 것이다. 그리고 출입문이 없고 - - -표시만 있다.
해석해 보자면 여기는 홈플X스 안의 커피숍이라 생각해 보자.
기둥과 매장의 출입구가 없는 것 쇼핑카드 보관함 등 모든 것이 이해되지 않는가?

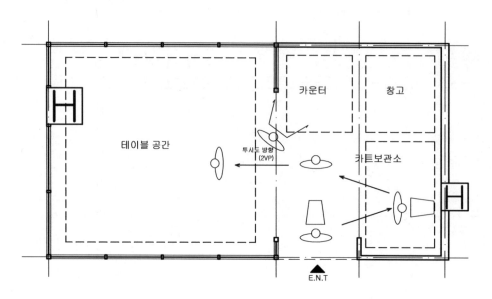

4인용 테이블 세트는 어떤 모양인가?

테이블과 의자는 모두 400 x 400으로 작도하면 된다.

이번시험 같은 경우는 사각 템플릿이 있다면 정말 편하게 시험이 끝날 수 있다.
의자를 원형 템플릿으로 그리는 것은 안 된다.
원형으로 그리면 스툴이 되기 때문이다.

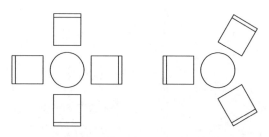

사각템플릿 사용 시 주의사항

사각템플릿 안 좋은 사례

미묘하게 사각형이 흔들린 경우

사각템플릿 좋은 사례

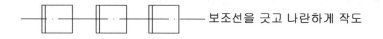
보조선을 긋고 나란하게 작도

4. 계획 답안

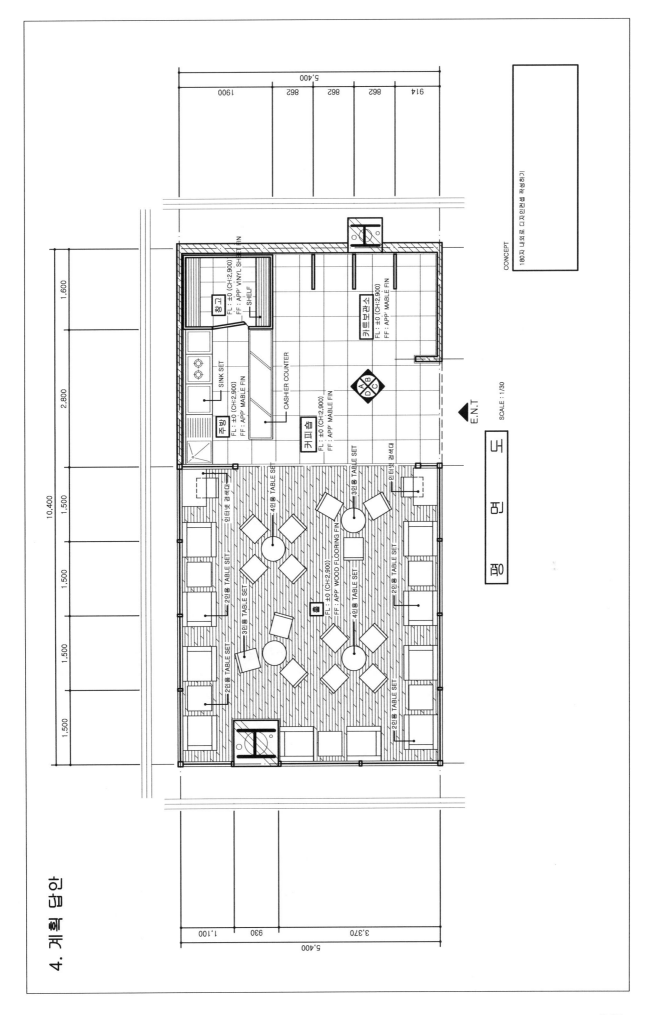

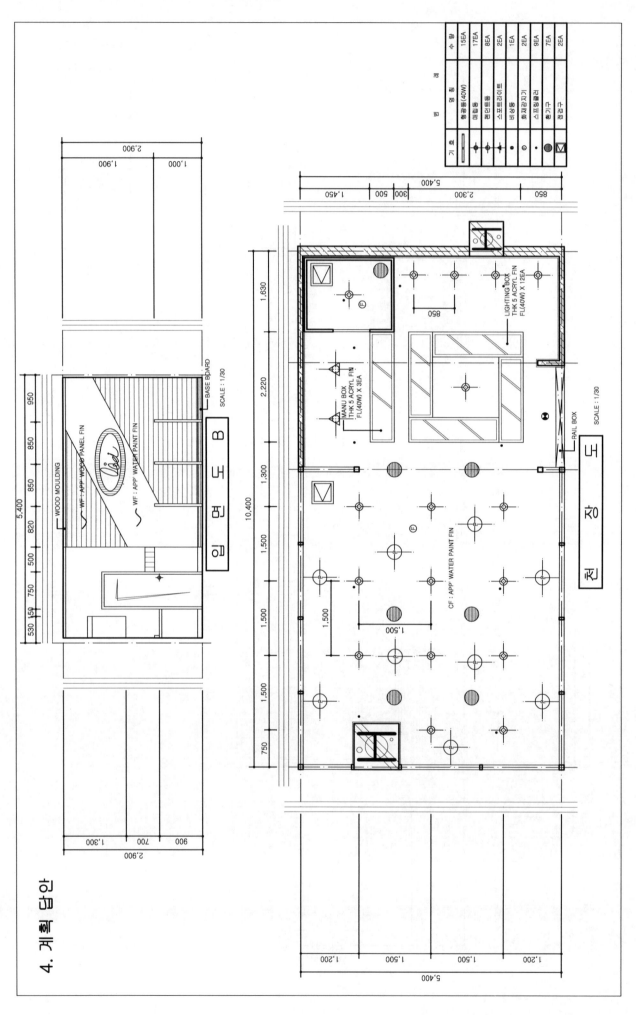

4. 계획 담안

국 가 기 술 자 격 실 기 모 의 문 제

모의고사	실내건축산업기사	과제종류	상업공간
		과제번호	13
		과 제 명	도심지의 커피 전문점

MEMO.

작 도 개 요

작 도 일			전체시간	시	분
평 면 도	시	분	입 면 도	시	분
천 장 도	시	분	투 시 도	시	분

국 가 기 술 자 격 실 기 시 험 문 제

자격종목	실내건축산업기사	과 제 명	도심지의 커피 전문점

※ 시험시간 : 5시간 30분

1. 요구사항

※ 문제 도면은 도심지의 외곽에 위치한 커피 전문점의 평면도이다. 다음 요구
조건에 맞게 요구 도면을 작도하시오.

가. 요구조건

1) 설계면적 : 9.9m x 6.7m x 3.0m(CH)

2) 구성원 : 상시직원 2명, 비상시 직원 1명

3) 공간구성 및 집기

- 커피 제조실 겸 주방공간

- 흡연실(유리로 제작)

- 남여 화장실 각 1개소

- 카운터 및 쇼케이스

- 2인용 테이블 세트 4개, 4인용 테이블 세트 4개

(* 제시된 공간구성 및 집기는 필수적이며, 이외에 필요한 것이 있다면
수험자가 임의로 추가할 수 있음)

나. 요구도면

1) 평면도 (가구배치 및 바닥 마감재 표기) : 1/30 (SCALE)

- 평면도 주변의 여유공간에 설계개요(DESIGN CONCEPT)를 200자 이내로
서술하시오.

2) 내부입면도 C방향 1면 (벽면재료 표시) : 1/50 (SCALE)

3) 천장도 (설비, 조명기구 배치 및 범례표 작성, 천장마감재 표기) : 1/30 (SCALE)

4) 실내 투시도 (채색작업 필수) : N/S (SCALE)

- 계획의 포인트가 좋은 지점에서 1소점 또는 2소점 투시법으로 작성 및 작성과정
의 투시보조선을 남길 것

2. 도 면

과제명	도심지의 커피 전문점	SCALE	NONE SCALE

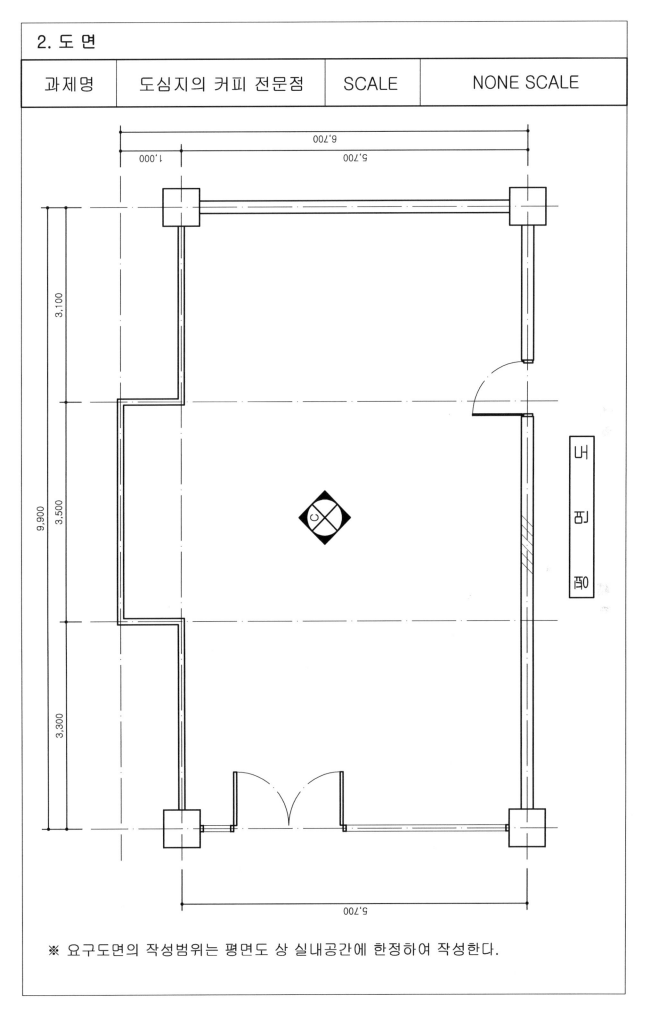

※ 요구도면의 작성범위는 평면도 상 실내공간에 한정하여 작성한다.

3. 풀이 방향

이번과제는 다소 까다로운 점이 몇 가지 있다.
1) 상시 직원2명, 비상시 직원1명
2) 화장실과 흡연실이 도면에 없다.
우선 직원이 시험지에 표기되어 있다면 특히 상시 직원의 경우 전용 의자를 그려줘야 한다.
상시직원은 개장시간부터 폐점시간까지 계속 서 있을 수만은 없기 때문이다.
비상시직원은 1~2시간 잠깐 왔다 갈 수 있기에 공간이 부족하면 비상시 직원용 의자는 생략한다.
화장실과 흡연실은? 이 문제부터는 공간이 없다면 내가 공간을 만들어야 한다.
요즘세상에 흡연실? 법적으로 카페, 당구장도 실내흡연 안되지 않나?
혹시?이거 흡연실 빼고 그려야 되는 것이냐?
그렇지 않다. 시험지에 적혀있으면 그냥 따르면 된다.

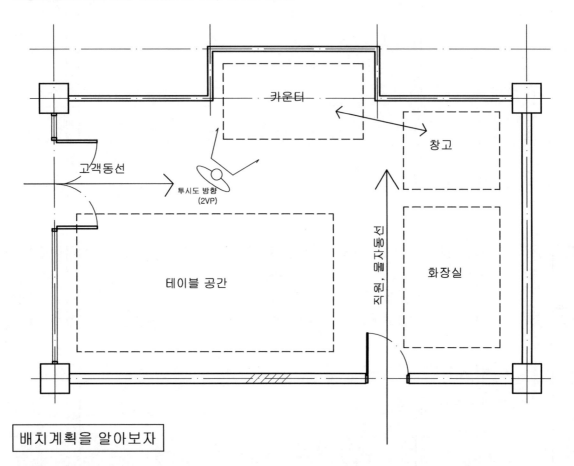

배치계획을 알아보자

문이 2개이기에 하나는 고객동선(ENT표시되어짐), 나머지 하나는 직원 및 물자 동선으로 보자.
그렇다면 예제와 같이 테이블 공간과 카운터, 창고, 화장실 공간으로 나눠진다.
카운터는 고객동선을 고려해서 배치하고, 카운터와 창고는 인접배치한다.
창고와 화장실을 바꾸면 물자동선은 빠르게 되겠지만 카운터와의 거리가 좀 생긴다.
그렇다고 꼭 나쁘다는 것은 아니다.
카운터->화장실, 창고->카운터, 창고->화장실 이렇게 예제의 공간을 바꿔도
좋을 것 같다.
계획의 100% 정답은 없으니 너무 긴장하지말고 편하게 계획하도록 하자~

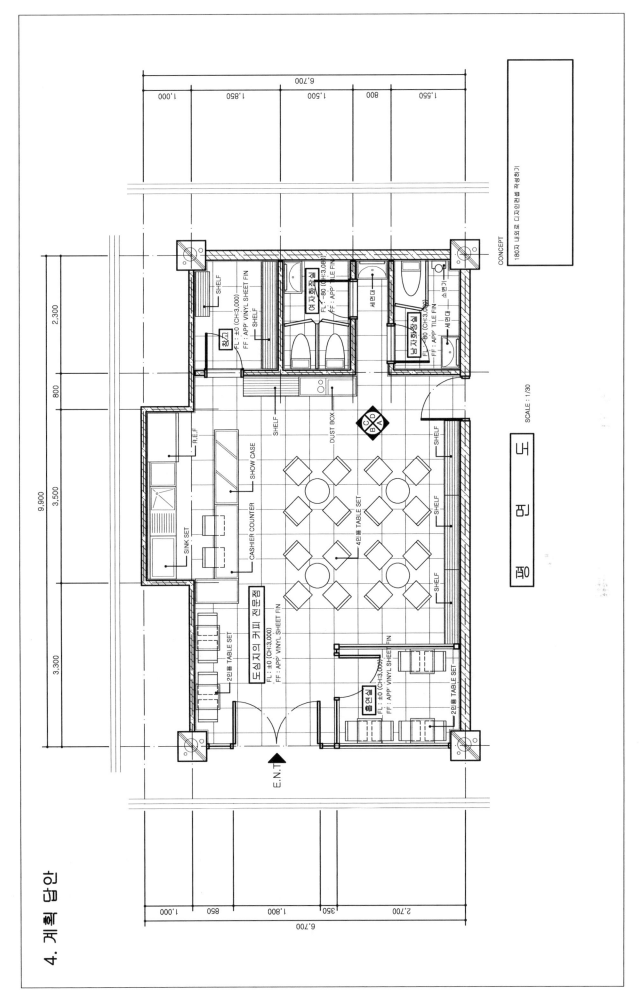

4. 계획 도안

평 면 도

SCALE : 1/30

251

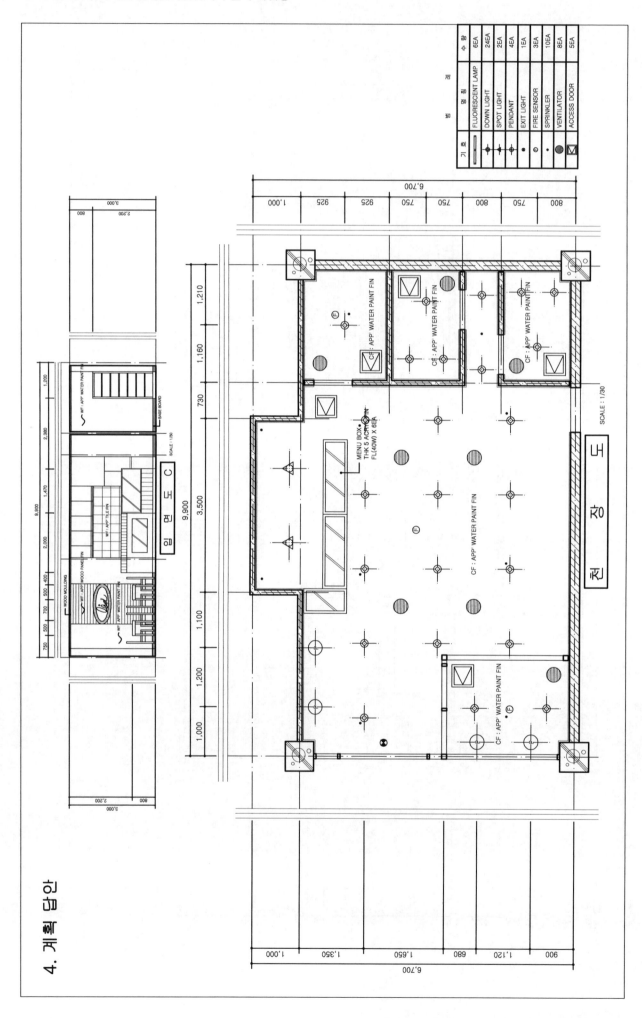

4. 계획 도면

252

국 가 기 술 자 격 실 기 모 의 문 제

모의고사	실내건축산업기사	과제종류	상업공간
		과제번호	14
		과 제 명	도심지 사거리에 위치한 커피숍

MEMO.

작 도 개 요

작 도 일			전체시간	시 분
평 면 도	시 분		입 면 도	시 분
천 장 도	시 분		투 시 도	시 분

국 가 기 술 자 격 실 기 시 험 문 제

자격종목	실내건축산업기사	과 제 명	도심지 사거리에 위치한 커피숍

※ 시험시간 : 5시간 30분

1. 요구사항

※ 문제 도면은 주고객 20~30대가 활동하는 도심지 사거리에 위치한 커피숍의
평면도이다. 다음 요구 조건에 맞게 요구 도면을 작도하시오.

가. 요구조건

1) 설계면적 : 6m x 6m x 3m(CH)

2) 출입구 : 1.5m x 2.3m(H)

3) 공간구성 및 집기

- 카운터

- 주방 : 에스프레소 추출기, 커피제조기, 제빙기, REF

- 홀 : 4인용 의자 & 테이블, 2인용 의자 & 테이블, 소파

- 흡연실 : 2인용 의자 & 테이블

(* 제시된 공간구성 및 집기는 필수적이며, 이외에 필요한 것이 있다면
수험자가 임의로 추가할 수 있음)

나. 요구도면

1) 평면도 (가구배치 및 바닥 마감재 표기) : 1/30 (SCALE)

- 평면도 주변의 여유공간에 설계개요(DESIGN CONCEPT)를 200자 이내로
서술하시오.

2) 내부입면도 C방향 1면 (벽면재료 표시) : 1/50 (SCALE)

3) 천장도 (설비, 조명기구 배치 및 범례표 작성, 천장마감재 표기) : 1/50 (SCALE)

4) 실내 투시도 (채색작업 필수) : N/S (SCALE)

- 계획의 포인트가 좋은 지점에서 1소점 또는 2소점 투시법으로 작성 및 작성과정
의 투시보조선을 남길 것

2. 도 면

과제명	도심지 사거리에 위치한 커피숍	SCALE	NONE SCALE

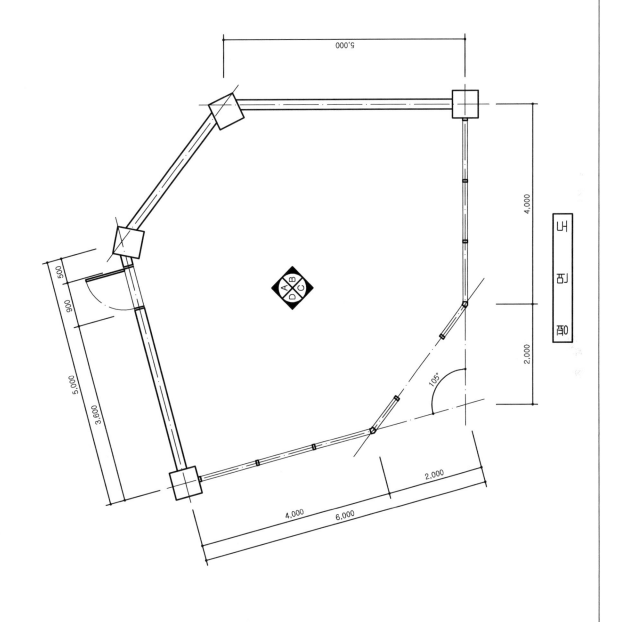

※ 요구도면의 작성범위는 평면도 상 실내공간에 한정하여 작성한다.

3. 풀이 방향

이번과제는 대각선으로 된 벽면이 많다.
이 경우는 어떻게 해야 계획을 해야할까?

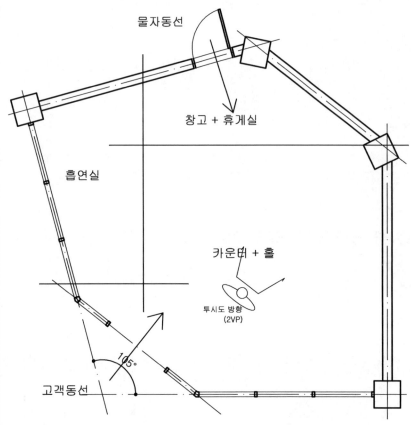

물자동선

창고 + 휴게실

흡연실

카운터 + 홀

투시도 방향
(2VP)

105°

고객동선

1) 최대한 공간을 정형화 하자
(정형=사각형화)

2) 가구가 많이 들어갈 공간은
최대한 각지게 만들어야 된다.

3) 창고로 쓰기에는 면적이
큰 편이다. 그럴 경우 직원휴게실도
같이 넣어주자

이 모든 것이 다 대각선 벽을
최소화 하려는 방법이다.
창고나, 휴게실, 흡연실은
홀에 비하면 가구가 많이 없을
터이니 이렇게 계획하는 편이
작도시간을 절약할 수 있다.

문이 없는데 안그려도 되나?

문제의 출입구가 1.5M X 2.3으로 주워졌다.
그렇기 때문에 어떠한 문이든 설치를 해야하는 상황이다.
자동문, 900 + 400문 두개의 여닫이 문 중 선택해서 작도하도록 하자.

105도 각도 어떻게 재나?

준비물에 분명히 각도기가 없었는데 105도는 어떻게 재나?
과거 이 문제가 최초로 나왔을 당시 105도를 못 그려 10명중 8명이 떨어진 경우도 있다.
아래 방법을 확인해 보도록 하자.

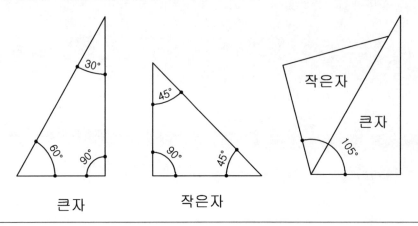

큰자

작은자

>B 절취선

4. 계획 답안

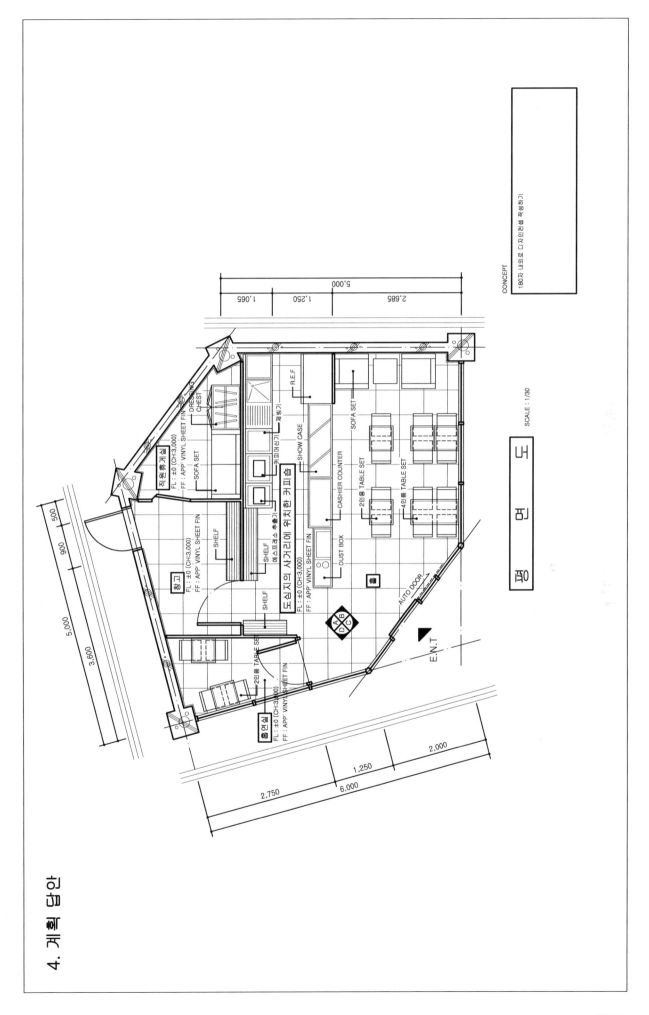

CONCEPT

180자 내외로 디자인컨셉 작성하기

평 면 도

SCALE : 1/30

4. 계획 답안

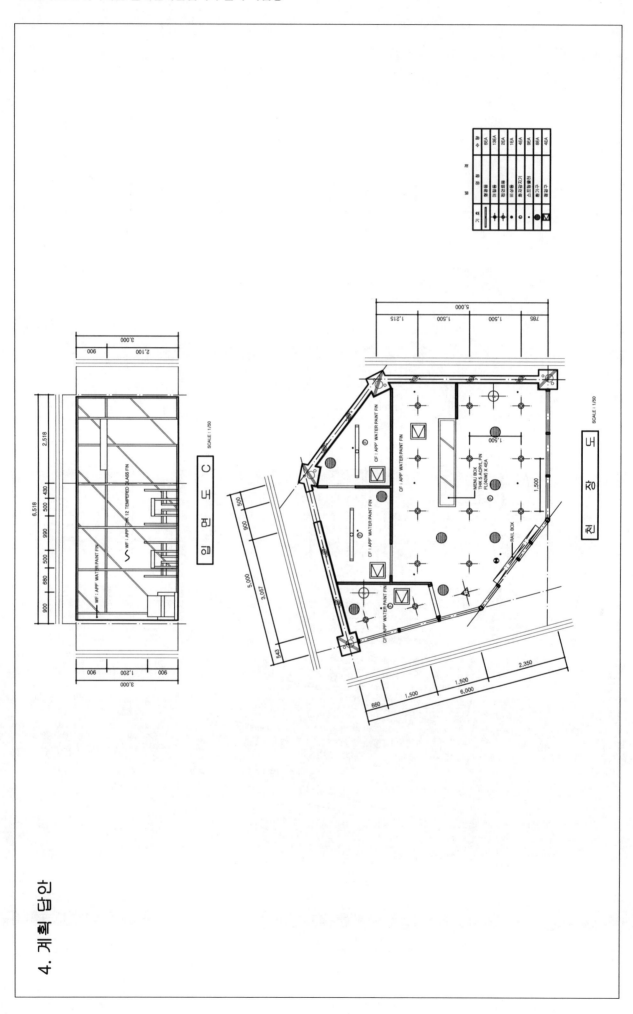

국 가 기 술 자 격 실 기 모 의 문 제

모의고사	실내건축산업기사	과제종류	상업공간
		과제번호	15
		과 제 명	북카페

MEMO.

작 도 개 요

작 도 일			전체시간	시	분
평 면 도	시	분	입 면 도	시	분
천 장 도	시	분	투 시 도	시	분

국 가 기 술 자 격 실 기 시 험 문 제

자격종목	실내건축산업기사	과 제 명	북카페

※ 시험시간 : 5시간 30분

1. 요구사항

※ 문제 도면은 중심상업지역에 위치한 북카페 평면도이다. 다음 요구 조건에 맞게 요구 도면을 작도하시오.

가. 요구조건

1) 설계면적 : 9m x 6.3m x 2.7m(CH)

2) 공간구성 및 집기

 - 종업원 1명, 아르바이트 1명
 - 주방, 비품창고
 - 카운터 및 서비스테이블, 책장, 테이블 세트, 인터넷부스 2개

 (* 제시된 공간구성 및 집기는 필수적이며, 이외에 필요한 것이 있다면
 수험자가 임의로 추가할 수 있음)

나. 요구도면

1) 평면도 (가구배치 및 바닥 마감재 표기) : 1/30 (SCALE)

 - 평면도 주변의 여유공간에 설계개요(DESIGN CONCEPT)를 200자 이내로
 서술하시오.

2) 내부입면도 A방향 1면 (벽면재료 표시) : 1/50 (SCALE)

3) 천장도 (설비, 조명기구 배치 및 범례표 작성, 천장마감재 표기) : 1/30 (SCALE)

4) 실내 투시도 (채색작업 필수) : N/S (SCALE)

 - 계획의 포인트가 좋은 지점에서 1소점 또는 2소점 투시법으로 작성 및 작성과정
 의 투시보조선을 남길 것

2. 도 면

과제명	북카페	SCALE	NONE SCALE

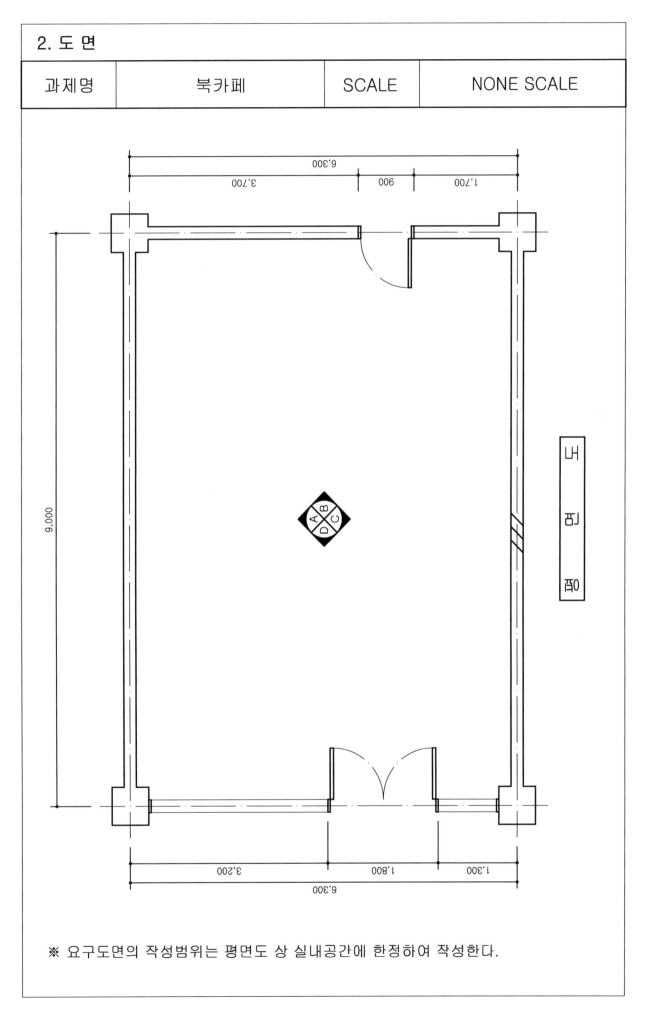

※ 요구도면의 작성범위는 평면도 상 실내공간에 한정하여 작성한다.

3. 풀이 방향

카페와 북카페의 차이점은 무엇일까?
없다. 같은 카페다. 책꽂이 몇 개 더 넣어주면 그게 바로 북카페다.
여기서 중요한 것은 계획을 세분화하려 하지 말자.
유사한 것은 하나로 통일해서 계획을 기억하자.

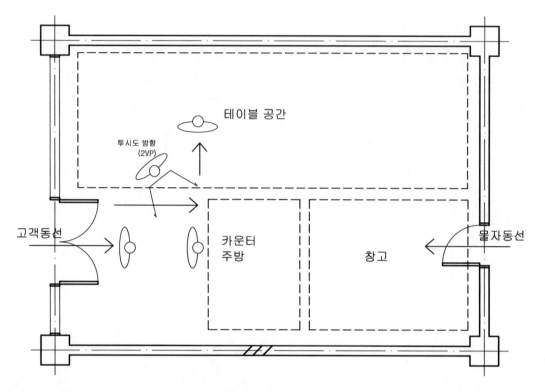

상업공간의 계획이 이제 조금씩 쉽게 느껴지지 않는가?
그 만큼 많은 문제를 풀었다는 것이다.
학교나, 회사였다면 매번 새로운 디자인과 공간을 요구하지만 우리는 시험을 보는 것이고, 채점자는 내 도면을 딱 1개만 보는 것이다.
그러니 매번 계획하며, 새로운 계획을 새우려 하기보단 내가 눈 감고도 할 수있는 방법론을 하나만 만들자~

메뉴박스와 광천장은 다른건가?

사용목적이 다를 뿐 내용물은 같다.
광천장 : 메인조명으로 디자인이 감미된 것
메뉴박스 : 광천장을 메뉴판용도로 만든 것

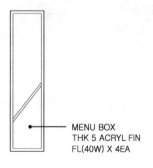

MENU BOX
THK 5 ACRYL FIN
FL(40W) X 4EA

＞B 절취선

4. 계획 답안

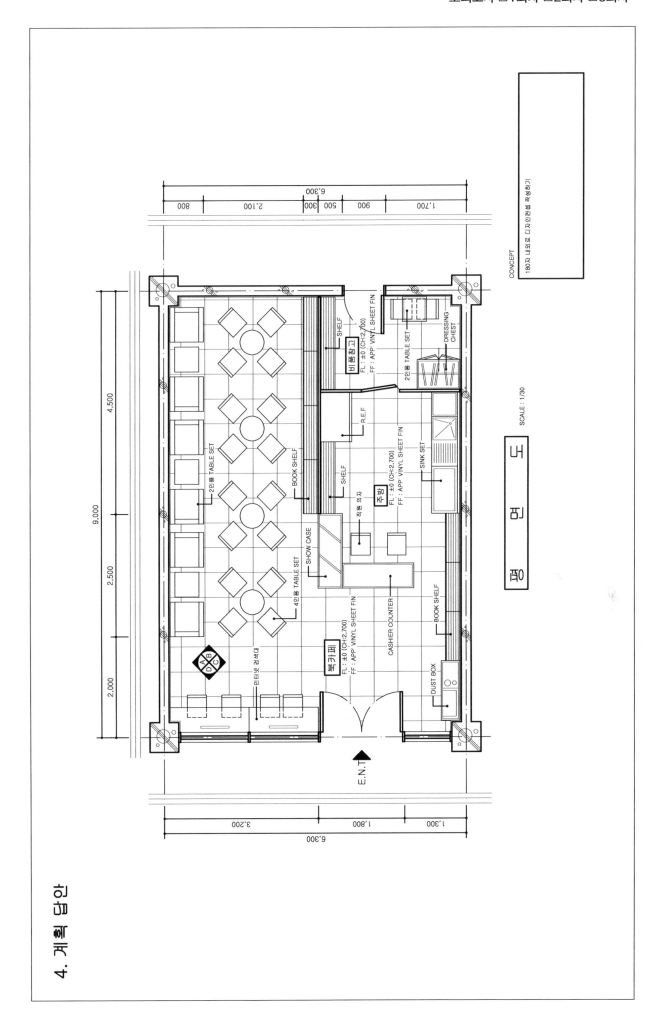

평 면 도

SCALE : 1/30

CONCEPT

180자 내외로 디자인컨셉 작성하기

4. 계획 답안

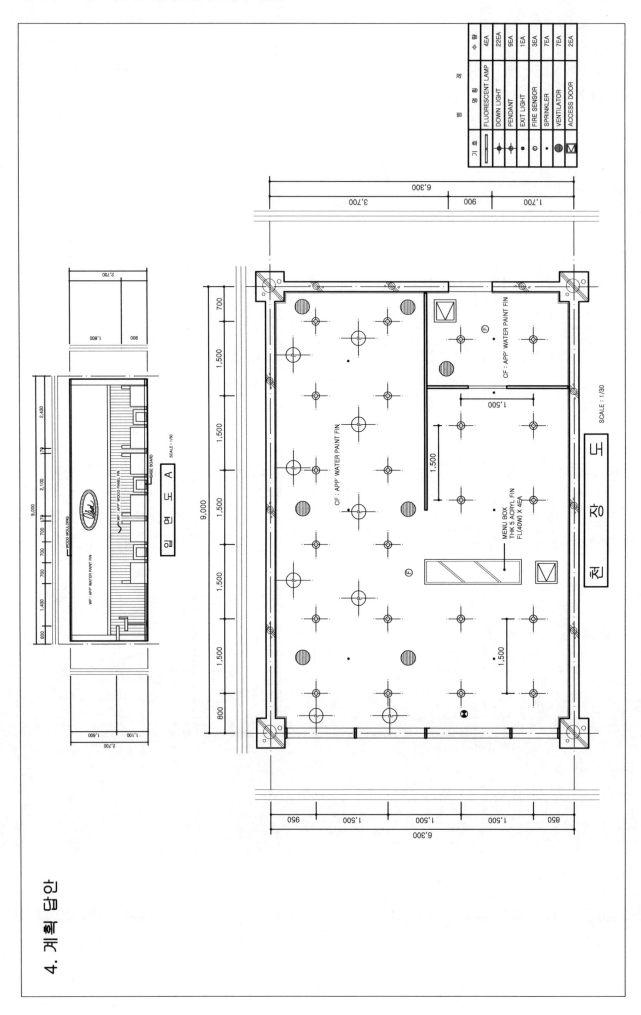

기호	명칭	수량
	FLUORESCENT LAMP	4EA
	DOWN LIGHT	22EA
	PENDANT	9EA
	EXIT LIGHT	1EA
	FIRE SENSOR	3EA
	SPRINKLER	7EA
	VENTILATOR	7EA
	ACCESS DOOR	2EA

입 면 도 A
SCALE : 1/50

천 장 도
SCALE : 1/30

국 가 기 술 자 격 실 기 모 의 문 제

모의고사	실내건축산업기사	과제종류	상업공간
		과제번호	16
		과 제 명	베이커리 카페

MEMO.

작 도 개 요

작 도 일			전체시간	시	분
평 면 도	시	분	입 면 도	시	분
천 장 도	시	분	투 시 도	시	분

국 가 기 술 자 격 실 기 시 험 문 제

자격종목	실내건축산업기사	과 제 명	베이커리 카페

※ 시험시간 : 5시간 30분

1. 요구사항

※ 문제 도면은 30~40대를 주고객으로 하는 근린상가 내에 위치한 베이커리 카페의 평면도이다. 다음 요구 조건에 맞게 요구 도면을 작도하시오.

가. 요구조건

  1) 설계면적 : 8.2m x 7m x 2.9m(CH)

  2) 구성원 : 직원 2명

  3) 벽체 : THK 200 콘크리트

  4) 기둥 : 0.76m x 0.76m

  5) 출입문 : 1.8m x 2.1m(H)

  6) 공간구성 및 집기

   - 카운터, 주방(주방기기, 커피머신), 홀(의자, 테이블),

    판매 및 전시공간(진열장, 진열대)

   (* 제시된 공간구성 및 집기는 필수적이며, 이외에 필요한 것이 있다면

    수험자가 임의로 추가할 수 있음)

나. 요구도면

  1) 평면도 (가구배치 및 바닥 마감재 표기) : 1/30 (SCALE)

   - 평면도 주변의 여유공간에 설계개요(DESIGN CONCEPT)를 200자 이내로

    서술하시오.

  2) 내부입면도 B방향 1면 (벽면재료 표시) : 1/50 (SCALE)

  3) 천장도 (설비, 조명기구 배치 및 범례표 작성, 천장마감재 표기) : 1/30 (SCALE)

  4) 실내 투시도 (채색작업 필수) : N/S (SCALE)

   - 계획의 포인트가 좋은 지점에서 1소점 또는 2소점 투시법으로 작성 및 작성과정

    의 투시보조선을 남길 것

＞B 절취선

2. 도 면

과제명	베이커리 카페	SCALE	NONE SCALE

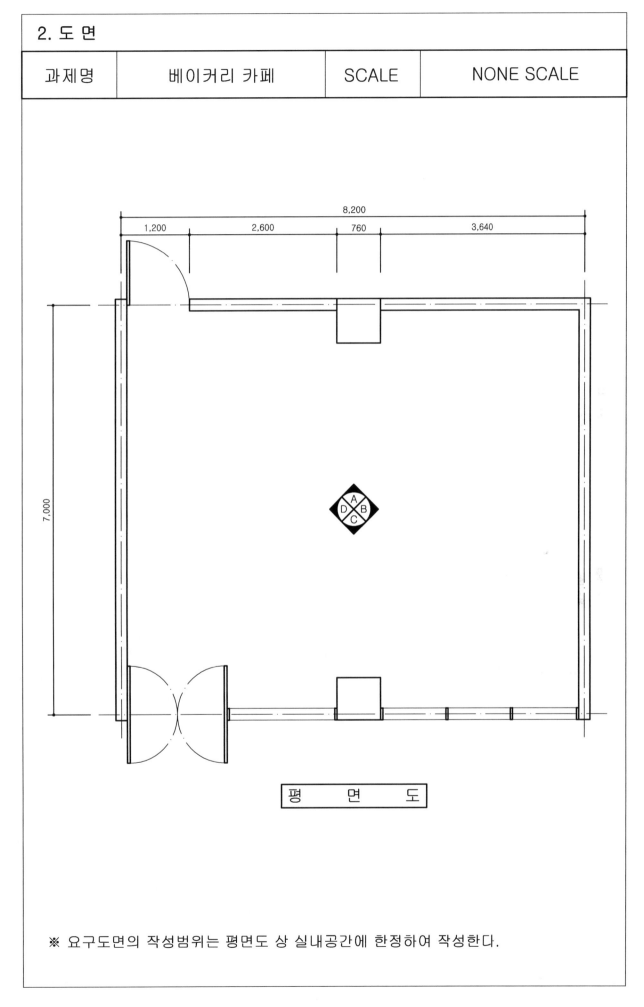

평 면 도

※ 요구도면의 작성범위는 평면도 상 실내공간에 한정하여 작성한다.

3. 풀이 방향

카페가 또 나왔다!
베이커리 카페는 조금 다르지 않겠냐고 한다면...
빵집에 빵을 사러갈 때를 생각해 보자. 매대에서 빵을 집은 기억을 떠올리며 카페를 계획하자~

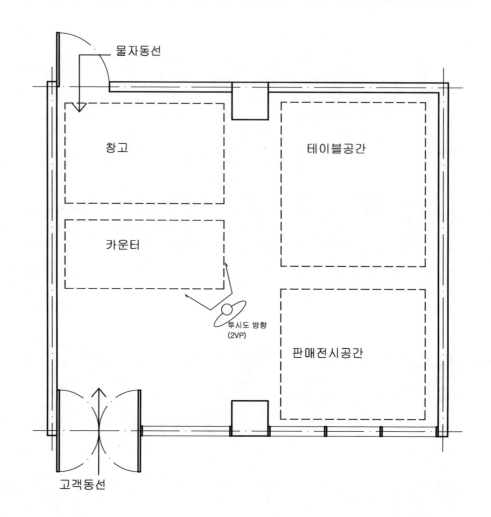

물자동선

창고

테이블공간

카운터

투시도 방향
(2VP)

판매전시공간

고객동선

판매전시공간과 테이블공간의 바닥 레벨이 다른데 꼭 이렇게 해야하나?

아니다. 평면도에서 중요한것은 작도량이다.
그렇기 때문에 작도량을 늘리기 위해 바닥을 강화마루 표현을 넣은 것이다.
겸사겸사 레벨은 넣은 것 뿐이다. 여러분은 강화마루표현은 넣되 레벨은 건들지 말자.

투시도는 어느 방향을 잡나?

카운터 방향을 잡도록 하자. SP는 3~5천 사이로 잡으면 된다.

A B 절취선

4. 계획 답안

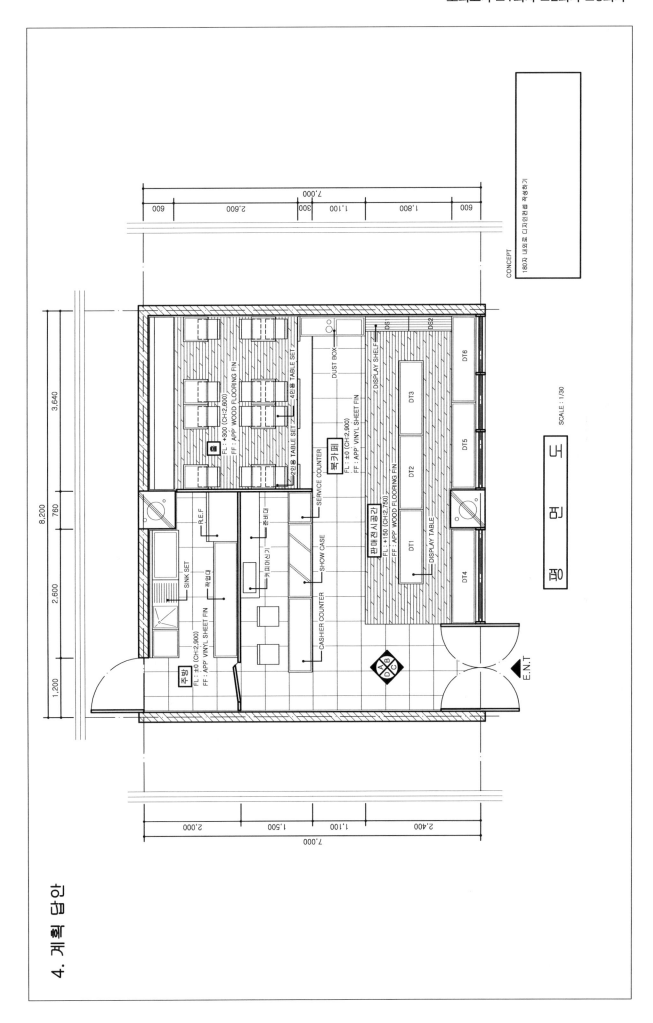

평 면 도

SCALE : 1/30

CONCEPT

180자 내외로 디자인컨셉 작성하기

7,000

600 | 2,600 | 300 | 1,100 | 1,800 | 600

8,200

1,200 | 2,600 | 760 | 3,640

주방
FL : ±0 (CH:2,900)
FF : APP. VINYL SHEET FIN

SINK SET

R.E.F.

작업대

커피머신기

준비대

SHOW CASE

SERVICE COUNTER

CASHIER COUNTER

DUST BOX

복가페
FL : ±0 (CH:2,900)
FF : APP. VINYL SHEET FIN

2인용 TABLE SET

4인용 TABLE SET

FL : +300 (CH:2,600)
FF : APP. WOOD FLOORING FIN

판매전시공간
FL : +150 (CH:2,750)
FF : APP. WOOD FLOORING FIN

DISPLAY SHELF

DISPLAY TABLE

DS1

DS2

DT1 | DT2 | DT3

DT4 | DT5 | DT6

E.N.T

A B D C

7,000

2,400 | 1,100 | 1,500 | 2,000

4. 계획 답안

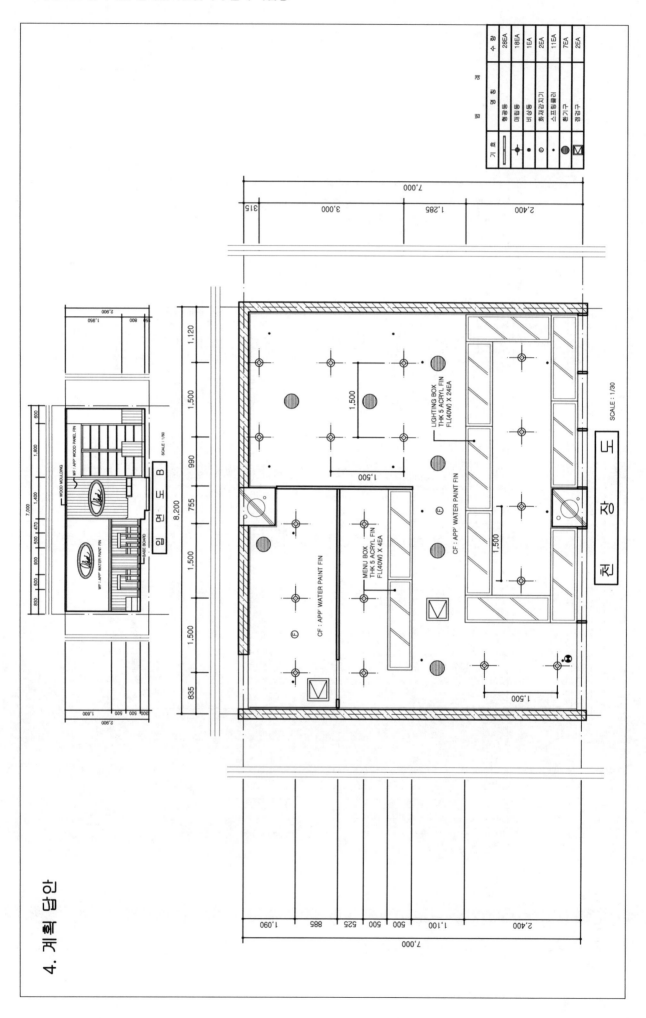

국 가 기 술 자 격 실 기 모 의 문 제

모의고사	실내건축산업기사	과제종류	상업공간
		과제번호	17
		과 제 명	헤어숍

MEMO.

작 도 개 요

작 도 일			전체시간	시	분
평 면 도	시	분	입 면 도	시	분
천 장 도	시	분	투 시 도	시	분

국 가 기 술 자 격 실 기 시 험 문 제

자격종목	실내건축산업기사	과 제 명	헤어숍

※ 시험시간 : 5시간 30분

1. 요구사항

※ 문제 도면은 1종 근린생활시설에 입점하는 헤어숍의 평면도이다. 다음 요구 조건에 맞게 요구 도면을 작도하시오.

가. 요구조건

1) 설계면적 : 8.5m x 6m x 2.7m(CH)

2) 고객대상 : 20~30대

3) 출입문 : 2.5m x 2.3m

4) 공간구성 및 집기

  - 샴푸실

  - 직원휴게실

  - 카운터

  - 대기공간

  - 미용공간

  (* 제시된 공간구성 및 집기는 필수적이며, 이외에 필요한 것이 있다면 수험자가 임의로 추가할 수 있음)

나. 요구도면

1) 평면도 (가구배치 및 바닥 마감재 표기) : 1/30 (SCALE)

- 평면도 주변의 여유공간에 설계개요(DESIGN CONCEPT)를 200자 이내로 서술하시오.

2) 내부입면도 1면 (벽면재료 표시) : 1/50 (SCALE)

3) 천장도 (설비, 조명기구 배치 및 범례표 작성, 천장마감재 표기) : 1/30 (SCALE)

4) 실내 투시도 (채색작업 필수) : N/S (SCALE)

- 계획의 포인트가 좋은 지점에서 1소점 또는 2소점 투시법으로 작성 및 작성과정의 투시보조선을 남길 것

2. 도 면

과제명	헤어숍	SCALE	NONE SCALE

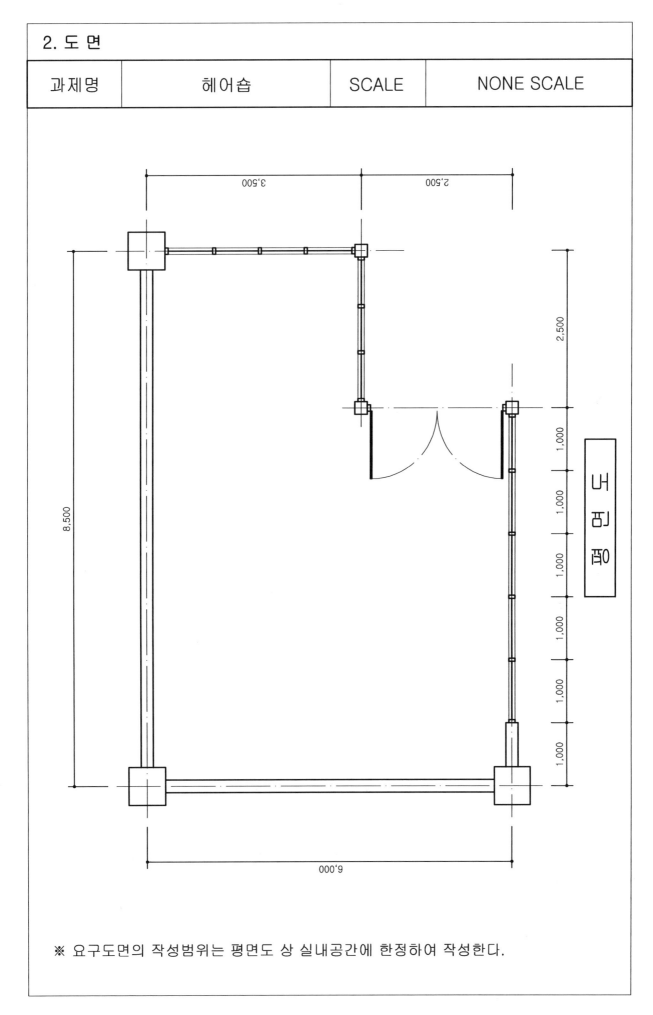

※ 요구도면의 작성범위는 평면도 상 실내공간에 한정하여 작성한다.

3. 풀이 방향

이번 과제는 헤어숍이다.
이론적인 것 보다 우리가 살면서 미용실 한 번은 가보지 않았는가?
당골 미용실을 먼저 떠올리자!

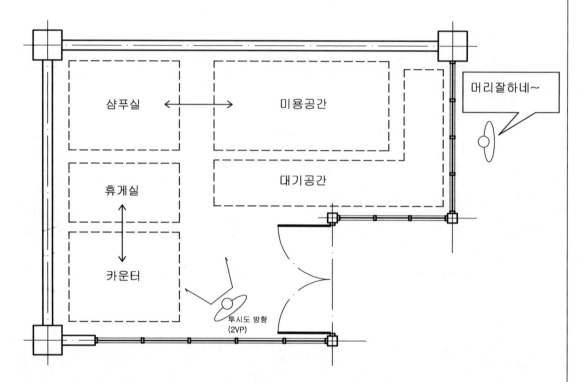

평소의 의류매장이었다면 고정창에 쇼윈도우를 계획하여 매장을 홍보하였을 것이다.
하지만 이번에는 헤어숍이다. 헤어숍이라면, 머리를 하는 사람과 머리를 하기 위해 기다리는 사람이 매장
이 쇼윈도우로 홍보효과를 줄 것이다.
그렇기에 미용공간과 대기공간을 고정창쪽으로 붙여 계획한다.
샴푸실과 휴게실은 프라이버시가 보호되어야 하기에 내벽쪽에 인접해서 계획한다.

> ### CONCEPT은 어떻게 쓸까? 2탄

아직도 고민하는가?
컨셉은 200자 내외다. 말이 200글자지 어디 한번 썰좀 풀어볼까!
하면 모자른다. 풀이방향을 전부 쓰자니 모자르다.
그렇기에 풀이과정 중 인상깊은 것 1가지만 이쁜글씨로 쓰도록 하자!

이것으로 컨셉은 더이상 고민하지 않기로 하자!

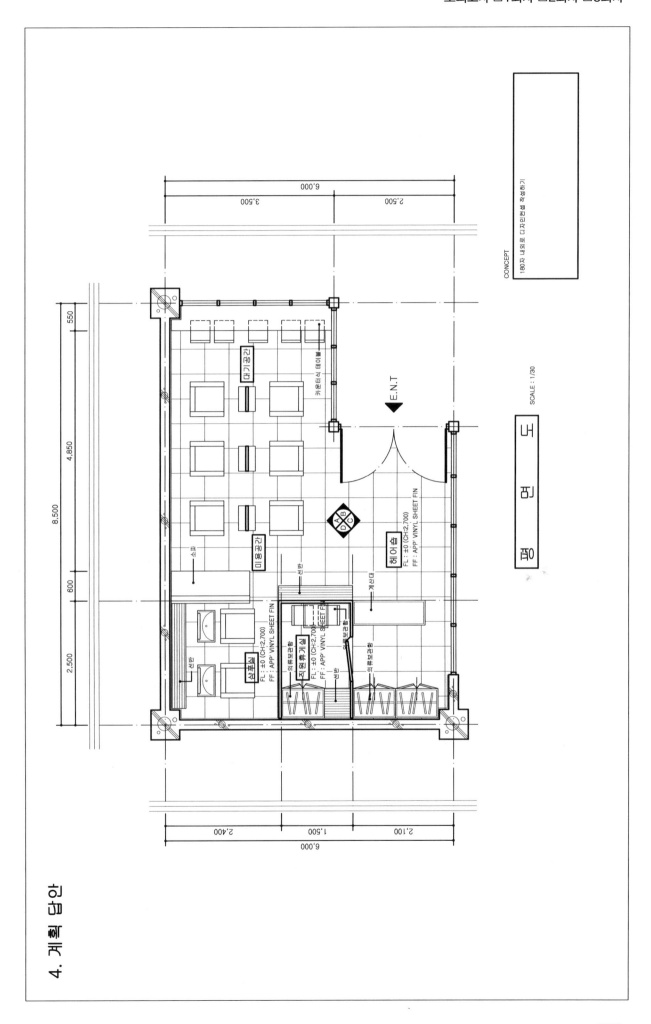

4. 계획 단안

<B 절취선

4. 계획 답안

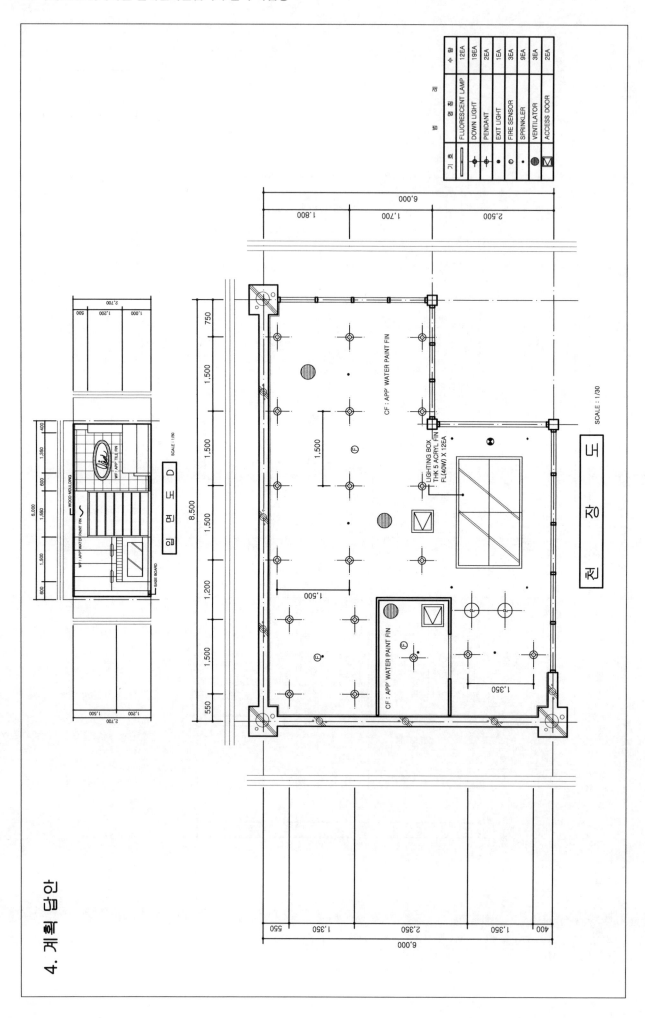

국 가 기 술 자 격 실 기 모 의 문 제

모의고사	실내건축산업기사	과제종류	상업공간
		과제번호	18
		과 제 명	헤어전문숍

MEMO.

작 도 개 요

작 도 일			전체시간	시	분
평 면 도	시	분	입 면 도	시	분
천 장 도	시	분	투 시 도	시	분

국 가 기 술 자 격 실 기 시 험 문 제

자격종목	실내건축산업기사	과 제 명	헤어전문숍

※ 시험시간 : 5시간 30분

1. 요구사항

※ 문제 도면은 쇼핑센터 내에 위치한 중장년을 위한 헤어전문숍의 평면도이다.
   다음 요구 조건에 맞게 요구 도면을 작도하시오.

가. 요구조건

1) 설계면적 : 8.1m x 5.4m x 2.4m(CH)
2) 공간구성 및 집기
   - 미용공간, 대기공간, 비품창고, 샴푸실, 카운터, 손님용 의류보관함
   (* 제시된 공간구성 및 집기는 필수적이며, 이외에 필요한 것이 있다면
      수험자가 임의로 추가할 수 있음)

나. 요구도면

1) 평면도 (가구배치 및 바닥 마감재 표기) : 1/30 (SCALE)
- 평면도 주변의 여유공간에 설계개요(DESIGN CONCEPT)를 200자 이내로
   서술하시오.
2) 내부입면도 D방향 1면 (벽면재료 표시) : 1/50 (SCALE)
3) 천장도 (설비, 조명기구 배치 및 범례표 작성, 천장마감재 표기) : 1/30 (SCALE)
4) 실내 투시도 (채색작업 필수) : N/S (SCALE)
- 계획의 포인트가 좋은 지점에서 1소점 또는 2소점 투시법으로 작성 및 작성과정
   의 투시보조선을 남길 것

절취선 B< (vertical, left margin)

2. 도 면

과제명	헤어전문숍	SCALE	NONE SCALE

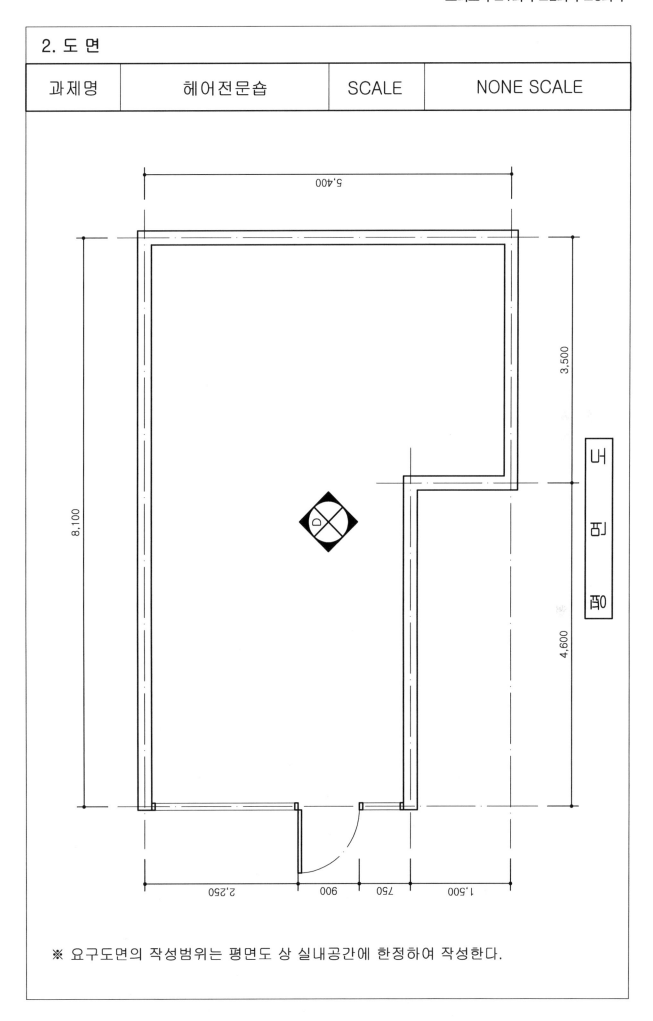

5,400

3,500

8,100

4,600

내 려 평

2,250　900　750　1,500

※ 요구도면의 작성범위는 평면도 상 실내공간에 한정하여 작성한다.

3. 풀이 방향

헤어숍이다.
미용공간, 비품창고, 샴푸실이 기본적으로 있어야 한다.

지금까지 우리가 공부한 것을 바탕으로 한번 계획을 세워보자.
1) 창고와 카운터는 인접한다.
2) 미용공간은 홍보효과를 위해 고정창과 인접한다.
3) 샴푸실과 미용공간은 인접배치하되 내벽쪽에 배치한다.

이 정도가 머리에 스쳐지나간다면 계획 쪽은 아주 정리가 잘 되고 있다고 할 수 있다.

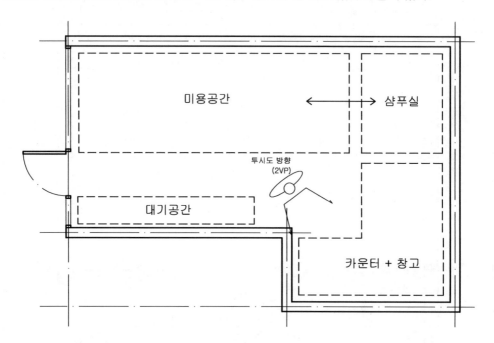

계획 시 주의사항

고객이동 통로가 명쾌하면 좋다.
구불구불하게 이동하는 것보다 통로가 쭉쭉 뻗으면 보기도 좋고 동선도 명쾌할 것이다.

투시도 작도시 조언

1) 1소점 투시도 보단 2소점 투시도를 그리는 것을 적극 추천한다.
그 이유는 1소점은 3면의 벽의 가구를 그려야 하지만, 2소점은 2면의 벽의 가구만 그리면 되기 때문이다.
가구량이 많이 준다.

2) 상업공간의 경우 2소점 투시로 무조건 카운터를 그리면 된다.

3) 주거공간의 경우 상업공간의 카운터와 유사한 배치인 주방을 그린다.

결론적으로 투시도는 카운터 부위만, 주거공간은 주방부위만 연습하자.
자신이 아무리 다양한 투시도를 그릴 수 있다 하더라도 채점자는 내 투시도 딱 1개만 본다.
그러니 나도 딱 1개의 뷰만 달인이 될 때까지 연습하자.

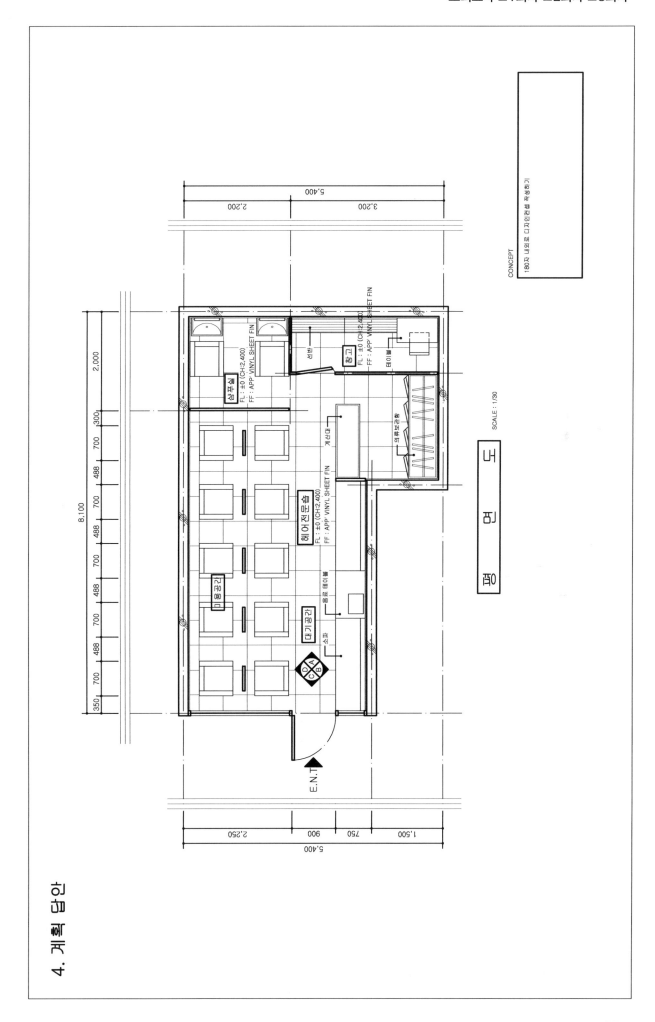

4. 계획 답안

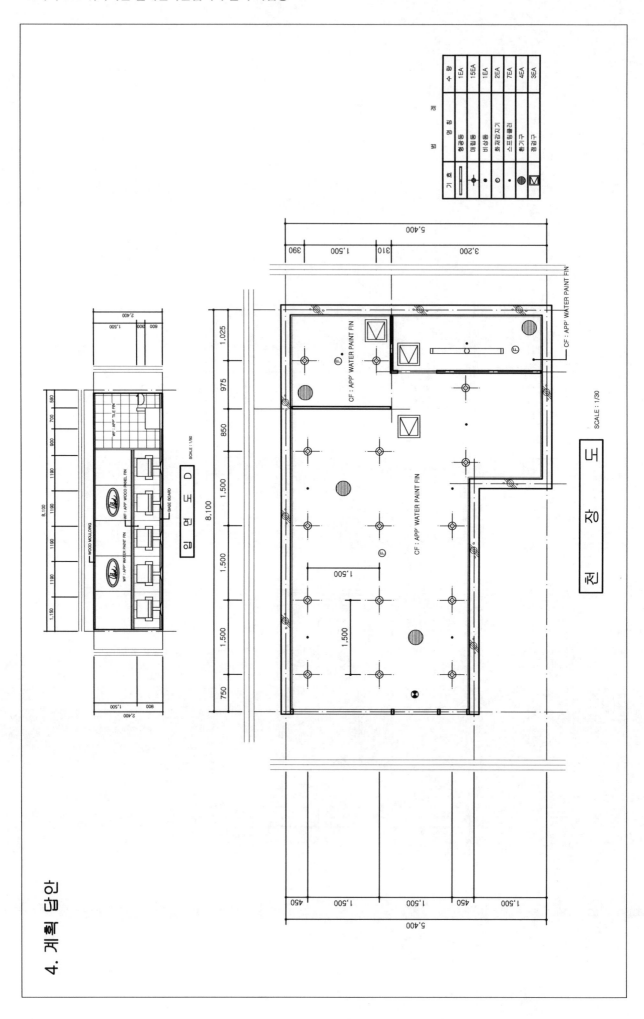

4. 계획 답안

기 호	명 칭	적 요	수 량
	형광등		1EA
	매입등		15EA
	벽부등		1EA
	화재감지기		2EA
	스프링클러		7EA
	환기구		4EA
	점검구		3EA

천 장 도
SCALE : 1/30

입 면 도 D
SCALE : 1/30

국 가 기 술 자 격 실 기 모 의 문 제

모의고사	실내건축산업기사	과제종류	상업공간
		과제번호	19
		과 제 명	이동통신기기매장

MEMO.

작 도 개 요

작 도 일			전체시간	시 분	
평 면 도	시	분	입 면 도	시	분
천 장 도	시	분	투 시 도	시	분

국 가 기 술 자 격 실 기 시 험 문 제

자격종목	실내건축산업기사	과 제 명	이동통신기기매장

※ 시험시간 : 5시간 30분

1. 요구사항

※ 문제 도면은 근린상업지역의 대로변 1층에 위치한 이동통신기기 전문매장의
평면도이다. 다음 요구 조건에 맞게 요구 도면을 작도하시오.

가. 요구조건

1) 설계면적 : 7.8m x 5.1m x 2.7m(CH)

2) 공간구성 및 집기

– 전시대, 쇼케이스, 4인용 고객테이블, 수납카운터

동시 2인 이상 상담 및 서비스테이블

(＊ 제시된 공간구성 및 집기는 필수적이며, 이외에 필요한 것이 있다면

수험자가 임의로 추가할 수 있음)

나. 요구도면

1) 평면도 (가구배치 및 바닥 마감재 표기) : 1/30 (SCALE)

– 평면도 주변의 여유공간에 설계개요(DESIGN CONCEPT)를 200자 이내로
서술하시오.

2) 내부입면도 C방향 1면 (벽면재료 표시) : 1/30 (SCALE)

3) 천장도 (설비, 조명기구 배치 및 범례표 작성, 천장마감재 표기) : 1/30 (SCALE)

4) 실내 투시도 (채색작업 필수) : N/S (SCALE)

– 계획의 포인트가 좋은 지점에서 1소점 또는 2소점 투시법으로 작성 및 작성과정
의 투시보조선을 남길 것

2. 도 면

| 과제명 | 이동통신기기매장 | SCALE | NONE SCALE |

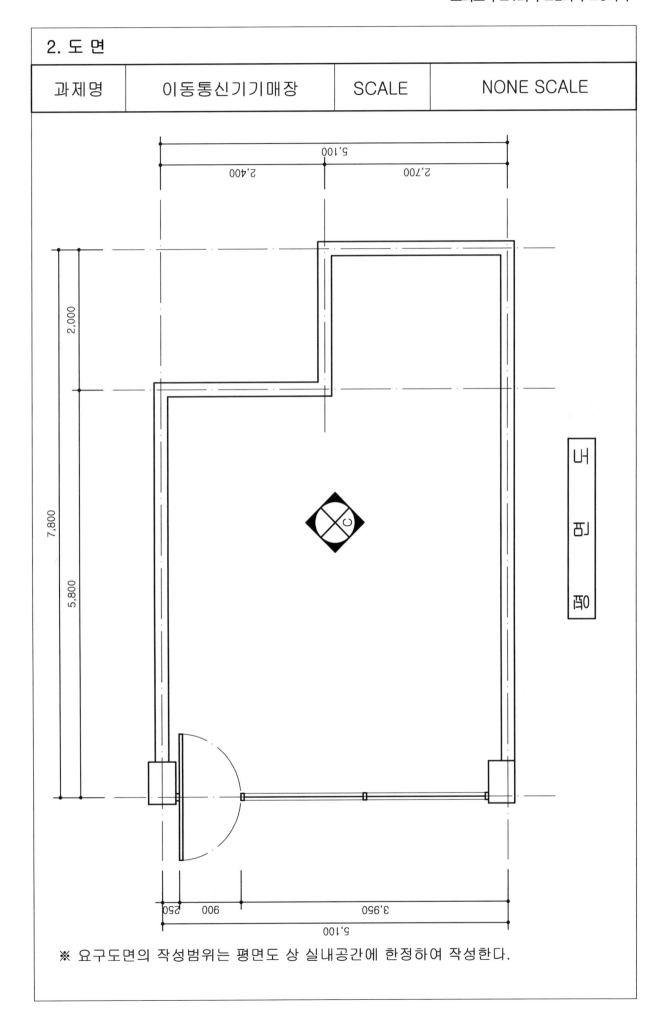

※ 요구도면의 작성범위는 평면도 상 실내공간에 한정하여 작성한다.

3. 풀이 방향

이동통신매장은 사과스토어을 떠올려보자.
중앙의 디스플레이 테이블에 다양한 전자기기가 전시되어 있고, 벽면에는 다양한 악세사리가 있지 않는가?
계획이 끝났다~

계획하는 것 어떤가? 교재의 머리말에도 적어 놓았다. 인테리어 계획은 우리주변을 돌아다니다 보면 자동으로 공부가 된다.

앞으로는 커피마시러 가면 커피만 마시지 말고 매장도 돌아보자.
헤어숍, 아이스크림매장, 의류매장, 스포츠매장에 가면 물건만 보지말고 공간을 돌아보자.

우리시험은 대단한 계획안을 원하는 것이 아니다. 일반적인 누구나 공감하는 계획안이다.
그러니 우리주변의 매장만 관심있게 둘러보면 문제의 절반이상을 풀수 있다.

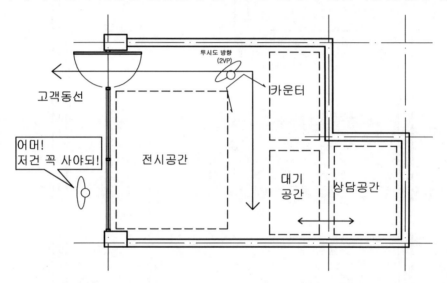

투시도 작도시 조언2

투시도 조언 두 번째다.
투시도 컬러링의 목적은 화려함이 아니다.
깔끔함이다.
색을 많이 쓰는 것이 중요한 것이 아니다.
깔끔함이다.

예전에는 안 그랬지만 2020년 이후 수험자 유의사항에 이런말이 들어가 있다.
<투시도는 채색을 하지 않아도 채점대상에 포함됨>
예전에는 투시도에 컬러링을 하지 않으면 보지도 않고 실격이지만, 이제는 감점을 주는 듯하다.
실제로 제자 중 한 명은 투시도 컬러링을 하나도 하지 않고 제출했음에도 불구하고 합격했다.
정말정말 시간이 부족해서 나는 틀렸다 라고 생각이 든다면, 잉킹만이라도 완성해서 제출하도록 하자.
포기하면 그것으로 끝이지만, 제출하면 도면이 좋다면 기대라도 할 수 있지 않겠는가?

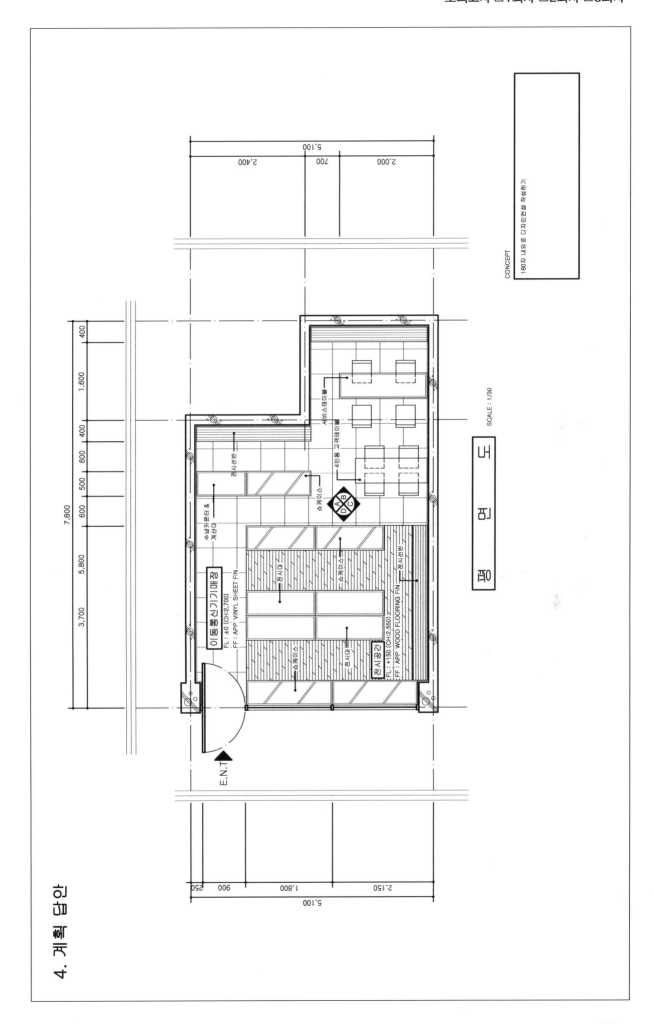

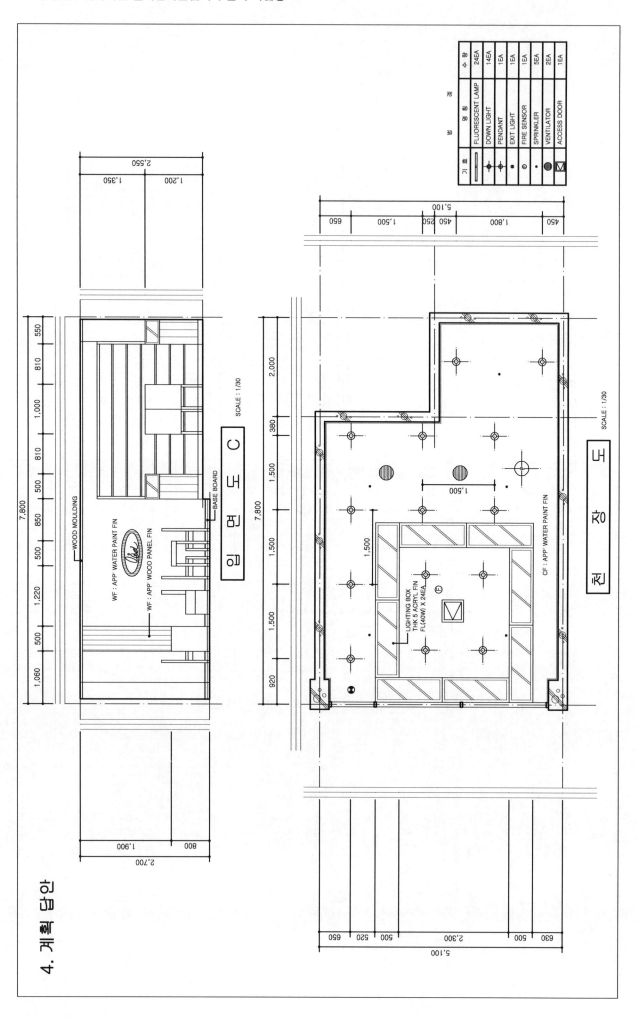

국 가 기 술 자 격 실 기 모 의 문 제

모의고사	실내건축산업기사	과제종류	상업공간
		과제번호	20
		과 제 명	네일아트숍

MEMO.

작 도 개 요

작 도 일		전체시간	시 분
평 면 도	시 분	입 면 도	시 분
천 장 도	시 분	투 시 도	시 분

국 가 기 술 자 격 실 기 시 험 문 제

자격종목	실내건축산업기사	과 제 명	네일아트숍

※ 시험시간 : 5시간 30분

1. 요구사항

※ 문제 도면은 근린상업지역의 문화거리에 20~30대가 주 고객인 네일아트숍의
평면도이다. 다음 요구 조건에 맞게 요구 도면을 작도하시오.

가. 요구조건

1) 설계면적 : 9.2m x 6m x 2.7m(CH)

2) 구성원 : 창업자 1명, 직원 3명

3) 공간구성 및 집기

  - 카운터 및 판매공간

  - 고객 대기공간 : 소파, 테이블, 세면대, 서비스테이블

  - 네일아트공간 : 동시 작업가능 인원 3명

  - 페티큐어공간 : 동시 작업가능 인원 2명

  (* 제시된 공간구성 및 집기는 필수적이며, 이외에 필요한 것이 있다면
    수험자가 임의로 추가할 수 있음)

나. 요구도면

1) 평면도 (가구배치 및 바닥 마감재 표기) : 1/30 (SCALE)

 - 평면도 주변의 여유공간에 설계개요(DESIGN CONCEPT)를 200자 이내로
   서술하시오.

2) 내부입면도 A방향 1면 (벽면재료 표시) : 1/50 (SCALE)

3) 천장도 (설비, 조명기구 배치 및 범례표 작성, 천장마감재 표기) : 1/30 (SCALE)

4) 실내 투시도 (채색작업 필수) : N/S (SCALE)

 - 계획의 포인트가 좋은 지점에서 1소점 또는 2소점 투시법으로 작성 및 작성과정
   의 투시보조선을 남길 것

2. 도 면

과제명	네일아트숍	SCALE	NONE SCALE

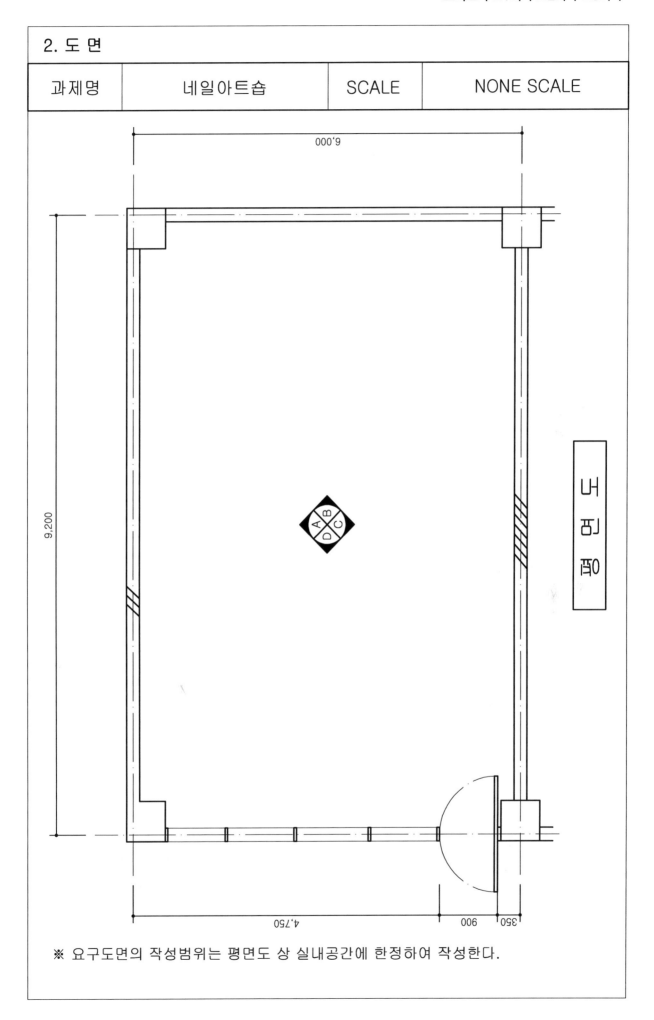

6,000

9,200

정 면 도

4,750   900   350

※ 요구도면의 작성범위는 평면도 상 실내공간에 한정하여 작성한다.

3. 풀이 방향

남성분들에게 아주 힘들었던 시험인 네일숍이다.
남성분들 중 단 한번도 가본 적이 없는 사람도 있을 것이고, 시험 준비한다고
들어가서 매니큐어 바르고 나오기도 쉽지 않은 공간이다.
자 이럴때 어떻게 하느냐?
일단 동선을 깔끔하게 정리한다.
그 후 그 동선과 실이 자연스럽게 들어갈 수 있도록 계획한다.

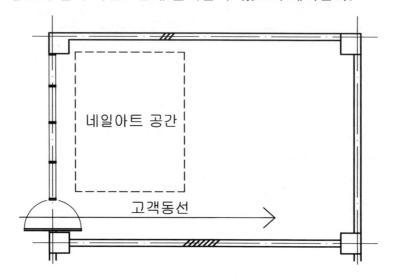

우선 문제가 네일아트숍이니 네일 아트공간을 고정창과 인접한다.
그리고 고객동선은 일직선으로 뽑는다.

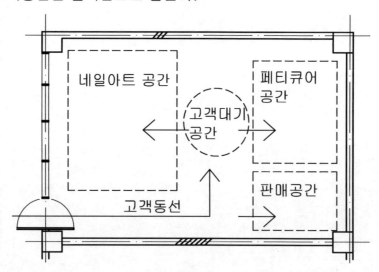

고객대기공간에서는 네일아트도 페티큐어도 동일한 조건으로 출입이 가능해야하니
중앙에 배치한다.
판매공간은 네일아트용품만 구매해서 간다고 생각한다면 고객대기 공간과
동선이 겹치지 않게 한쪽으로 빼면 좋을 듯하다.

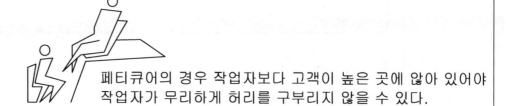

페티큐어의 경우 작업자보다 고객이 높은 곳에 앉아 있어야
작업자가 무리하게 허리를 구부리지 않을 수 있다.

>B 절취선

4. 계획 단인

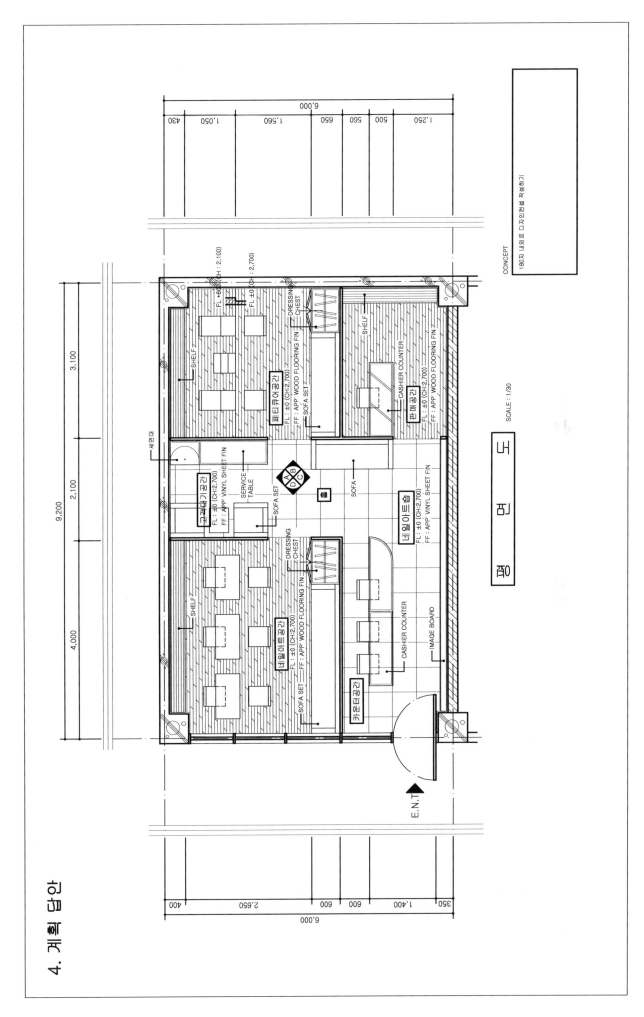

CONCEPT

180자 내외로 디자인컨셉 작성하기

평 면 도

SCALE : 1/30

4. 계획 도안

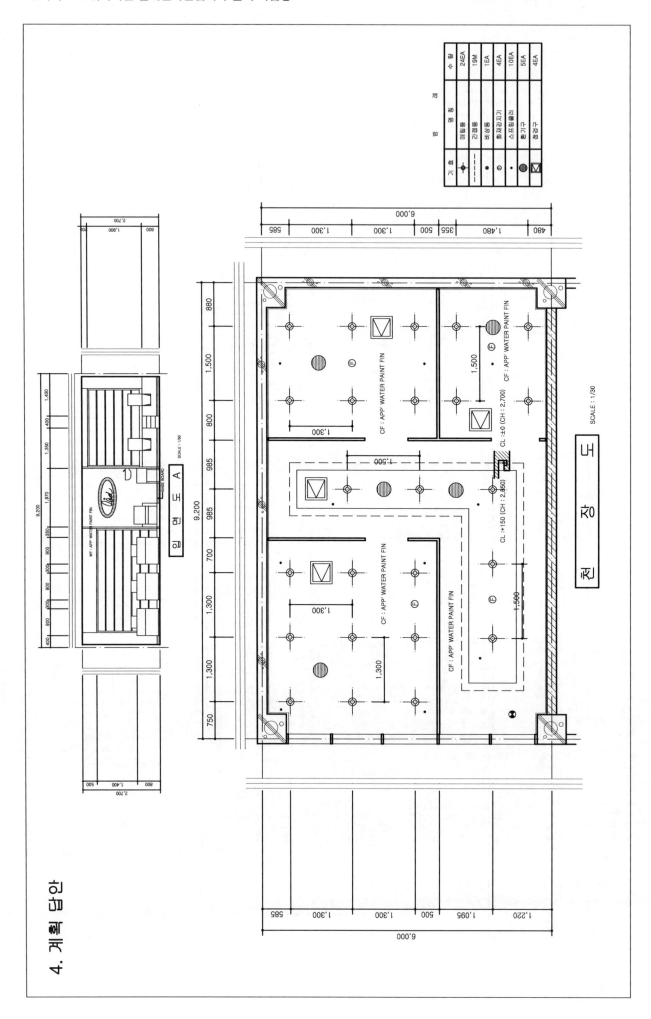

국 가 기 술 자 격 실 기 모 의 문 제

모의고사	실내건축산업기사	과제종류	상업공간
		과제번호	21
		과 제 명	약국

MEMO.

작 도 개 요

작 도 일			전체시간	시	분
평 면 도	시	분	입 면 도	시	분
천 장 도	시	분	투 시 도	시	분

국 가 기 술 자 격 실 기 시 험 문 제

자격종목	실내건축산업기사	과 제 명	약국

※ 시험시간 : 5시간 30분

1. 요구사항

※ 문제 도면은 중심상업지역에 위치한 약국의 평면도이다. 다음 요구 조건에 맞게 요구 도면을 작도하시오.

가. 요구조건

  1) 설계면적 : 9m x 6.3m x 2.7m(CH)

  2) 공간구성 및 집기

    – 제조실

    – 약품전시공간

    – 상담공간

    – 대기공간

    – 카운터, 약품질열장, 상담용 책상 & 의자, 대기용 의자, 음료대

    (* 제시된 공간구성 및 집기는 필수적이며, 이외에 필요한 것이 있다면

      수험자가 임의로 추가할 수 있음)

나. 요구도면

  1) 평면도 (가구배치 및 바닥 마감재 표기) : 1/30 (SCALE)

  – 평면도 주변의 여유공간에 설계개요(DESIGN CONCEPT)를 200자 이내로 서술하시오.

  2) 내부입면도 A방향 1면 (벽면재료 표시) : 1/50 (SCALE)

  3) 천장도 (설비, 조명기구 배치 및 범례표 작성, 천장마감재 표기) : 1/30 (SCALE)

  4) 실내 투시도 (채색작업 필수) : N/S (SCALE)

  – 계획의 포인트가 좋은 지점에서 1소점 또는 2소점 투시법으로 작성 및 작성과정의 투시보조선을 남길 것

2. 도 면

과제명	약국	SCALE	NONE SCALE

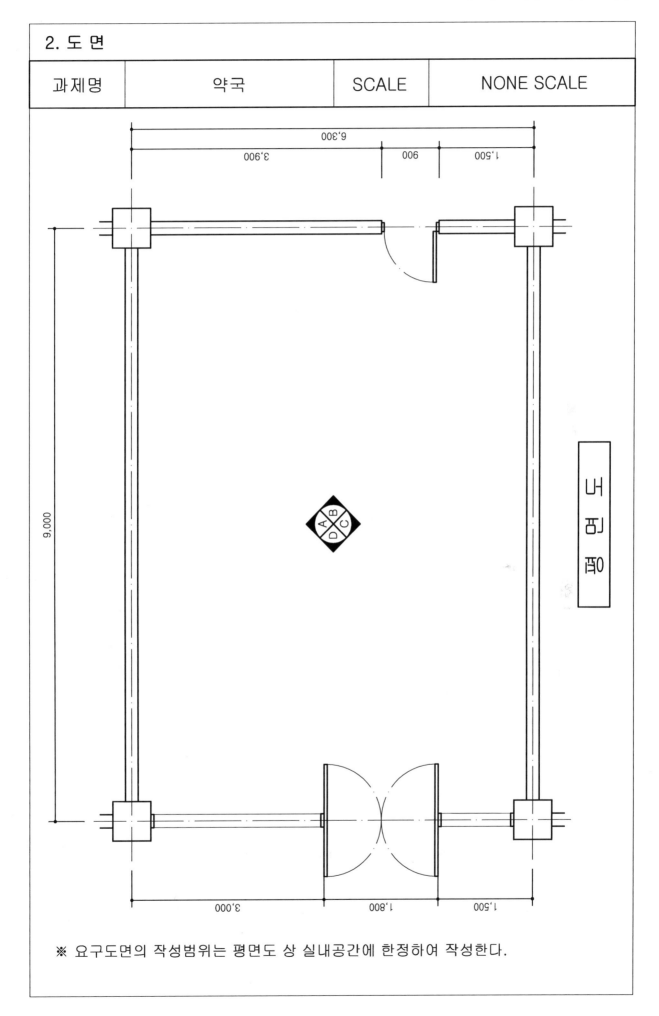

6,300

3,900 900 1,500

9,000

도 면 명

3,000 1,800 1,500

※ 요구도면의 작성범위는 평면도 상 실내공간에 한정하여 작성한다.

3. 풀이 방향

이번에는 약국이다.
우리입장에서 보면 홀 이외에는 들어가 보지 못했기 때문에 과연 내부가 어떻게 되어
있을까? 하고 의문을 가질 수 있다.
맞다. 우리는 전문 약사가 아니다. 인테리어를 공부하는 사람이다.
그렇기 때문에 문제에서 이미 다 주지 않았는가?
제조실, 약품전시공간, 상담공간, 대기공간만 계획하면 된다.
그렇다면 그간 풀어온 모든 상업공간 계획방법을 동원해보자

1) 문이 2개다. 분명 그 중 한 개는 물품동선이다.
2) 고정창이 보이니 약을 타기 위해 기다리는 사람보다는 약국에 이렇게 많은 약이
있다고 전시하는 편이 홍보가 될 듯하다. 그러니 전시공간은 고정창과 인접이다.
3) 제조실과 창고는 인접할 것이다. 카페의 주방과 창고와 같이 말이다.

자 이제 퍼즐만 맞추면 된다.

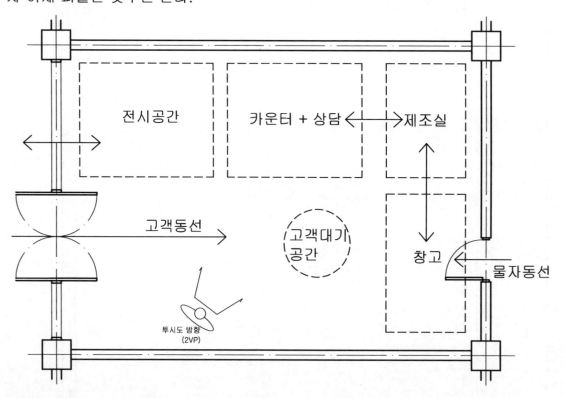

어떤가?
각각의 공간이 어렴풋이 나왔다면 이제 가구로 채우기만 하면 된다!
당연히 처음에는 어려울 것이다.
하지만 여기까지 온 여러분이라면 이미 여러분의 머리속에는 20개 가까운 배치계획이
있을 것이다.
이만큼의 배치계획을 가지고 있다면 신유형의 문제가 나와도 지금까지 풀어온 것처럼
풀이를 한다면 큰 문제가 없이 계획할 수 있을 것이다!

마지막 문제까지 풀었다면 당신은 이번회에 합격할 가능성이 매우 높다.
아니 이젠 무조건 붙어야만 한다. 노력은 언제나 배신하지 않는다고 하지 않는가!
합격을 간절히 기원하겠습니다!! 응원할께요!!

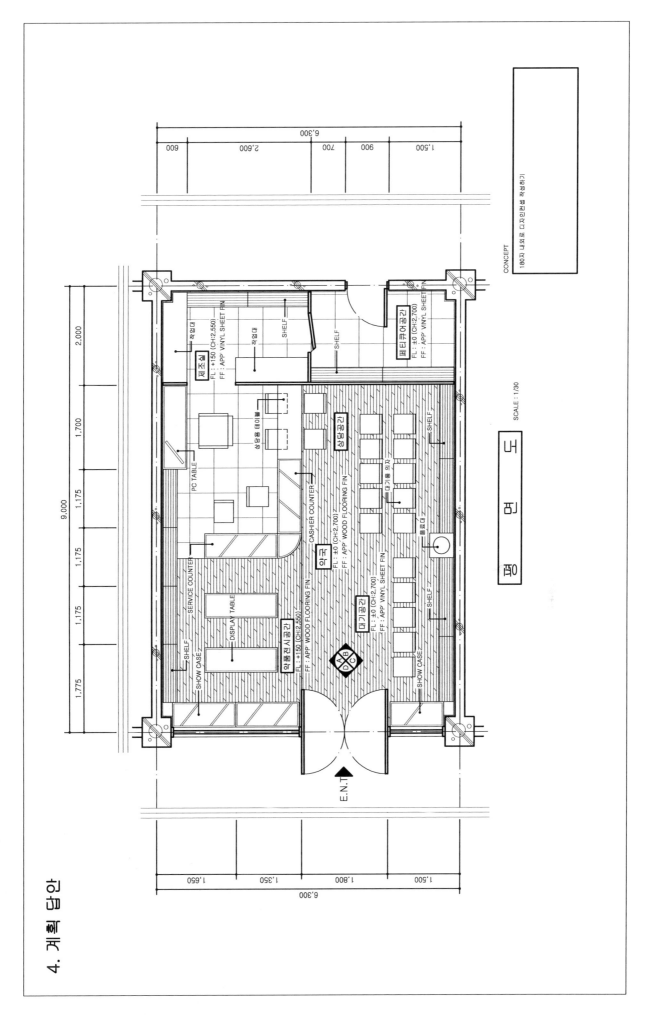

4. 계획 단안

\>B 절취선

CONCEPT

180자 내외로 디자인컨셉 작성하기

평 면 도

SCALE : 1/30

4. 계획 답안

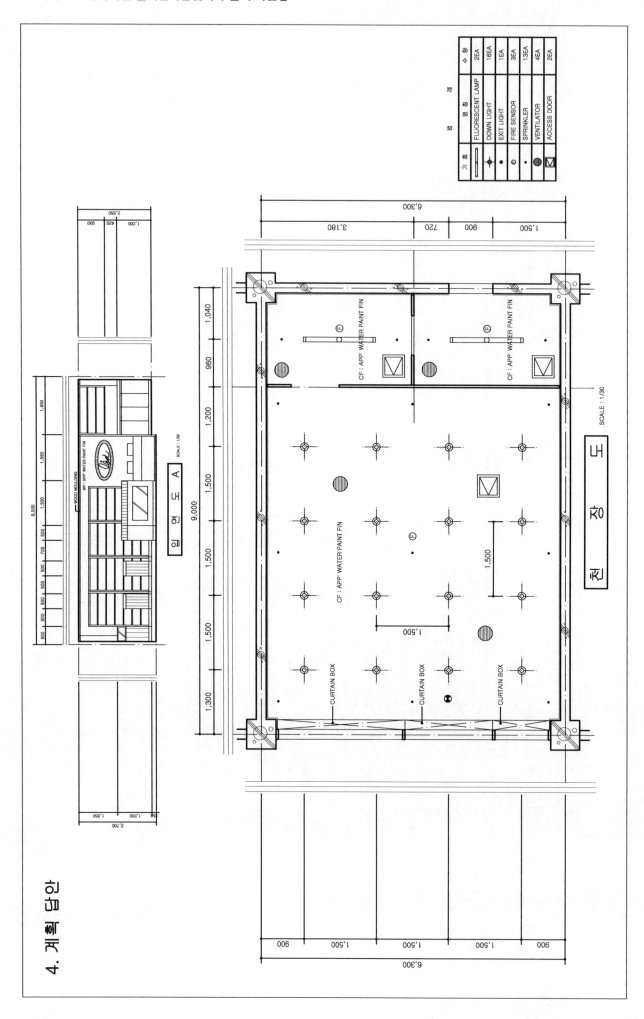

참고문헌

실내건축 디자인실무 작업형실기 / 성안당 / 전명숙 지음
실내건축산업기사 2차실기 / 동방디자인학원
실내건축산업기사 2차 작업형 실기 / ㈜한솔아카데미 / 김영애 저
실내건축산업기사 2차 작업형 실기 / 예문사 / 김정민

참고사이트
큐넷 : https://www.q-net.or.kr/

독학으로 취득하는 실내건축산업기사 실기 작업형
정가 : 28,000원

발행	2024년 2월 27일
저자	김 진 환
문의	thebauen@naver.com
펴낸곳	주식회사 부크크
출판사등록	2014.07.15.(제2014-16호)
주소	서울특별시 금천구 가산디지털1로 119 SK트윈타워 A동 305호
전화	1670-8316
이메일	info@bookk.co.kr

ISBN	979-11-410-7410-4